readisc

Books Musi
Family hist
Faxing Ga

Pl·

DYSONANSE
I HARMONIE

79 736 680 2

JOANNA KUPNIEWSKA

DYSONANSE
I HARMONIE

MILTON KEYNES LIBRARIES		
MKC	OON	
POL KUP		

NOVAE RES

Rozdział 1

—Jeśli myślisz, że wyprowadzę się na jakąś śmierdzącą, zabitą dechami wieś, to całkiem już ci odbiło! Zapomnij o tym chorym pomyśle! Ruderę trzeba sprzedać, o ile trafi się jakiś dureń, który to kupi.

Jerzy wymownie postukał się w czoło i wrócił do komputera. Mariola westchnęła. W pierwszym momencie, gdy usłyszała wiadomość, myślała, że to jakiś żart. Ciotkę Franciszkę pamiętała jak przez mgłę. Przypominała sobie mały domek, duże podwórko i gęś, która była postrachem całej hałastry dzieciaków przyjeżdżających na wakacje do małej wioseczki, schowanej pośród lasów Puszczy Drawskiej.

Wystarczyło zamknąć oczy, aby poczuć na języku smak świeżego chleba z wodą i cukrem, jagodowych racuchów i kompotu z rabarbaru. A w uchu syk i gęganie tej przeklętej gęsi... Wspominała swoje szalone zabawy z rodzeństwem ciotecznym, ale sama twarz Franciszki gdzieś jej umykała. Pamiętała tylko spracowane dłonie, które tak często podnosiły ich z ziemi po licznych upadkach. Pamiętała, jak wytrzepywały z ubrań tony kurzu, trawy i innych rzeczy, o których lepiej nie wspominać, aby rodzice nie bulwersowali się za bardzo. *Tak, jako dziecko często tam bywałam. Dorosłe życie wymusza jednak zmiany. Może nie bałabym się już gęsi-wariatki, ale czy z taką samą naiwną dziecięcą radością rzuciłabym się w wir wydarzeń? I życia w ogóle?* – zadała sobie retoryczne pytanie.

Mariola wyszła do kuchni. Trzeba zrobić jakieś żarcie. Jerzemu, jak zwykle, mięso, a Dawidowi, jak zwykle, kluchy. *Może pogodzę to razem i naklepię pierogów z mięsem?* W każdy weekend zmieniała swoje miejsce pracy ze szpitala na kuchnię. Pracowała jako pielęgniarka, zatrudniona na trzy czwarte etatu w prywatnej klinice medycyny estetycznej. Czy też może na pięć siódmych? Nie wnikała za bardzo w skomplikowaną, napisaną prawniczym żargonem treść umowy. W każdym razie soboty i niedziele miała wolne. Wyjątkowo zdarzył się jakiś dyżur. Jeśli już nikt inny nie chciał dorobić do pensji dodatkowymi godzinami, ściągali ją na oddział, gdzie mierzyła temperaturę, pomagała w toalecie i samoobsłudze oraz rozdawała leki. Głównie jednak słuchała niekończących się opowieści o podłym losie, jaki doświadczył pacjentki doktora Grzegorza Niziny. Biedne kobiety straciły swą urodę i powabną figurę z powodu bezczelnego czasu, który mimo grubych portfeli nie chciał się dla nich zatrzymać. Doprawdy skandal!

Mariola właściwie nie musiała pracować. Jerzy był programistą komputerowym w całkiem sporej firmie z kapitałem zagranicznym i mimo że nie byli krezusami, na chleb powszedni starczało. Nawet na masełko i jakąś zachciankę co jakiś czas. Po studium pielęgniarskim planowała uczyć się dalej, ale pojawił się Dawid i zamiast w książkach zakopała się w pieluchach.

Gdy urodziła, Jerzy był już na czwartym roku ekonomii. Łapał wszelkie fuchy, jakie się trafiały, i radzili sobie jak mogli w trzydziestoczterometrowym mieszkanku na szóstym piętrze, z wiecznie nieczynną windą. Mariola była zakochana i nie przeszkadzało jej, że cały dom, syn i organizacja rzeczy wszelakich były na jej głowie. Dawid był spokojnym, niekonfliktowym dzieckiem, a Jerzy spokojnym, niekonfliktowym mężem. Ale po piętnastu latach zaczął ją męczyć taki stan rzeczy. Tym bardziej że spokojny do tej pory Jerzy potrafił wybuchnąć nagle jak Etna i z całkiem spokojnego faceta robił się prawdziwy furiat.

Kiedy Jerzy dostał ciekawą propozycję pracy, przeprowadzili się do odległego Przemyśla, gdzie mieszkali przez następne dziewiętnaście lat. Przewidywalność każdego dnia, co jakiś czas urozmaicana kłótnią nie wiadomo o co, była dla Marioli nie do zniesienia. Dawid, student pierwszego roku finansów i rachunkowości, był gościem w domu, a największą miłością Jerzego, który w międzyczasie zaocznie ukończył informatykę, stał się komputer. Drugą jego miłością był samochód, a trzecią pies. Dopiero na jakimś dalszym miejscu znajdowała się ona. Ich życie nie było zbyt pasjonujące. W ciągu tygodnia, gdy Dawid był w szkole, po powrocie z pracy małżonkowie jedli wspólnie obiad, po czym każde z nich szło do swojego pokoju i zajmowało się tym, czym chciało. Jerzy siedział więc przy komputerze, czyścił auto lub oglądał po raz setny ukochanego Hansa Klossa, a Mariola cóż... szczerze mówiąc – wegetowała. Sprzątać w domu nie było czego, bo brudzić nie miał kto. Gości nie przyjmowali, bo na samą myśl o obcych w domu Jerzy dostawał szału. Na imprezy chodzili równie sporadycznie, gdyż oderwanie tyłka od krzesła lub sofy było zajęciem zbyt trudnym i nieprzyjemnym, aby to uczynić. Mariola grała zatem w beznadziejne komputerowe gierki, przeglądała Internet, rozmawiała na Facebooku lub Gadu-Gadu ze znajomymi, czasem spotykała się z nimi w kawiarni lub pubie. I tyle.

Ten marazm trwał od... No właśnie, od kiedy? Nie wiadomo. Trudno było określić, kiedy oboje oddalili się od siebie i zaczęli żyć obok. Mariola nie była, broń Boże, nieszczęśliwa. No cóż – nie była też szczęśliwa. Ich życie miało kolor waniliowej chałwy, a w najbardziej ekscytujących momentach, to znaczy raz w miesiącu, lekko różowawej waty cukrowej.

Matka, żona i... hmmm... kochanka wsypała do miski mąkę i wstawiła czajnik. Lubiła robić pierogi. Zajęcie mało kłopotliwe. Palce sklejające kawałki ciasta z farszem żyły swoim życiem, a głowa miała wolne i myśli swobodnie przepływały przez tę pustkę. Ale tego wczesnego popołudnia Mariola nie myślała o pracy ani o najnowszej wyprzedaży w kolejnym butiku, który pewnie zaraz zniknie lub zamieni w coś całkiem innego, tylko wróciła myślami do ciotki Franciszki. *Kiedy widziałam ją ostatnio? Chyba jeszcze w szkole. Taaak, to było wtedy, jak Anka zakochała się nieszczęśliwie w Bartku z trzeciej „B" i wśród krzaków czarnej porzeczki wypłakiwała mi na ramieniu wszystkie żale. Swoją drogą, gdzie ten Bartek miał oczy, żeby adorować tę kretynkę Martę? No, lalunia to ona może była, ale porozmawiać... mission failed.*

Uuups, kulka nadzienia spadła na podłogę. Mariola szybko podniosła ją i dmuchnęła na ewentualne zanieczyszczenia. *No cóż, leżała maksymalnie dwie sekundy, nie umrą w męczarniach od zjedzenia jej...* – rozgrzeszyła się szybko. No właśnie, a ciotka umarła. Po prostu... ze starości... Dla niej również czas się nie zatrzymał, ale jakoś ciężko było Marioli wyobrazić sobie Franciszkę jako pacjentkę doktora Niziny. Mizdrzącą się o podniesienie cycków, wycięcie obwisłej skóry albo zlikwidowanie zmarszczek jakimś czarodziejskim sposobem. I wiecznie narzekającą na los. A jej los nie był wcale taki łaskawy. Wujka nie pamiętała w ogóle. Podobno zmarł zaraz po wojnie, zostawiając młodą żonę w małym domku pośród lasów. Przypomniała sobie zdjęcie ślubne wiszące na ścianie w głównym pokoju. On wysoki, przystojny w mundurze, ona drobna i uśmiechnięta.

No, ciociu, już za nim nie tęsknisz...

Pokrywka zaczęła podskakiwać na garnku z gotującą się wodą. Mariola wróciła do rzeczywistości, posoliła wodę i wrzuciła pierogi.

—Zrobisz jakąś kawę? – Jerzy wstał, zostawiając jak zawsze naczynia na stole.

– Jasne. – Mariola pozbierała talerze i ruszyła do kuchni.

– Idę do Matiego. Nie wiem, kiedy wrócę. – Dawid trzasnął drzwiami.

Włożyła naczynia do zmywarki, umyła w zlewie patelnię po podsmażonej cebuli i wstawiła czajnik z wodą. Po chwili, z filiżankami w ręku, weszła do pokoju, gdzie pan i władca rozwalił się w fotelu z pilotem w dłoni.

– Jerzy, co robimy z tym domem po ciotce?

Jerzy spojrzał na żonę niczym na uprzykrzoną muchę.

– Trzeba go będzie obejrzeć z rzeczoznawcą i dać ogłoszenie. Ale na mnie nie licz. Mam do skończenia ten projekt dla Margulskiego. Sama wiesz, co to za typ, czepia się każdego szczegółu, więc na pewno nie będę się włókł na drugi koniec Polski, żeby oglądać jakieś ruiny. Poza tym ktoś musi zająć się psem. Swoją drogą nie rozumiem, czemu ciotka akurat tobie zwaliła ten kłopot na głowę. A to będzie tylko kłopot, uwierz mi.

– No faktycznie... – Mariola spojrzała na męża z przekąsem. – Franciszka całe życie dumała, jak by tu mnie zgnębić, i wydumała, że zostawi gospodarstwo. Nie przesadzaj... – Zastanowiła się przez chwilę, po czym dodała: – Choć właściwie możesz mieć trochę racji. Nie mam pojęcia, co z tym fantem zrobić. Jechać do Choszczna muszę tak czy siak, choćby zapalić znicz na jej grobie. Przy okazji mogę rzucić okiem na nasz nowy majątek.

– Nie rozśmieszaj mnie... Majątek! – Jerzy kpiąco podniósł do góry jedną brew. – Jak ktoś da nam za to ze sto tysięcy, to maks. A połowę z tego stracisz na podatki, opłaty i inne biurokratyczne gówna. Najlepiej olać to i nie przyjmować spadku. Po cholerę ci te wszystkie nerwy.

Mariola rozważała słowa męża.

– Zadzwonię chyba do Anki. Niech poszuka jakiegoś fach-majstra, który stwierdzi, czy to coś warte. – Lekki uśmiech rozjaśnił jej oczy. – Właściwie z przyjemnością się z nimi wszystkimi zobaczę.

Uśmiech zniknął równie nagle, jak się pojawił.

– Ostatnie parę lat żyjemy w odosobnieniu od wszystkich – w głosie kobiety zabrzmiała gorycz. – Jak borsuki. I to borsuki wybitnie terytorialne...

Jerzy nic nie odpowiedział, bo w telewizorze zabrzmiała początkowa muzyczka „Stawki większej niż życie", a w związku z tym, że ten odcinek leciał dopiero szesnasty raz, nie dało rady zainteresować męża niczym innym.

Mariola skończyła kawę i postanowiła zadzwonić. Anka była młodsza od kuzynki o cztery lata. Choć ich matki były rodzonymi siostrami, one okazały się różne jak ogień i woda. Mariola – spokojna i zrównoważona; Anka miała za to zawsze najgłupsze pomysły i najbardziej pozdzierane kolana. Mariola – średniego wzrostu, o średniej tuszy i w ogóle w każdym aspekcie średnia i przeciętna, a Anka – wysoka blondyna o zgrabnych nogach i ciętym języku. W dzieciństwie Mariolka była wyrocznią i opoką dla młodszej siostrzyczki, ale po wkroczeniu w dorosłość to Anka grała w ich teamie pierwsze skrzypce. Choć od dobrych paru lat team ten istniał wyłącznie w wirtualnych pogawędkach na Facebooku i w SMS-ach. Mariola wyszukała w kontaktach numer kuzynki i nacisnęła zieloną słuchawkę. Anka odezwała się po trzech taktach jakiejś skocznej melodyjki.

– Kobieto! To jakaś telepatia! Właśnie miałam do ciebie dzwonić. Kiedy przyjeżdżacie? Niezły numerek cioteczka wywinęła z tym domem, co? Tak się cieszę, że cię zobaczę. Dawida to już chyba na ulicy bym nie poznała. Nie zmajstrował ci jeszcze żadnego wnusia?

– Wypluj ty to przez lewe ramię i odpukaj w swoją pustą głowę! – odpowiedziała Mariola, rozbawiona paplaniną Anki, ale profilaktycznie odsunęła serwetę i postukała w drewniany stolik, przy którym siedziała.

– Mari, żebyś ty wiedziała, jak ja za tobą tęsknię! Nie ma kto mnie przystopować, nikt się na mnie nie drze i nie wyzywa od głupich wariatek. Tylko ty miałaś na to odwagę.

– No, trudno się dziwić, że do pani policjantki nikt nie podskakuje. Chyba że pan policjant z lepszymi naszywkami na pagonach.

– Taaa. Ale Marek, mój szef, jest mądry i wie, że ja i tak zrobię wszystko po swojemu, więc na wszelki wypadek przymyka oczęta i w ten sposób na komendzie nie ma większego mordobicia. No, ale ja tak gadam jak nakręcona i nie daję ci dojść do słowa. No więc kiedy będziecie?

– Po pierwsze będę – sama, bo Jerzy pracuje, a Dawid studiuje, a po drugie chcę się właśnie z tobą umówić. Jak zadzwonił mecenas Franas i powiedział mi, w czym rzecz, to mało nie padłam. Wiadomość o śmierci Frani była oczywiście smutna, no ale nikt nie żyje przecież wiecznie, a ten jej zapis w testamencie powalił mnie na kolana. Dlaczego ja? A nie ty albo Piotrek?

W słuchawce zaległa chwila ciszy.

– Nie wiem, choć się domyślam – po jakimś czasie Anna podjęła temat.

– Gadaj.

– Wiesz, jaka była ciocia... Byłaby najszczęśliwsza, gdybyśmy wszyscy mieszkali w jednym domu, jedli z jednej miski i wycierali się w ten sam ręcznik. My wszyscy mieszkamy w odległości maksymalnie dwudziestu kilometrów od siebie, tylko ciebie wywiało prawie pod ukraińską granicę. Dla biednej Frani, traktującej komputer jako wymysł szatański i gardzącej telefonem, to koniec świata. Myślę, że ona chciała, żebyś wróciła na kochające łono.

– Bzdura. Chyba nie myślała, że rzucę wszystko i zamieszkam w jej domu. Z jej drzewami owocowymi i zwierzyńcem. O matko! Ty pamiętasz tę psychopatyczną gęś?

– Pamiętam, pamiętam... – Anka zachichotała wrednym głosikiem. – Ciociu, ciociu, ta gęś się na mnie uwzięła, ratunkuuu!

Mariola również uśmiechnęła się pod nosem, choć to akurat wspomnienie nie należało do jej ulubionych.

– Poza tym ja mam tu dom i pracę, Jurek firmę, a Dawid szkołę – kontynuowała wypowiedź, udowadniając kuzynce bezsens jej przypuszczeń czy też ewentualnych marzeń zmarłej. – Wiem, że ciotka miała ze sto lat, ale o ile pamiętam, była całkiem bystra. No, chyba że na starość przypałętał się jakiś dziadek Alzheimer albo babcia Demencja.

– Skąd! – Anna zdecydowanie wyprowadziła Mariolę z błędu. – Frania była do ostatnich chwil świadoma i sprawna. No i pewnie mądrzejsza od ciebie. A ode mnie to już zdecydowanie. – W jej głosie zabrzmiał nagły smutek. – Nic nie zapowiadało śmierci. Kilka dni wcześniej byłam u niej na pogaduchach, umyłam okna, coś tam poprasowałam, a ona nawijała o polityce i smażyła racuchy. A gadała całkiem logicznie. Dostało się i lewicy, i prawicy. Wróciłam na chatę z torbą pełną placków i drugą z przetworami, a tydzień później taki szok...

Mariola przełknęła ślinę, nie wiedząc, co odpowiedzieć. Ją również ta wiadomość bardzo zasmuciła, ale przecież Anna była z ciotką dużo bliżej niż ona, więc z automatu śmierć Frani bardziej ją zabolała.

– No więc kiedy mam się spodziewać odwiedzin kuzyneczki? – Anna niespodziewanie zmieniła ton i wróciła do poprzedniego tematu. – Zresztą powiem ci, że to przegięcie, że Jurek ma to w dupie i zwala wszystko na twoje barki. Jak zwykle zresztą – dodała z gniewem.

– No nie przesadzaj. Wiesz, że ma odpowiedzialną pracę. – Mariola poczuła się lekko urażona słowami zbyt szczerej kuzynki.

– A ty to niby nie?

– Moja praca to osobny temat, pogadamy, jak przyjadę. Wezmę zaległy urlop i postaram się być za trzy dni. A właśnie. Skombinuj jakiegoś rzeczoznawcę od nieruchomości, żeby wiadomo było, za jaką cenę sprzedać gospodarstwo.

– Sprzedać? – w głosie Anny zdziwienie walczyło z oburzeniem.

– No a co? Da się ogłoszenie w Internecie i już. Chyba że ty albo Piotrek chcecie się przeprowadzić, to nie ma sprawy.

– Chcieć to może i byśmy chcieli, ale niby jak? Ja mam robotę w świątek, piątek i niedzielę, a Piotrek swoją

firmę. Więc niestety nie ma opcji. Dobra, starucho, czekam na ciebie w środę. Daj jeszcze dokładnie znać co
i jak. Buziaczki.

Za oknem zaczął zapadać zmierzch. Hans Kloss wy-
zywał Brunnera od świń, a Saba spoglądała znaczącym
wzrokiem to na panią, to na smycz. Mariola zarzuciła sweter na ramiona i wyszła na podblokowy skwerek.
Stara suka zajęła się obwąchiwaniem wizytówek zosta-
wionych przez kolegów pod krzaczkami, a Mariola zapaliła miętowego L&M-a, po który sięgała czasem w stanie
większego wzburzenia. *Z urlopem nie powinno być problemu. Tydzień wystarczy. Po powrocie ze spaceru sprawdzę połą-
czenia kolejowe i heja. Do domu, do Anki i Piotrka. Do widoków
z dzieciństwa, prawie już zapomnianych.*

Rozdział 2

Koła wagonu turkotały usypiająco. Była zabójcza godzina, trzecia czterdzieści pięć. Mariola siedziała w przedziale pociągu relacji Przemyśl–Szczecin i usiłowała nie zasnąć. Nie to, że jej się nie chciało. Nie to również, że poprzedniego wieczoru nasłuchała się od Jerzego o chuligańskiej młodzieży, cwanych złodziejaszkach czy zboczonych staruchach. I jeszcze o chamskich konduktorach i wścibskich współpasażerach. Nie wspominając o fatalnym stanie wagonów, lokomotyw, torów i w ogóle kondycji PKP. Jerzy był naprawdę bardzo przewidujący i z wielkim rozmachem naświetlił jej, co może wydarzyć się w podróży. Naprawdę ze świecą szukać drugiego takiego optymisty.

Doktor Nizina, pomarudziwszy trochę, zgodził się łaskawie na dziesięć dni absencji w pracy. W zamrażarce dziesięć gołąbków i ze dwadzieścia mielonych oczekiwało na skonsumowanie, drugie tyle pojechało do akademika w Rzeszowie. Worek psiej karmy stał w szafce pod oknem, a Mariola z niewielką torbą i olbrzymim plecakiem zmierzała na północny zachód. Faktycznie nie mogła trafić dalej od domu. Dokładnie po przekątnej znalazła swoje miejsce na ziemi. Przynajmniej do tej pory. A że potrafiła zgubić się praktycznie na jednej ulicy, nie mówiąc nawet o większej przestrzeni, nie było pewne, czy to miejsce na ziemi na pewno było właściwe.

Około szesnastej miała znaleźć się w Szczecinie, a stamtąd jeszcze godzina do rodzinnego Choszczna. Już nie mogła się doczekać. Naprawdę zaniedbała relacje rodzinne. Co prawda rodzice już nie żyli, z Anką kontaktowała się raz na jakiś czas, ale z Piotrkiem widziała się ostatnio... Hmm... na jego ślubie. Nawet na weselu nie zostali, bo Jerzy chciał wracać do Przemyśla nocą z powodu małego ruchu. Nieźle ją tym wtedy zdenerwował, ale argumenty o bezpieczeństwie i spokojnej podróży, logicznie przedstawione przez męża, musiały ją przekonać. Szczególnie gdy wyobraziła sobie dziesięcioletniego wówczas Dawida, zamkniętego przez jedenaście godzin w samochodzie w godzinach szczytu, marudzącego i wymęczonego. No i siłą rzeczy wyobraziła sobie, kto będzie się nim w trakcie podróży zajmować. Nie – wizja śpiącego słodko i milczącego syna zdecydowanie bardziej ją pociągała.

Tak więc po ślubie, życzeniach i szybkim obiedzie wpakowali się do wysłużonego opla astry i pojechali do domu. No i nie wyjechali z niego przez kolejne dziesięć lat. Oczywiście rozmawiała z Anią o jej bracie bliźniaku, całkiem zresztą do niej niepodobnym. Mariola wiedziała, że otworzył i rozwinął firmę budowlaną, że miał dwie córeczki, siedmioletnią Hanię i dwuletnią Michalinę. Razem z żoną Aleksandrą mieszkał w niewielkim, wybudowanym przez siebie domku na peryferiach Choszczna. Fajny był z niego kuzyn, choć nigdy nie byli ze sobą tak naprawdę zaprzyjaźnieni. Pomijając oczywiście najdawniejsze czasy.

Rodzice Marioli zginęli tragicznie w wypadku samochodowym, gdy jakiś pieprzony Ukrainiec zasnął za kierownicą i czołowo zderzył się z fiatem 125p, prowadzonym przez ojca. Oboje zginęli na miejscu. Ukrainiec na szczęście też. Mariola uczyła się wówczas w studium pielęgniarskim w Szczecinie. Poznała Jerzego i tak naprawdę nie wróciła już do domu. Przyjeżdżała naturalnie co jakiś czas, ale przerwy stawały się coraz dłuższe, pobyty krótsze, aż wsiąkła na dobre w miejscu po przekątnej.

Myśląc o Piotrku, widziała raczej małego chłopca, który wiecznie coś budował: to szałas w ogrodzie u Frani, a to domki dla ptaków czy poidła dla licznego Franinego drobiu, a nie dorosłego, żonatego i dzieciatego faceta. O Aleksandrze nie wiedziała kompletnie nic, pomijając to, że Anka ją lubiła, miała więc nadzieję, że ona również ją polubi.

Około czwartej trzydzieści Mariola przegrała walkę z Morfeuszem. Po przebudzeniu stwierdziła, że pewnie przegrały ją również wszelkie oprychy, gdyż tak bagaż, jak i ona sama były w stanie niewskazującym na żadne niecne czyny.

Jerzy będzie rozczarowany – pomyślała trochę złośliwie. Resztę drogi przebyła, przeglądając kolorową prasę, usiłując poczytać najnowszy thriller Cobena i po prostu patrząc przez okno na migające pnie drzew, stojące przed szlabanami auta i smutne tyły domów, łatane od frontów wszelkimi sposobami, ale obnażające rozwalającymi się podwórkami wszechobecną biedę.

W Szczecinie wypiła kawę w dworcowej kawiarence i zadzwoniła do Anki.

– No cześć, kochana. Jestem już prawie w domu. Za kwadrans mam pociąg, więc za godzinkę z hakiem możesz rozkładać czerwony dywan i szykować orkiestrę powitalną.

– Masz to jak w banku. Akurat przez przypadek nie mam dziś służby, więc podjadę po ciebie. Wkładam winko do lodówki! Albo skoczę do sklepu i kupię jeszcze ze dwa. Nie masz pojęcia, jak się cieszę, że w końcu zobaczę twój ryjek. Szkoda, że nie mogłaś zabrać młodego. Pewnie przystojniak z niego. Pod warunkiem oczywiście, że otrzymał geny po ciociuni Ani.

– No pewnie, że przystojniak, choć na razie żadnej potencjalnej synowej ani widu, ani słychu. Zresztą wysyłałam ci przecież jego aktualne foty. Masz rację, tak wyrósł, sama nie wiem kiedy. Chyba cichaczem szpinak wciągał. Do miłego, pa! A z winem nie przesadzaj, sama wiozę martiniaka, choć pewnie przyda mu się lodówka. Zresztą jestem taka zryta, że wystarczy lekko sfermentowany kompot i zacznę bełkotać.

– Dobra, dobra. Od przybytku głowa nie boli. Choć w sumie to baaardzo kretyńskie przysłowie. Pa!

Z uśmiechem na twarzy zadzwoniła jeszcze do Jerzego.

– No cześć, kochanie. Jestem już w Szczecinie. Anka odbierze mnie z dworca i pojedziemy do niej. Dziś już nic nie załatwię, ale od jutra działam.

– A jak tam droga?

– Spoko. Męcząca, ale nikt mnie nie okradł ani nie zgwałcił, więc możesz być spokojny. Wciąż jesteś ojcem jedynaka – zażartowała, może trochę nie na poziomie, ale Jerzy się zbulwersował.

– Ale mógł. Ty jak zawsze robisz sobie jaja. Wydoroślej w końcu, kobieto! Pomyślałby kto – czterdzieści dwa lata, to coś w głowie powinno być. A tu cisza... Wspomnisz kiedyś moje słowa, ale będzie już za późno. Skończysz bosa i z poderżniętym gardłem w jakimś rowie, jak nie zmądrzejesz wreszcie. Jesteś bardziej naiwna niż Dawid w wieku piętnastu lat. A w ogóle to nie chce mi się z tobą gadać, tak mnie wkurzyłaś. Pa.

Uśmiech spełzł z ust Marioli niczym zaskroniec, który nagle dostał po żółtych uszach. *Świetnie. I po co ja w ogóle dzwoniłam? Czyżby w tle leciała melodyjka z Hansa? Jasna cholera! Przegrywam na całej linii z dwoma podstarzałymi facetami w niemieckich mundurach. Świetnie. Heil Hitler!*

Droga do Choszczna minęła w mgnieniu oka. Tłocząc się w przejściu do drzwi, Mariola wypatrzyła na peronie Ankę, kręcącą głową niczym sroka w poszukiwaniu znajomej twarzy. Zły humor Marioli odszedł w siną dal. Oby bezpowrotnie. Dziewczyny rzuciły się sobie na szyję. Jedna – wysoka blondyna na niebotycznych szpilkach, druga – średniego wzrostu szatynka w adidasach i lekko zmiętoszonych ciuchach.

– Mari, wyglądasz jak z krzyża zdjęta – powiedziała Anka po długawej i głośnej scenie powitania. – Dawaj toboły i jedziemy do domu. Tam długa ciepła kąpiel z kieliszkiem zimnego szampana, a dopiero później wszelakie ploteczki. – Zarzuciła na ramię plecak, mimo sprzeciwu Marioli, której została tylko niewielka torba z dokumentami i portfelem, i pociągnęła ją w stronę parkingu. Mariola zachichotała. – Czego rżysz?

– Jak byś zobaczyła siebie w tych szpilach i z plecakiem, też byś rżała

– Racja! Przebieraj szybko nogami, żeby nikt ze znajomych mnie nie zobaczył.

Wpakowały plecak do bagażnika małej niebieskiej corsy i Anka przydusiła pedał gazu.

– Czekaj, nie leć tak. Daj się przyjrzeć dawno niewidzianym widokom. O matko, jak tu się zmieniło. Dworzec odnowiony... na chodnikach równiutki polbruk... No, w końcu coś stałego – ta choinka przy cmentarzu identyczna jak zawsze. Nie pamiętam żadnego z tych sklepów...

– Nie zapamiętuj. Wczoraj spożywczy, dziś lumpeks, jutro coś innego. Najprawdopodobniej monopolowy, bo tylko te utrzymują się jako tako.

– Nie gadaj?

Anna pewnie prowadziła samochód znanymi sobie uliczkami.

– Serio. Mamy za to z sześć marketów, które oferują ci jedzonko najwyższej jakości. Lekko w nocy fosforyzuje, ale nie ma się czym przejmować. No i dają pracę wielu ludziom. Najczęściej magistrom wszelkiej maści, bo wiadomo, że na kasę magister najlepszy. Postudiował taki parę latek i przydało się jak znalazł. Napędzają też pracę biurową.

– To znaczy?

– No wiesz. Jak masz kupić jajko za osiemdziesiąt groszy albo za czterdzieści, to idziesz tam, gdzie taniej, prawda? Nie wnikasz, czy ta kura jadła robaczki i grzebała na podwórku, czy jadła mączkę z kukurydzy modyfikowanej i grzebała najwyżej w tyłku. I to raczej koleżanki niż swoim, bo do własnego w ciasnej klatce raczej by nie dosięgnęła. Więc małe sklepiki plajtują i ludzie idą do biura pracy. Hodowcom się nie opłaca i idą do biura pracy. Mówię przykładowo o jajkach, a ile towaru jest w marketach? Więc pomyśl sobie, jaki ruch jest w pośredniaku! Same korzyści, mówię ci.

Zakręt w prawo wzięła wyjątkowo ostro.

– A co ty taka cięta na te markety? Jakaś kontrola tam chyba obowiązuje. Sanepidy czy coś. W końcu one istnieją, bo mają klientów. I to całkiem sporo. Wystarczy iść do któregoś w sobotę. Zresztą nie tylko w sobotę. Sama chodzę.

– A myślisz, że ja nie chodzę? I to mnie wnerwia. Ludzie są jak muły. Lezie jeden za drugim i nie myśli wcale, że truje siebie i swoją rodzinę.

Na zakręcie w lewo Mariola omal nie zaryła głową w szybę.

– Strułaś się czymś czy co?

– Ja nie. Ale Olka kupiła niedawno jakieś superjogurty w superpromocji i Michalina wylądowała w szpitalu, a Hanka rzygała ze dwie godziny. A wszystko oczywiście w terminie, zdrowiutkie, ekologiczne i hermetycznie zamykane.

Mariola zerknęła na prędkościomierz.

– Ty się tak nie emocjonuj, bo zaraz jakiś koleś po fachu mandat ci wlepi.

– Phi... – prychnęła pogardliwie Ania. Nie wiadomo, czy pod adresem kolegów, czy marketów, ale ściągnęła nogę z gazu. Mimo to bardzo szybko znalazły się w niewielkiej, ale gustownie urządzonej kawalerce.

—Ale co z dziewczynkami, już OK? – zawołała Mariolka, dolewając do wanny pachnącego płynu. *Zapewne z marketu* – pomyślała, uśmiechając się pod nosem.

– Na szczęście OK, ale co się biedulki namęczyły, to masakra. A Olka od tej pory ma wstręt do wszelkiego nabiału. Nawet tego z małych osiedlowych sklepików, które się jeszcze cudem uchowały.

Po kąpieli i butelce martini Mariola poczuła, że nawet zapałki nie pomogą na opadające ze zmęczenia powieki. Jednym tylko uchem słuchała wciąż nadającej Anki, która na szczęście zorientowała się w sytuacji i zaproponowała łóżko.

– Nawet nie dyskutuj. Ja się prześpię na fotelu, a ty do wyrka. Spałam tak już nie raz. Jak się rozłoży, jest całkiem spory i wygodny. Co prawda do łazienki trzeba się wtedy przepychać bokiem, ale to nieistotny szczegół. Nie masz zapalenia pęcherza albo czegoś w tym stylu, prawda? – zapytała, nie wiadomo serio czy na żarty. – Kładź się już, bo wyglądasz jak naćpana, a uwierz mi, to dla mnie niestety codzienny widok.

Ostatnim przebłyskiem świadomości Mariolki była myśl, że mimo zmęczenia dawno nie przeżyła tak miłego wieczoru. I że jutro raczej nie będzie już tak miło.

ROZDZIAŁ 3

Obudziła się po siódmej. Anna, ubrana już w mundur, kończyła kawę.

– Aaa... ja też chcę. – Mariola ziewnęła szeroko.

– Nalej sobie, jest pół dzbanka. Dobrze, że się obudziłaś. Proszę, to zapasowe klucze od domu. – Anna rzuciła na łóżko pęk żelastwa. – O dziewiątej jesteś umówiona z Franasem. Piotrek zerwie się z roboty około trzynastej i zawiezie cię do „Rapsodii".

– Do czego?

– No mówię przecież. Tak nazywamy chatkę Frani. Tam po prostu muzyka wciska ci się na chama do uszu. Nawet jeśli jesteś głucha jak pień. Muszę lecieć. Dziś mam dwunastkę, więc będę w domu dopiero po dwudziestej pierwszej. Czuj się jak u siebie, zresztą nie muszę chyba tego mówić, nie? No to pa!

I już jej nie było. Mariola wzięła szybki prysznic, wypiła kawę (*Jak to jest, że kawa przygotowana przez kogoś smakuje lepiej?*), zjadła tosta i ruszyła na spotkanie.

–Pani Mariolu, tu są wszystkie dokumenty. Akt urodzenia i zgonu, akt własności nieruchomości i testament pani Franciszki. Proszę tylko podpisać upoważnienie dla mnie, a w try miga wszystko zrobimy. Już jestem umówiony w urzędzie skarbowym, więc najpóźniej do jutra wszystkie formalności zostaną załatwione.

Mariola, lekko spanikowana, spojrzała spod byka na mecenasa Franasa. Starszy pan, cały w skowronkach, energicznie potrząsał spoconą dłonią szczęśliwej spadkobierczyni.

– Ale panie mecenasie, po co ten pośpiech? Ja muszę najpierw zobaczyć... zorientować się...

– Oczywiście, oczywiście. Pojedziemy, obejrzymy, ale dokumenciki można już przecież złożyć w urzędach. Taka piękna posiadłość musi mieć wszystkie papiery w porządku.

– Piękna posiadłość? Przecież to prawie stuletni domek i trochę podwórka, nie dajmy się zwariować. Mąż i ja myślimy, żeby to sprzedać... – Patrzyła na dziwnie podnieconego mecenasa, z coraz większym zaniepokojeniem.

– Spokojnie, pomalutku. Decyzję podejmie pani po obejrzeniu domku, proszę nie działać pochopnie. Pani ciocia miała nadzieję, że to pani tam zamieszka, a nie jakiś przygodny kupiec. A już na pewno, Boże broń, nie Niemiec, który niedługo będzie mógł bezkarnie wykupywać polskie tereny. Bardzo się tym bulwersowała. Proszę obejrzeć, pomyśleć, posłuchać własnego serca, a dopiero później podjąć decyzję, bardzo panią proszę.

– A jaki pan ma w tym interes, żebym przyjęła ten spadek? O co właściwie panu chodzi? – Postanowiła pokazać, że nie jest pierwszą naiwną.

– Kompletnie o nic. – Pan mecenas lekko się obruszył. – Doskonale znałem panią Franciszkę i często bywałem u niej na herbatce z konfiturami. Żal by było nie znaleźć się tam więcej, ale to oczywiście tylko i wyłącznie pani decyzja. No więc dobrze, dziś niech pani pojedzie, rozejrzy się, a papierkami zajmiemy się jutro. O dziewiątej pasuje?

Po wyjściu z kancelarii otumaniona Mariola wybrała się na cmentarz. W przycmentarnym kiosku kupiła kilka zniczy i dwie donice pięknych, herbacianych chryzantem.

Mój Boże, ten cmentarz jest ze dwa razy większy niż za mojego ostatniego pobytu tutaj – pomyślała ze zdziwieniem.

Najpierw poszła na grób rodziców. Postawiła kwiaty i zapaliła dwa znicze.

Cześć mamo, cześć tato. Co tam u was? U mnie jakoś leci pomalutku. Wasz wnuk ma już dwadzieścia lat, dacie wiarę? Ciocia Frania zostawiła mi swój domek. No ale przecież wiecie, pewnie siedzi tam, na chmurce, razem z wami i się ze mnie nabijacie, że moje spokojne życie dostało kopa na rozpęd.

Starła pomnik i wyzbierała leżące dookoła liście. Dobre pół godziny po prostu stała, pozwalając myślom na wspomnienia, a oczom na łzy...

Znaleźć grób cioci Franciszki nie było wcale tak łatwo. Świeżych mogił obłożonych wieńcami i bukietami lekko już przywiędłych kwiatów było całkiem sporo. Udało jej się po jakimś kwadransie.

Ciociu, tak mi przykro, że nie byłam na twoim pogrzebie. Zawiadomili mnie dopiero po otwarciu twojego testamentu. Oczywiście, że przyjechałabym nawet z końca świata...

Oczywiście, że tak. Ciociu, ucałuj moich rodziców i powiedz im, że bardzo ich kocham. Ciebie też.

Zapaliła resztę zniczy i pomału skierowała się do bramy wyjściowej.

Trochę zdenerwowana czekała na placu pod fontanną na mogącego przybyć w każdej chwili Piotrka. Co o niej pomyśli? Nie widzieli się dziesięć długich lat. Dla mężczyzny to pikuś, ale jej kobieca duma może zostać urażona, jeśli zobaczy na twarzy kuzyna zdziwienie albo jeszcze gorzej – litość. Co prawda to tylko kuzyn, ale zawsze facet. Była średnio zadbaną ryczącą czterdziestką. Brązowe włosy, rozjaśnione lekko niby naturalnym słońcem, sięgały za podbródek. Klasyczne obcięcie na pazia pozwalało jej albo grzecznie ulizać fryzurę, albo zaszaleć i natapirować się na wampa, z czego zresztą nigdy nie skorzystała. Nie uważała się za piękność, według własnej opinii miała za duży nos i za małe usta, ale niebieskim oczom nie mogła niczego zarzucić. Nie za bardzo zwracała też uwagę na strój. W końcu gdzie się miała stroić? W pracy obowiązywał fartuch medyczny, a w domu kuchenny. Na spacer z psem najlepszy był dres, a na wielkie gale jakoś nikt jej nie zapraszał. Zresztą nawet gdyby zapraszał, to i tak Jerzy miałby to gdzieś, a najgorsze, co może być, to samotna czterdziestka w towarzystwie samych par. Na spotkanie z mecenasem ubrała się w jedyną garsonkę, jaką posiadała, a na wyjazd do leśnej głuszy założyła zwykłe dżinsy i buraczkowy T-shirt. Całości dopełniał lekki fiołkowy sweter. Mimo połowy października była piękna, złota jesień. W każdej chwili mogła jednak zmienić się w paskudną pluchę, więc należało korzystać z pogody, póki była.

– Mari, siostrzyczko, nic się nie zmieniłaś!

Podskoczyła ze strachu jak głupia gąska, a nie stateczna łabędzica, co spowodowało u Piotra wybuch śmiechu.

– No może jednak trochę. Tamta Mari, którą znałem, nie dawała się tak łatwo podejść.

Piotr za to się zmienił. I to sporo. Nadal jednak uśmiechał się szeroko, pokazując wszystkie zęby. No może już nie wszystkie, ale w ubranym w grafitowy garnitur mężczyźnie nie mogła dopatrzyć się małego Boba Budowniczego. Owszem, zbudował sobie niezły mięsień piwny, ale dodawał mu on tylko powagi.

– Spasłem się jak świnia, wiem – skomentował Piotr jej niewypowiedziane uwagi. – Ale to wszystko wina Aleksandry. Jakbyś spróbowała jej gulaszu z kluskami albo pieczeni z karkówki, też nie dałabyś rady zachować swojej mizernej, chuderlawej sylwetki. Założę się, że Jurek też jest przystojnym facetem, tak jak ja. Bo wy, baby, ciągle się odchudzacie, a że natura próżni nie lubi, więc my tyjemy, żeby utrzymać tę równowagę.

Całą tyradę Piotrek wygłosił tak poważnym tonem, że Mariola zwątpiła. *Wydurnia się, czy taki z niego buc?* Po chwili jednak Piotr błysnął dziurą po górnej lewej trójce i oboje zaśmiewali się jak dzieciaki sprzed lat.

– Siadaj, Mari.

Otworzył przed nią drzwi wypasionego merca.

– Wow, braciszku. Widzę, że się powodzi nie najgorzej.

– Nie narzekam. Choć jeśli mówisz o aucie, to wziąłem je niedawno w leasing. Jeszcze miesiąc temu jeździłem zwykłą corollą, ale Ola się wygłupia, że jako szef powinienem trzymać fason. No nie powiem, ten jej wygłup całkiem mi się spodobał. Zresztą na co dzień i tak poruszam się rodzinnym vanem, bo nie chcę zejść na serce.

Mina Marioli musiała dać Piotrkowi do zrozumienia, że nie nadąża ona za jego tokiem myślenia, bo zaśmiawszy się, wyjaśnił:

– Mam dwie córki, które ciągle jedzą. A im więcej czekolady i im więcej się kruszy, tym lepsze.

– No, teraz wszystko jasne.

Piotrek uśmiechnął się przepraszająco do dawno niewidzianej kuzynki.

– Wybacz, że nie zapraszam cię na kawę czy coś, ale mam mało czasu. O siedemnastej muszę wpaść jeszcze do firmy, więc jeśli jesteś gotowa, to jedziemy, OK?

– Jedziemy.

Droga nie była długa, a Piotrek był doskonałym kompanem. Mariola w myślach śmiała się ze swoich wcześniejszych obaw. Wszelki potencjalny dystans, jaki sobie wyobrażała, zniknął bez śladu. No ale przecież z Anią czuła się tak, jakby rozmawiały codziennie twarzą w twarz, a nie raz w miesiącu, wymieniając maile i SMS-y. Więc niby czemu z jej bratem bliźniakiem miałoby być inaczej?

Jechali przez piękne złoto-bordowe tunele utworzone przez drzewa rosnące wzdłuż szosy. Niektóre straszyły już co prawda nagimi gałęziami, ale większość pyszniła się niesamowitymi jesiennymi barwami.

– O matko... Zapomniałam już, jak tu pięknie.

– Czekaj, zaraz zjedziemy z głównej drogi. Wtedy dopiero będzie pięknie.

Po kilku minutach Piotrek skręcił kierownicą mocno w prawo i wjechali w wąską asfaltową dróżkę gminną. Zwolnił do trzydziestu na godzinę.

– Otwórz okno i oddychaj.

Mariola zaczerpnęła haust jesiennego, wilgotnego powietrza. Zapach liści, wiatru i Bóg wie jeszcze czego całkowicie ją oszołomił. Piotrek uśmiechnął się pod nosem.

– Założę się, że w tym powietrzu jest co najmniej dziewięćdziesiąt procent czystego tlenu. Powinniśmy pakować je we flaszki i wysyłać na Śląsk, dopiero zrobilibyśmy interes. Albo weź parę litrów do swojego Przemyśla, Jerzy od razu zmieni plany co do „Rapsodii".

– A ty skąd wiesz?

– Anka mówiła, że zamierzasz ją sprzedać.

W jego głosie Mariola wyczuła cień urazy.

– No co ty. Jeszcze nie podjęłam żadnej decyzji.

Nie wiadomo czemu poczuła się winna.

– Dobra. Skup się teraz i nie gadaj. Za chwilę będziemy na miejscu.

Zwolnił jeszcze trochę, a Mariola zaczęła główkować. *O co im wszystkim chodzi? O co tyle hałasu? Najpierw mecenas, teraz Piotr. Ania też się nabuczyła przez chwilę podczas telefonicznej rozmowy. Sentyment chyba. Bo raczej nie wielkie skarby ukryte w skrytce pod podłogą.* Skończył się asfalt i wjechali na uroczliwą, brukowaną uliczkę. Minęli drogowskaz z napisem „Jagodzice 1 km". Jeszcze chwila. Jeszcze moment i znów będzie można poczuć się jak za starych, dobrych czasów, gdy mała Andzia z trochę większą Mari podkradały kurom jajka, a Piotruś vel Bob Budowniczy budował dla kur saunę z opałowego drewna cioci Frani.

Rozdział 4

—Kochanie, jak tam jest cudnie! – już z progu, rzuciwszy na podłogę płaszcz i torby, zawołała Mariola do męża.

Kręcąc szaleńczo ogonem i popiskując z radości, Saba rzuciła się witać panią. Z dworca Mariola przyjechała taksówką, bo lało jak z cebra, a do domu miała spory kawałek.

– Biały domek, z jednej strony porośnięty bluszczem, drewniany płot, zza którego wystają malowniczo badyle po przekwitniętych słonecznikach, a za płotem łąka i las. I wiesz, że wiatr w gałęziach naprawdę wygrywał prawdziwą muzykę? Wystarczyło się wsłuchać, a wśród złotych i czerwonych liści brzmiały i rapsodie, i sonaty, i walce... A gdy do chóru włączył się jakiś dzięcioł, to nawet marsze.

Wzięła z rąk męża kubek z herbatą, wypiła kilka łyków i z obłędem w oczach opowiadała dalej:

– Uwierz mi, gdybyśmy pojechali razem i postałbyś tam przez chwilę, poczułbyś to samo. Ja wręcz słyszałam gdaczące kury i popiskujące kaczątka. Ba, słyszałam syk mojej zmory z dzieciństwa. Podwórko nie za wielkie i trochę zaniedbane, ale przecież ciotka nie żyje od paru tygodni, a poza tym miała już swoje lata, więc siłą rzeczy nie mogła dbać o wszystko tak jak kiedyś. Na tyłach stoi stodółka i jakieś szopki. Obok jest sad, a w nim z piętnaście drzew otoczonych krzewami porzeczek, agrestu i malin. Po drugiej stronie ogródek, w którym Frania hodowała marchewki i jakieś tam inne pietruszki. Za płotem ciągnie się hektar łąki, którą kupił dla niej Piotrek, ona go oczywiście nie przyjęła, ale Piotrek mówi, że to doskonała inwestycja i mam z niej korzystać jak ze swojej. Choć niby po co nam łąka, nie? Piotrek mówił, że...

– Opanuj się, dziewczyno! – zaśmiał się Jerzy. – Piłaś coś w tym pociągu czy jak? No i na ile wycenił to cudo rzeczoznawca?

Mariola usiadła na fotelu.

– Nie wiem, nie rozmawiałam z żadnym.

– Co?! To co ty tam robiłaś tyle czasu? Matko, najprostszej sprawy nie potrafisz beze mnie załatwić. – Jerzy wywrócił oczami

– Załatwiłam więcej, niż myślisz.

– Co niby?

– Podpisałam papiery i przyjęłam spadek.

– Bez porozumienia ze mną?! No dobra, nieważne. To kiedy wystawiamy? I za ile?

Mariola wzięła męża za rękę.

– Wiem, że mieliśmy inne plany, ale plany są po to, żeby je zmieniać. Sam tak mówisz. Gdybyś pojechał ze mną i zobaczył to wszystko, zapomniałbyś od razu o pozbyciu się tego domu.

– Ale nie pojechałem, bo zaufałem rozsądkowi swojej żony. I ja zwykle się rozczarowałem. Posłuchaj, co ty gadasz! Jakieś rapsodie, walce, gdaczące kury... Całkiem padło ci na łeb.

Mariola wciąż jeszcze wierzyła w swoją siłę przekonywania.

– Jerzy, proszę cię... Nie kłóćmy się. Pojedź tam ze mną. Zobaczysz, jak tam pięknie, jak spokojnie... Dosłownie inny świat. Zatrzymamy się u Piotrka, bo Anka ma malutkie mieszkanko, albo w jakimś hoteliku, jeśli wolisz. Pooglądasz wszystko i na spokojnie zastanowimy się, co z tym zrobić. Zobaczysz, że zakochasz się w tym miejscu od pierwszego wrażenia, tak jak ja.

– Jasne, rzucam wszystko i jadę, bo ty masz takie widzimisię. Od jutra wracasz do pracy, zapomniałaś? Ja również mam zobowiązania względem klientów. Wróć na ziemię, kobieto. Jak ty to sobie wyobrażasz? Wyjazd do wiejskiej głuszy i mieszkanie w rozpadającej się chałupie?

Jerzy okazywał się bardzo oporny, ale Mariola nie zamierzała się poddawać.

– To jest całkiem porządna chałupa. Poza tym Piotrek już dawno chciał dobudować pięterko, ale ciotka się nie zgadzała. On ma firmę budowlaną, wiesz, mówiłam ci. On i Anka traktują ten domek bardzo sentymentalnie. Często bywali u Frani i myślą o tym miejscu trochę jak o swoim. Jakby takim wiesz... drugim domu. Piotrek powiedział, że zrobi remont po kosztach, bo to trochę tak, jakby robił go dla siebie.

Jerzy oderwał plecy od oparcia fotela i z gniewem spojrzał na żonę.

– No, coraz lepiej. Nie dosyć, że chcesz zamieszkać w jakiejś dziurze, to jeszcze razem z połową Choszczna...

– Nie przesadzaj. Są bardzo zajęci i nie będą przecież wciąż u nas. Czasami jakiś grill czy kilka nocek. Zresztą oboje są świetni. Bardzo się mną opiekowali i pomagali...

– Bo chcą cię wykorzystać, durna babo! Nie widzisz tego? Ty zrobisz remont, będziesz utrzymywać i obrabiać gospodarstwo, płacić podatki, a oni będą mieli daczę za darmo i służącą, która będzie koło nich skakać. Przecież byle głupek by to zrozumiał. Mariolka, zastanów się, co ty w ogóle bredzisz!? Obudź się ze swojego snu i wróć na ziemię. Dom sprzedamy, a kasę przeznaczy się na remont kuchni, dawno już mówiłaś, że trzeba zrobić, albo zmienimy auto. Resztę zdeponuje się na lokacie i będzie na czarną godzinę lub dla Dawida. Jesteś zmęczona. Idź spać, a jutro sama przyznasz mi rację.

Jurek odwrócił się w stronę telewizora, a Mariolka jak zbity pies poszła do kuchni. Dochodziła osiemnasta i za oknami był już zmierzch. Krótki jesienny dzień dobiegł końca, podobnie jak i dobry humor Marioli. Zrobiła sobie herbatę i zjadła kanapkę, potem wzięła smycz i zagwizdała na psa. Saba truchtała od drzewka do drzewka, a Mariola wyciągnęła komórkę.

– To nie ma sensu. Jerzy ma rację. Tutaj utkwiłam i tutaj umrę. – W słuchawce zaległa cisza. – Anka, jesteś tam?

– Jestem, ale nie mogę uwierzyć własnym uszom. Co się stało? Kiedy wyjeżdżałaś, byłaś taka szczęśliwa, tyle miałaś planów i marzeń...

– No właśnie, marzeń. Ale to się nie może udać. Tutaj mam pracę, mieszkanie, Dawid uczy się w Rzeszowie...

– Przecież rozmawiałyśmy o tym godzinami. Dawid jest dorosły, a jeśli będzie chciał, może studiować w Szczecinie. Pracy swojej nienawidzisz, Jerzy i tak pracuje większość czasu w domu, więc co za różnica, skąd będzie wysyłał te swoje projekty... No tak, Jerzy. Co ci nagadał ten buc, twój mąż?

– Prawdę mi nagadał. To był sen. Cudowny, nie powiem, ale trzeba się obudzić. Zostawię „Rapsodię" tobie i Piotrkowi. Nie mogłabym jej już teraz sprzedać.

– Przecież tłumaczyłam ci, że żadne z nas nie może tam zamieszkać. Ja muszę być w każdej chwili gotowa na wezwanie, a Piotrek pracuje dwanaście godzin na dobę i nie zostawi Olki z małymi dziećmi bez samochodu taki kawał od miasta. A Olka się zaparła, że do jazdy samochodem się nie nadaje i już. Zresztą ma rację, ona rowerem ledwo jedzie. Więc bierz dupsko w troki i realizuj plany, o których gadałyśmy. A co do Jerzego, to małymi kroczkami. Powiedz mu, że za wyremontowany dom dostaniecie więcej kasy, a co będzie później, to się zobaczy.

– No przestań, przecież ja nie mogę go okłamywać, to nie fair, nie dam rady. Zresztą to nie w moim stylu.

– A on jest wobec ciebie zawsze fair? Zastanów się, dlaczego to ty masz zawsze ustępować, dlaczego jego zawsze musi być na wierzchu? Nie po to od ponad pięćdziesięciu lat walczyłyśmy o równouprawnienie, żebyś ty się teraz tak poddawała bez walki.

– No, ty to chyba już w pieluchach walczyłaś – zaśmiała się gorzko Mariola.

– Mari, obiecaj mi, że jeszcze raz to przemyślisz. Nie słuchaj Jurka ani mnie. Posłuchaj siebie samej. Zastanów się, czego chcesz ty – mocno zaakcentowała ostatnie słowo. – Nie Jerzy, Dawid, ja czy doktorek Nizina. Czego chcesz ty, sama dla siebie.

Pochodziła jeszcze z pół godziny, analizując i porównując słowa męża i kuzynki. Na dworze zrobiło się już całkiem ciemno. W domu Hans przytulał jakąś blondynę, a Jerzy leżał na kanapie ze wzrokiem utkwionym w telewizor.

– Pada?

– Już nie, nawet jakby trochę zaświeciło słonko.

– O tej godzinie? Zwariowałaś?

Nie zaszczycając męża odpowiedzią, poszła do łazienki i puściła wodę do wanny.

–Dzień dobry, panie doktorze. Przepraszam, że przeszkadzam, ale chciałam powiedzieć, że rezygnuję z pracy.

Doktor Grzegorz Nizina siedział za swoim biurkiem i przeglądał jakieś papiery. Na widok Marioli uniósł głowę i spojrzał niemile zaskoczony.

– Słucham? Pani Mariolu, nie mówi pani poważnie? Co się stało?

– Mówiłam panu, że dostałam w spadku mały domek na wsi...

– No tak... tak... Pamiętam, gdzieś na drugim końcu Polski.

– No właśnie.

– Spotkałem któregoś dnia pana Jerzego i mówił, że chcecie to sprzedać. Rozumiem, że takiej transakcji trzeba dopilnować osobiście, ale po co zaraz się zwalniać. Wiem, że może niezbyt chętnie dałem pani ten urlop, ale rozumie pani...

– Rozumiem, oczywiście, ale...

– Trzy miesiące wystarczą? Naturalnie będzie to urlop bezpłatny, ale chyba nie może pani oczekiwać...

– Nie chcę urlopu, doktorze. Proszę przyjąć moje wymówienie.

– Ależ nie może mnie pani zostawić na lodzie. Proszę przynajmniej poczekać, dopóki nie znajdę kogoś na pani miejsce. No naprawdę szkoda, tyle się pani tu przecież nauczyła, pacjentki panią lubią... Proszę się jeszcze zastanowić.

– Przykro mi, to decyzja nieodwołalna. Na pewno nie będzie pan miał problemów ze znalezieniem bezrobotnej pielęgniarki na moje miejsce.

– No tak, ale wszystkie chcą pracować na pełen etat, a to...

Doktor przerwał swoją wypowiedź, ale Mariola z łatwością dośpiewała sobie jej ciąg dalszy. Nizina nie słynął z rozrzutności, a wręcz przeciwnie. Przeprosiwszy jeszcze raz, poszła na obchód sal.

– Dzień dobry, pani Mariolciu – przywitała ją pani Gienia, bogata wdowa, po raz kolejny odsysająca sobie nadmiar tłuszczu z ud i brzucha. – Może pralinkę? Mówię pani, jaki ten świat niesprawiedliwy. Jeden je od rana do wieczora, a chudy jak szkapa, a ja jabłko ugryzę i mam kilo więcej. Odkąd umarł mój świętej pamięci Boguś, ta przemiana materii to mi tak jakoś na złość robi czy co. No prawda, ruchu też mam jakby trochę mniej... – zachichotała, wkładając tłustą, upierścienioną rękę do pudełka z czekoladkami.

– Siostrzyczko, słyszałyśmy, że spadek pani dostała – odezwała się z sąsiedniego łóżka pani Jagna. – I co pani zrobi? Ja bym proponowała piersi podnieść, bo jakby obwisły trochę. No i usta straciły ostrość konturów. Nasz Nizinka wstrzyknie troszkę kolageniku i będą jak nowe. Lifting twarzy w sumie też może pani zrobić, ja swój pierwszy wspominam bardzo miło. Te sześć następnych nie było już tak spektakularne... – zasępiła się, patrząc w lusterko i poprawiając bandaże.

– A ja bym radziła do sanatorium pojechać – odezwała się trzecia i na szczęście ostatnia na tej sali pacjentka. – Ostatnio byłam w Gdańsku. Nie polecam, oka nie było na kim zawiesić, sami narciarze. A zabiegi... Same jakieś muzyczne: magnetofonik, to do jakiejś tuby mnie wsadzali, ale chyba była zepsuta, bo żadnej muzyki nie słyszałam. Później tango, to placki takie ciepłe, a na końcu ultradźwięki i prądy interfalujące czy coś. Ale nic mi nie pomogło. Może dlatego, że ja słuchu za grosz nie mam. A ta rehabilitantka... Łeb nosiła wyżej, za przeproszeniem, dupy. Nie to co pani, pani Mariolu. Pani wysłucha i poradzi dobrym słowem. Za to jak byłam w Świnoujściu... no, tam to się działo...

Wszystkie trzy pogrążyły się we własnych wspomnieniach i Mariola mogła wreszcie opuścić salę, co też uczyniła z wielką ulgą.

Uchowaj mnie, Panie, przed wszystkimi dającymi dobre rady – pomyślała i poszła dalej. Dzień ciągnął się niemiłosiernie nudno, jak flaki z olejem. Z tą ploteczki, ta pożaliła się, że syn dwóję w szkole dostał, jeszcze inna piała peany na temat nowej sukienki... *Ratunku! Kiedy minie zima i wreszcie stąd wyjadę...?*

Po dwumiesięcznych dyskretnych insynuacjach i przebiegłych, rzucanych niby mimochodem słówkach łaskawca Jerzy zgodził się na podniesienie prestiżu, a więc również wartości tej „przeklętej chaty". Prawdę mówiąc, Marioli poszło chyba aż za dobrze, bo Jerzy był święcie przekonany, że pomysł odnowy „Rapsodii" i sprzedanie jej jako ekskluzywnego domku letniskowego wyszedł od niego.

– Ma się ten łeb na karku, nie? – uśmiechnął się chełpliwie. – Zlikwidujemy lokaty, weźmie się z pięćdziesiąt tysięcy kredytu i za rok zwróci się nam dwukrotnie. Albo poczekamy na budowlano-turystyczny boom, który prawem paraboli rynku musi nadejść, i zyskamy trzykrotnie. Tym będziemy martwić się później, na razie ciśnij tego Piotrka, żeby brał się do roboty jak najszybciej. I w sumie dobrze, że zrezygnowałaś z pracy u tego Niziny. Płacił nędzne grosze, a pańskie oko konia tuczy, więc będąc na miejscu, przynajmniej dopilnujesz, żeby nikt nas nie okradł. Jesteś pewna, że Anka przechowa cię przez tych parę tygodni? No i trzeba by było jakiś mały samochodzik kupić, nie weźmiesz przecież mojego, a czymś poruszać się musisz. Najlepiej diesla albo zagazowanego, bo na paliwo nie zarobię, jak będziesz jeździła w te i we w te po sto razy dziennie. A tak będzie, mówię ci. Ja już niejeden remont przeżyłem i wiem, co to za miód.

Mariola patrzyła na swego zadowolonego męża i nie mogła się nadziwić. *O Boże, jakże prostymi ich zrobiłeś... mężczyzno, puchu marny...*

– Dobra, to ty dzwoń do Choszczna, a ja popatrzę na oferty banków i sprawdzę ogłoszenia motoryzacyjne.

Dawid, zapytany o zdanie na temat domu, wzruszył tylko ramionami i poszedł do Mateusza. Domyśliła się więc, że syn jest za, a nawet przeciw i nie zawracała sobie głowy przekonywaniem również jego.

W połowie stycznia z samego rana zapakowała się do bordowego volkswagena golfa 1.9 TDI z trzeciej ręki, okazyjnie kupionego przez Jerzego. Zaopatrzyła się w mapę samochodową, na której mąż grubą krechą namalował jej trasę, i siedemdziesiątką czwórką ruszyła do Krakowa. Tam wbiła się na autostradę A4, którą dojechała do Wrocławia. W Zielonej Górze zjadła szybki obiad w przydrożnym motelu i po mniej więcej jedenastu godzinach jazdy minęła rogatki Choszczna.

ROZDZIAŁ 5

Zima okazała w tym roku swą łagodną twarz. Temperatura nie spadała poniżej minus pięciu stopni, a śniegu było jak na lekarstwo, więc już od końca stycznia Piotr zwoził do „Rapsodii" całe tony sprzętu.

– Domy szkieletowe można stawiać niezależnie od pory roku i temperatury – tłumaczył siostrze i kuzynce. – Mam doskonałe, czterokrotnie strugane drewno, suszone komorowo i z fazowanymi krawędziami. Pozostałe materiały, jak styropian ryflowany, wełnę mineralną i inne, łatwo zamówić, będą w ciągu dwóch tygodni. A na razie wejdę z chłopakami do tego, co jest, i ogarniemy trochę, żebyś mogła jak najwcześniej się wprowadzić. Bardzo kocham moją siostrę, ale za nic nie chciałbym z nią mieszkać, więc bardzo ci współczuję i zrobię wszystko, żeby twoje męki skończyły się jak najprędzej.

Piotrek uchylił się przed nadlatującą poduszką.

– Uwierz mi, bracie, że ja też podziwiam Aleksandrę, i uważam, że zasługuje co najmniej na Virtuti Militari – Anna zawsze musiała mieć ostatnie słowo.

– Do rzeczy, drodzy państwo, do rzeczy – zaśmiała się Mariola.

– Więc na początek odpicujemy dół. Oszczędzę wam szczegółów... No, chyba że chcecie?

– NIEEE! – rozległ się zgodny dwugłos.

Piotrek popatrzył na dziewczyny lekko zawiedziony.

– Powiem więc tylko, że na dole zrobimy część dzienną, piec zamienimy w kominek z płaszczem wodnym, który będzie ogrzewał również górę. Na pięterku zaplanowałem pokoje i porządną łazienkę. Myślę, Mari, że maksymalnie za jakiś miesiąc będziesz mogła iść na swoje. Trochę ci tam jeszcze będziemy hałasować, ale skoro zniosłaś wieczne głędzenie Anki, to nas uznasz za cudowne towarzystwo... – Tym razem nie zdążył zrobić uniku i kosmata poducha pacnęła go prosto w twarz.

Co parę dni Piotr opowiadał Marioli o postępach robót, sama również wybrała się kilka razy do „Rapsodii", aby na własne oczy zobaczyć, jak urzeczywistnia się wizja kuzyna. Większość czasu jednak biegała po sklepach i gromadziła sprzęt potrzebny do gospodarzenia na wsi. Jakieś garnki i talerze pozostały oczywiście po Franciszce, jakże jednak mogła się oprzeć cudownemu serwisowi obiadowemu na sześć osób w niewiarygodnie niskiej cenie – dwieście sześćdziesiąt pięć polskich nowych złotych? Albo miękkim jak puch ręcznikom za nędzne trzydzieści trzy złote za sztukę?

Aleksandra, która oprócz talentów kulinarnych miała również niezwykły zmysł artystyczny, odnowiła i ozdobiła w stylu vintage starą komodę i sekretarzyk. *Czy ta kobieta kiedyś śpi?* – pełna podziwu dla szwagierki zastanawiała się Mariola. Dni mijały w sprinterskim tempie, coraz więcej rzeczy Marioli przenosiło się na wieś, aż któregoś dnia, układając w odnowionej komodzie stare, haftowane, może nawet przez ciotkę, obrusy i świeżo zakupioną pościel, Mariola poczuła, że nie chce już wracać do Aninej kawalerki. Czuła zresztą pewien wyrzut, że tyle czasu siedziała kuzynce na głowie, choć ta nigdy nie poskarżyła się ani jednym słówkiem.

Pierwsze kilka nocek wierciła się niespokojnie, nieprzyzwyczajona do braku wszechobecnego miejskiego szumu. O świcie podrywała się gwałtownie na dźwięk piejącego koguta czy innych, tajemniczych jeszcze wiejskich odgłosów.

Przez kilka tygodni wykształcił się rytuał poranków i wieczorów. Mariola wstawała przed siódmą, brała szybki prysznic, zjadała śniadanie i robiła pełen dzbanek czarnej, gorzkiej kawy. Około ósmej zjawiali się pracownicy, czasem z Piotrem, czasem bez niego, i rozkładali się na tarasie.

– Mariolka, dawaj kawy, jeśli chcesz, żeby robota szła!

Wiedziała już doskonale, który z chłopaków pije z mlekiem, który z cukrem, a który mocną i czarną jak smoła, i podawała im takie kawy, jakie lubili. Bardzo to łechtało męską dumę twardych budowlańców, czuli się doceniani i dopieszczani, więc po szybkim śniadanku popitym pyszną kawką ostro brali się do roboty. Niezależnie od tego, czy szef patrzył im na ręce, czy nie. Z małymi przerwami pracowali, dopóki światło dzienne na to pozwalało, a dni niepostrzeżenie robiły się coraz dłuższe. Przez ten czas Mariola sprzątała, układała, gotowała, myła, szorowała i wykonywała inne równie przyjemne czynności. Po odjeździe ekipy zwiedzała okolicę.

Nie odchodziła za daleko, gdyż zmierzch zapadał wciąż zbyt wcześnie, jak na jej gust, ale to, co zdążyła zobaczyć w blasku szybko zachodzącego słońca, bardzo jej się podobało.

Któregoś ranka obudziła się zła i niewyspana. Ekipa Piotrka stukała i pukała do samej nocy, ale drewniane piętorko rosło jak borowiki po deszczu, których to zresztą ponoć była cała masa w tutejszych lasach. Zarówno deszczy, jak i borowików. Powietrze zaczynało pachnieć wiosną, rozbrzmiewać trelami i świergotem najróżniejszych ptaków. Drzewa były jeszcze bezlistne, ale gałęzie brzóz już pęczniały od wezbranych soków. Ponoć Franciszka piła sok prosto z drzew, ale jak to zrobić, kiedy i po co wciąż było dla Marioli tajemnicą. Podobnie jak wszystkie pozostałe aspekty wiejskiego życia i samowystarczalnego gospodarzenia, do czego tak usilnie przekonywała ją Anka. Przeciągnęła się i postanowiła pospać jeszcze trochę. Ledwo zdążyła zamknąć oczy, gdy łomotanie w drzwi zerwało ją na równe nogi.

Jasna cholera!

Spojrzała na wskazówki zegara wiszącego na ścianie.

Za piętnaście szósta! Czy ktoś tu zwariował?

Zarzuciła szlafrok i podeszła do drzwi. Za progiem stał ubrany w drelichy facet z groźną miną. Brak włosów na głowie nadrabiał bujnym zarostem na raczej średnio wyjściowej twarzy. Z lekkim wahaniem otworzyła drzwi.

Chyba mnie nie zabije, w końcu widział, że trwa remont i za dwie godziny przyjadą budowlańcy. Nie dałoby się ukryć braku gospodyni, szczególnie że panowie rozpoczynali dzień pracy od wiadra kawy. Zaczęliby mnie więc szukać choćby z tego powodu – pomyślała z wisielczym humorem

– Pani tu mieszka?

Nie, chyba nie przyszedł się przedstawić i zapoczątkować dobrosąsiedzkie stosunki – doszła do szybkiego i raczej prawdziwego wniosku.

– Od jakiegoś czasu tak. Nazywam się Mariola Mężyk. O co chodzi?

– Czy to pani jest tą paniusią, której babka przepisała chatę?

– Tak.

– I wszystko, co do tej chaty należy?

– Chyba tak... – potwierdziła niepewnie, zastanawiając się, czy na pewno dobrze robi. *Dzwonić po Piotrka czy od razu na policję?*

– Pani tu zaczeka – powiedział mężczyzna, po czym prawie biegiem ruszył w kierunku sąsiedniej chałupy.

Mariola posłusznie, niczym zahipnotyzowana, stała w drzwiach i z niedowierzaniem patrzyła na przedstawienie, w którym główne role odgrywali szalony dziadek z chyba równie szaloną babcią. On ciągnął, a ona popychała... Co? Dziwna trójca dotarła do zdemontowanego na czas remontu płotu. Mariola przetarła oczy na widok stworzenia, które z takim trudem wciągnęli, przypchali i przygonili wrzaskiem i wierzbową rózgą na jej podwórko.

– My oddajem pani tę zarazę. Pobiła koty, psy uciekają od niej jak od wściekłej, nawet kury przestały się nieść. O nie! Jak nowa gospodyni nastała, to nasza służba już się skończyła! I nie chcę więcej widzieć tej zarazy w moim obejściu! Zrozumiała? – krzyknął, po czym wciąż przeklinając gromkim głosem, zabrał żonę i zniknął Marioli z oczu.

Zaraza za to nie zniknęła. Stała jak wryta i spod byka, czarnymi ślepiami patrzyła prosto w szeroko otwarte niebieskie oczy. Zaraza była brązowa, z czarnym pasem biegnącym wzdłuż grzbietu. Miała cztery nogi, krótki ogonek, ale za to dwa długaśne rogi.

Matko jedyna! KOZA?!

—No i może łaskawie mnie oświecisz, co ja mam teraz zrobić? Przecież ja nie mam zielonego ani w żadnym innym kolorze pojęcia, jak zajmować się kozą! – Mariolka darła się przez telefon tak głośno, że Ania usłyszałaby ją chyba nawet bez pomocy aparatu.

– A co zrobiłaś do tej pory? – głos Anki brzmiał tak, jakby z trudem powstrzymywała się od śmiechu, co Mariolę wkurzyło jeszcze bardziej.

– Nic nie zrobiłam. Postała tak z pięć minut, po czym odwróciła się i pokłusowała prosto do tej komórki, w której Piotrek trzyma farby. Jedną puszkę wylała, ze trzy przewróciła, na szczęście były zamknięte, wlazła do boksu i siedzi tam do tej pory. Jakoś zamknęłam ten przerdzewiały skobel i dzwonię do ciebie. A ty tu sobie, cholera, śmiechy jakieś urządzasz! – wrzask Marioli podskoczył o jeszcze kilka decybeli, choć wydawałoby się to już niemożliwe.

– No tak... Całkiem o niej zapomniałam. To oczywiście koza ciotki. Ulubiona. Pozostałe zwierzęta już dawno oddała sąsiadom. Sobie zostawiła tylko tę kozę i parę kur. Jest u niej z osiem lat, ale ma na pewno dużo więcej, gdyż nasza Franciszka, adekwatnie do imienia, przygarniała wszystkie stworzenia, póki sił jej starczało. To akurat stworzenie odkupiła bodajże z rzeźni, ale nie dam sobie głowy uciąć. Od dawna już nie daje mleka, ale chodziła za Franią jak psiak. Byłam pewna, że wziął ją jakiś sąsiad, podobnie jak kury.

– No owszem, wziął. Ale oddał.

– Kury też?

– Na razie nie, ale wszystko możliwe. Darł się coś, że przestały się nieść. Zresztą co ty mi o kurach! Co mam zrobić z tą cholerną kozą?!

– Spoko, spoko. Na razie niech tam siedzi. Dziś mam popołudnie, więc daj mi chwilę na ogarnięcie i zaraz u ciebie będę. Bez odbioru.

Pod koniec rozmowy Anka już nie dała rady i wredny chichot brzmiał w uszach Mariolki jeszcze dobrą chwilę.

Przez piętnaście minut nowa właścicielka kozy stała bez ruchu, trzymając w zaciśniętych palcach komórkę i wgapiając się w ekran, jakby miała się na nim wyświetlić cudowna porada, co dalej czynić. *Przecież nie mogę jej tam zostawić. Na podłodze goły beton, dookoła same chemikalia, struje się biedaczka albo co. Podobno kozy są wszystkożerne. Jeszcze zeżre farbę, jakiś lakier czy drobny sprzęt budowlany, który zalega na każdej wolnej przestrzeni. Może do sadu? Ogrodzenie co prawda rodem z Japonii, czyli jako takie, ale zawsze to na świeżym powietrzu bestia pobędzie i może znajdzie do jedzenia coś lepszego niż kielnia czy szpachelka.* Szkoda, że zapomniałam zapytać Ankę, czy toto ma jakieś imię – szare komórki bawiły się w głowie Marioli w chowanego, a myśli kotłowały jak szalone.

Ze wcale nielekkim strachem podeszła do obórki. Koza podniosła na nią łeb.

– No co? Pójdziemy do sadziku? Trawy jeszcze nie ma, ale może jakichś gałązek pogryziesz czy czegoś w tym stylu?

Przez chwilę mocowała się ze skoblem. *Szlag, następny paznokieć poszedł w cholerę.* Zamknięcie odskoczyło. Mariola otworzyła drzwi i przezornie schowała się za nimi.

Koza majestatycznie, spacerkiem, opuściła swoje więzienie. Wyszła na podwórko i z niesmakiem rozejrzała się po wszechobecnym bałaganie.

– No, dawaj. Chodź za mną.

Jak się woła do kozy?

– Kici, kici, taś, taś, choć za mną, zarazo, pyszne gałązki na ciebie czekają, mniam, mniam, mniam...

Ależ ja durna. Mogłam wziąć z kuchni marchewkę lub choćby kromkę chleba – pomyślała poniewczasie.

Koza beknęła krótko i ruszyła prosto w stronę werandy.

– O nie! Wlezie do domu!

Mariola pędem rzuciła się do przodu. *Jak to robił ten zaklinacz psów?* Wskoczyła na taras tuż przed kozą. Stanęła w rozkroku i rozłożyła szeroko ręce.

– To moje terytorium. Ja tu rządzę, ja jestem alfą! Nie wolno! Fe!

Koza popatrzyła na nią z pogardą i wskoczyła na podwyższenie. Podeszła do starego bujanego fotela z wikliny i położyła się spokojnie obok biegunów.

Szlag. W telewizji to zawsze działało.

– Chodź do sadu, uparta małpo! – czując nagłą niechęć do kłamliwych mediów, dalej namawiała stwora. – Przecież nie możesz tu leżeć jak jakiś pierdzielony pies. Zaraz przyjdą ludzie i pękną ze śmiechu. No chodź, chodź za ciocią, malutka...

Wpadła do kuchni i wyciągnęła marchewkę.

– Zobacz, jaka pyszna marcheweczka, same witaminki...

Chcąc nie chcąc, przypomniała się jej wściekła tyrada Anki o marketach. Koza miała chyba takie samo zdanie. Usiłowała wywabić uparciucha trochę kijem, a trochę marchewką i przegonić spod fotela, ale nic z tego nie wyszło. Koza nie zwracała najmniejszej uwagi ani na marchewkę, ani na Mariolę. Ulokowała się wygodnie, tak jakby tam było jej miejsce, i żadne prośby ani groźby nie ruszyły jej na pół kroku.

– No to sobie leż, zarazo. A właściwie: Zarazo, bo to imię pasuje do ciebie znakomicie.

Nie wiedząc, czy śmiać się, czy płakać z niespodziewanych wydarzeń, kobieta wróciła do domu. Nastawiła ekspres i poszła pod prysznic. *Zaraz powinna zjawić się Anna, a chwilę po niej robotnicy. Głupio by było paradować przed nimi w samej koszuli...* Wystarczająco kretyńsko wyglądał jej nowy pieseczek leżący wiernie pod fotelem. Jeszcze chwilę się boczyła, ale w końcu poczucie humoru zwyciężyło i stojąc pod strumieniem ciepłej wody, Mariolka ryczała ze śmiechu, wyobrażając sobie samą siebie, walczącą z upartą brązową kozą.

Rozdział 6

Lato wkroczyło już na dobre w każdy kąt obejścia. Słońce iskrzyło się w zielonych liściach i prześwitywało przez świeżo wyprane i wykrochmalone firanki. Malowało na czerwono łaskawie pozostawione przez szpaki resztki truskawek i porzeczek oraz odbijało się od dachówek nowo położonego dachu na piętrku.

Mariola sama nie mogła uwierzyć, w jakim tempie zakończono remont. Piotrek i jego ludzie krzątali się jak mrówki. W lutym wjechali z drewnianym szkieletem nowego piętra, a już w czerwcu kończyli porządki na podwórku i w budynkach gospodarczych. Była teraz panią na włościach. Cudnych włościach. Parter domu otrzymał nową elewację, a piętro postanowiła zostawić drewniane również na zewnątrz. Początkowo myślała o ujednoliceniu obu poziomów, ale uznała, że prawdziwe drzewo jest tak szlachetnym materiałem, że grzechem byłoby zamazać je jakimikolwiek tynkami. Dom zyskał rustykalny wygląd, a w portfelu pozostało trochę grosza, choć ten zawsze rozchodzi się w zastraszającym tempie. Również obora została odnowiona, a niewielka stodółka otrzymała świeże łaty w dachu.

W sadzie powoli dojrzewały jabłka i gruszki. Czereśnie zostały zjedzone przez szpaki i zaledwie kilka słoików z czereśniowym kompotem zdążyła wynieść do piwnicy. Wiśnie były już ciemnoczerwone i lada moment trzeba je będzie jakoś spożytkować. Ogród leżał niestety odłogiem, ale Mariola obiecała sobie, że w przyszłym roku będzie uprawiać własną marchewkę, bób i fasolkę. Może nawet jakiś niewielki zagonek ziół?

Na razie w zdziczałym i zachwaszczonym warzywniaku raj miała Zaraza i jej dwie towarzyszki. Mariola zdobyła zaufanie państwa Robaczków, którzy owego pamiętnego dnia przyprowadzili jej Zarazę, i to właśnie pani Robaczkowa zasugerowała jej, żeby zapewniła kozie towarzystwo.

– Kozy to zwierzęta stadne, pani Mariolciu. Tak jak i ludzie. Kiedy człowiek nie ma do kogo gęby otworzyć, to robi się zły i zgorzkniały. Za życia świętej pamięci Franciszki Zaraza traktowała ją jak swoje stado. Frania siedziała na swoim bujanym foteliku i gadała z nią o wszystkim, a stojąca obok koza beczała jej o swoich smuteczkach. A jak stada zabrakło, to i się gadzinka zbiesiła. Mój to chciał już do rzeźni ją oddać, alem powiedziała, że nas Frania nawiedzać będzie, to się zastrachał i odpuścił.

Przyznając rację sąsiadce, Mariola wystarała się o dwie nowe kozy – mleczną matkę z córką, tym bardziej że w obórce miejsca było aż nadto. I rzeczywiście kłopoty z Zarazą minęły jak ręką odjął. Nie od razu oczywiście. Przez pierwszy miesiąc ustawiała obie nowe towarzyszki po kątach, straszyła rogami i odganiała od jedzenia, ale gdy przekonała się, że ani Cytryna, jak nazwala kozę Anka, ani tym bardziej mała Mandarynka nie zamierzają pozbawić jej należnego przywództwa, uspokoiła się i tylko czasem beknęła groźnie, gdy Mandarynka za bardzo się rozbrykała. Małe stadko całymi dniami pasło się albo w warzywniaku, albo w sadzie, choć wcześniej Piotrek musiał pobiałkować drzewka aż do pierwszych gałązek, gdyż kozy z lubością obgryzały pnie z kory. Potrafiły też zniknąć na kilka godzin w odgrodzonym kawałku lasu i na Piotrowej łące.

Mariola mogłaby patrzeć na nie całymi godzinami. Szczególnie na pięciomiesięczną Mandarynkę, której nigdy nie było dość harców ani pieszczot. Pozostałe dwie kozy nie były tak przyjacielskie, ale z wyrozumiałością patrzyły na smarkatą, która zamiast statecznie żuć sianko lub ogryzać gałązki, skakała za dziwnym, beczącym dwunogiem i ganiała się z nim dookoła drzew. Mogłaby, gdyby oczywiście miała czas. Ale nie miała. Już za miesiąc przyjadą tu w końcu jej panowie, a tyle jeszcze rzeczy trzeba zorganizować. Umeblować pokój dla Dawida, zamówić łóżko do sypialni (jej samej wystarczała na razie zwykła wąska pryczka zbita z drewna) i tysiąc innych rzeczy. Dół był skończony. Piękny salon z kominkiem, otwarty na kuchnię i jadalnię, spiżarnia i łazienka z wanną. Na stryszku była kolejna łazienka i cztery pokoje, z czego jeden, szesnastometrowy, znajdujący się nad nowo wybudowanym garażem, przeznaczyła dla Dawida, a drugi, z wyjściem na mały balkonik – na sypialnię. Dwa pozostawały do dowolnego zagospodarowania i były na razie puste.

Mariola nie mogła wyjść ze zdumienia, jak bardzo zmieniło się jej życie. Nie mogła pojąć, jak wytrzymała tyle lat w pracy, której nie lubiła, i w domu, w którym wciąż obijała się o ściany. Gdy przypominała sobie wydumane problemy, kretyńskie kłótnie nie wiadomo o co i codzienny nudny bezsens, gorzki uśmiech wykrzywiał jej usta. Nie mogła zrozumieć, dlaczego Jerzy tak bardzo bronił się przed przyjazdem do tej oazy normalności. Dobrze, że w końcu zmiękł. Postanowił nadgonić pracę w firmie i przyjechać razem z Dawidem na całe trzy wakacyjne miesiące. Już jej w tym głowa, żeby nie chciał wracać.

Z synem inna sprawa. Jest już dorosły, zaczyna życie na własny rachunek, ale mój Boże, jak strasznie za nim tęskniła. Za niemowlakiem, który machał grubiutkimi nóżkami, za przedszkolakiem, co wszędzie chodził, nosząc ze sobą paskudnego miśka z wyłupionym oczkiem, podczas gdy w dziecinnym pokoju siedziało na półkach pięć misiów słodkich i nieokaleczonych, w końcu za nastolatkiem, z którego rozsądku była dumna, gdy słuchała opowieści z piekła rodem o synach koleżanek z pracy.

No ale jeszcze trochę i będzie miała ich tu obu. Była pewna, że pokochają to miejsce, tak jak ona zdążyła je pokochać w ciągu zaledwie pięciu miesięcy. Brakowało jej najbliższych, ale wcale nie oznaczało to, że była sama. Anna wpadała co najmniej dwa razy w tygodniu. Piotrek trochę rzadziej, ale zapowiedział, że jak tylko nadejdzie prawdziwe lato, zwala się z całą rodzinką, namiotem i kompletem wędek. Częstym gościem był również mecenas Franas, każący tytułować się wujkiem Marcinem.

Przegadała z nim niejeden wieczór przy herbacie i jego uwielbianych konfiturach z czarnej porzeczki, których niewielki już zapas został po Franusi. Zaprzyjaźniła się z Aleksandrą, pulchną, wesołą brunetką, specjalistką od wszelkich kulinariów, począwszy od sałatek, przez wypieki, na przetworach kończąc. A Hanię i Miśkę wprost ubóstwiała. No cóż, ubóstwiała też moment, gdy wyjeżdżały, a błoga cisza zalegała w obejściu.

Mariola siedziała na tarasie w odziedziczonym bujaku i powoli sączyła kawę, dumnym, choć krytycznym okiem rozglądając się po swoim gospodarstwie. Anka siedziała na wygodnym rattanowym krześle, wystawiając twarz do słonka.

– Kwiaty jakieś trzeba by posadzić. Te, co zostały po Frani, całkiem szlag trafił po tym remoncie – stwierdziła gospodyni.

– Spokojnie, kobieto. Popatrz, ile już osiągnęłaś, nie od razu Choszczno zbudowano, a tym bardziej „Rapsodię". Jesienią posadzimy cebule tulipanów i żonkili, a wiosną będziesz miała swoje rabatki i kwiatki do wazonów. Albo jeszcze lepiej. Mam znajomą, która zawodowo zajmuje się ogrodnictwem. Planuje, realizuje, a nawet dba, jak już wyrośnie, jeśli klient sobie życzy. Mogłybyśmy ją zaprosić na drinka, a przy okazji doradziłaby fachowo, co, kiedy i obok czego. Co ty na to?

– Super. Skręć ją. A ja namówię Olkę, żeby machnęła swoje firmowe ciasto.

– Tak ją zmiękczymy martiniakiem i ciastem, że ani się nie spostrzeże, jak sama zacznie machać łopatą i grabiami. – Anna już planowała, jak zrobić, żeby się nie narobić.

– Do tego jeden martiniak za mało, a ja chcę mieć równe rabatki. – Mariolka była pragmatyczką.

– Oj tam, oj tam. Nie bądź taka zasadnicza. Kiedy jedziemy po meble?

– Jutro?

– Kicha, jutro mam dwunastkę.

– No to sama pojadę.

– Taaa. I kupisz byle co za nie byle ile. Już ja cię znam. Wcisną ci coś, co nie schodzi, w podwójnej cenie i jeszcze powiedzą, że to superokazja. A ty się uśmiechniesz i podziękujesz.

– No proszę cię. Jakbym słyszała Jerzego. Trochę zaufania do ludzi, kochana pani policjantko.

Pani policjantka skrzywiła się niechętnie.

– No właśnie. To już chyba skrzywienie zawodowe jakieś. Nie masz nawet pojęcia, jak ludzie potrafią kłamać i się schamić. Nie dalej jak przedwczoraj dostaliśmy wezwanie na interwencję do pobliskiego Zuchowa. Matka cała w spazmach zadzwoniła, że mężuś katuje dzieciaka. Pognaliśmy na sygnale i co? Nic. Otworzył mężuś i powiedział, że to nieporozumienie. Żoneczka stała za nim i potakiwała głową. Zażądałam, żeby pokazali mi dziecko, a oni na to, że Emilka jest u koleżanki. Dasz wiarę? I ten fałszywy głosik: „Ależ naprawdę, pani władzo, wszystko jest w porządeczku. No chyba nie myśli pani władza, że mógłbym rękę podnieść na moją kruszynkę".

No mówię ci, myślałam, że szlag mnie trafi. Od gościa jedzie jak z gorzelni, żonka z limem pod okiem, dziecko pewnie gdzieś skatowane, ale nic nie mogę zrobić. Nie ma wezwania, nie ma sprawy, nie ma niczego, cholera jasna.

– No jak to nic nie możesz? To co? Masz czekać, aż typ zatłucze żonę i dziecko na śmierć? To jest chore. A opieka społeczna? Nie można dać im cynku? – Mariola próbowała znaleźć jakieś rozwiązanie.

– Oni, kochana, mają tę rodzinę na oku już ze dwa lata – kuzynka szybko sprowadziła ją na ziemię. – Znają doskonale sytuację, ale nie ma wskazań do działania. I tyle. Obserwują.

– No to jakiś ciężki kryminał, słuchaj. Masakra.

– No masakra. Dlatego nie dziw się, że ja dziś taka zgryźliwa jestem. Moje myśli wciąż wracają do tego biednego dziecka, choć nawet na oczy nie widziałam tej małej. Ale widziałam sporo innych. Dla niektórych było już za późno...

Obie zamilkły na dłuższą chwilę. Bo co tu powiedzieć? Człowiek człowiekowi czasem najgorszym bydlakiem. Choć przecież żadne z bydląt nie katuje swoich młodych, więc porównanie ludzi do zwierząt zdecydowanie wypada na korzyść tych drugich.

Po kolejnych trzech tygodniach wszystkie meble pięknie prezentowały się na dębowych podłogach pięterka. W sypialni pyszniło się podwójne łóżko z grubym materacem, a towarzystwa dotrzymywała mu, zrobiona na zamówienie przez jednego z licznych współpracowników Piotrka, pojemna szafa. W pokoju nad garażem pojawiło się tylko łóżko i kilka szafek, gdyż Mariola chciała, aby Dawid sam go urządził według własnego gustu. Miała nadzieję, że gdy syn włoży trochę wysiłku i serca w swój nowy pokój, częściej będzie w nim mieszkał. Jedno z pozostałych pomieszczeń zyskało status garderoby, a drugie miało pełnić funkcję pokoju gościnnego.

Mariola była bardzo zadowolona z zakupów. Pojechały z Anną do niedalekiego Stargardu Szczecińskiego i za jednym zamachem kupiły wszystkie meble plus uroczliwy rattanowy komplet wypoczynkowy na werandę, pasujący mniej więcej do jedynego krzesła, które do tej pory posiadała.

Pani Robaczkowa uświadomiła jej, że małą Mandarynkę trzeba pomału odstawiać od cyca mamy, co oznaczało wcale nie taką łatwą naukę dojenia Cytryny. Na szczęście uczynna sąsiadka zgodziła się wziąć na siebie niewdzięczną rolę nauczycielki. Wbrew obawom pierwsza lekcja poszła nie najgorzej. Cytryna stała spokojnie, skubiąc wiązkę siana, gdy Mariola w asyście Zarazy i nieco zdziwionej Mandarynki udoiła do kubka pierwsze krople własnego ekologicznego mleka. No, oczywiście mleko nie było jej, tylko Cytryny, ale Mariola częstując nim zadowoloną sąsiadkę, była tak dumna, jakby je sama, własną piersią wyprodukowała. A więc pierwszy kroczek do samowystarczalności został wykonany. Zostało ich jeszcze zaledwie jakieś dziesięć milionów.

Dzień wcześniej zadzwonił Jerzy z informacją, że urlop załatwiony. Dawida czekał jeszcze ostatni egzamin z mikroekonomii i najpóźniej po tygodniu mieli wyruszyć do tej „jej ukochanej Rapsodii". Mariola była podekscytowana jak dziecko. Krzątała się jak pszczółka, sprzątając pokoje, szykując kompoty z wiśni i przyozdabiając, jak się dało, dom i obejście. To ostatnie wychodziło jej średnio. Na bazarku w Choszcznie kupiła cztery doniczki z prześlicznie zwisającą pelargonią i bakopą do powieszenia na tarasie, kilkanaście sadzonek różnokolorowej surfinii i komarzycy oraz ze trzy kilo sadzonek astrów, aksamitek i czerwonej szałwii. Całe popołudnie sadziła, podlewała i przewieszała rośliny w różne miejsca. Oglądała swe arcydzieło pod każdym kątem i z każdej strony, wyobrażając sobie zachwycone miny Jerzego, Dawida oraz potencjalnych gości. Wieczorem długo siedziała na tarasie, z samozadowoleniem podziwiając wyniki swej pracy i planując, co i gdzie posadzi jutro.

Gdy jutro nadeszło, nie mogła uwierzyć własnym oczom. To, co zdążyła powiesić, wisiało dalej, ale z pięknych kolorowych rabatek nie zostało nic. O, przepraszam, parę kozich bobków dumnie prezentowało się pomiędzy nędznymi resztkami sadzonek. Astry zostały spałaszowane doszczętnie, aksamitki chyba nie bardzo smakowały kozom, bo zadowoliły się tylko całkowitym stratowaniem kwiatów, które prawdopodobnie ze względu na zapach nie zniknęły w paszczach i bezdennych brzuchach tych potworów. Szałwia musiała najbardziej im smakować, bo po pięknych, czerwonych pałeczkach nie został nawet najmniejszy płatek. Przez dobrą chwilę Mariolka stała, wpatrując się w pobojowisko. No tak. Nie pomyślała, że kozy przed pójściem do obory lubiły zrobić kontrolny przegląd gospodarstwa, zanim grzecznie jedna po drugiej wchodziły do swych boksów, aby tam w spokoju poprzeżuwać zjedzone wcześniej smakołyki.

– Dam sobie rękę obciąć, że to Zaraza was do tego namówiła – sapnęła pod nosem była właścicielka byłej kwietnej rabatki.

Zemściła się za to, że znów odgoniłam ją spod bujaka, cholera jedna!

Przez chwilę zastanawiała się, czy się wściec. Jeszcze trzy miesiące temu dostałaby szału i co najmniej na dwa dni obraziłaby się na świat. Teraz wzruszyła tylko ramionami i pomyślała, że mleko o smaku szałwii może być całkiem przyzwoite.

Trzeba chyba zaopiekować się jakimś psiakiem i nauczyć go podgryzać Zarazę w wystający zadek – pomyślała. Nauczona doświadczeniem, podarowała sobie zaplanowane na dzisiaj dalsze prace ogrodnicze i poszła wydoić Cytrynę. Odkąd Mandarynka zamieszkała w oddzielnym boksie, Mariola uzyskiwała około dwóch litrów mleka dziennie. Było to za dużo na jej potrzeby, postanowiła więc przejść się do pani Robaczkowej na naukę wyrabiania twarogu i pomału rezygnować z kupna sklepowego nabiału. Wypuściła kozy i ruszyła do domu obok.

– Kochanieńka, nie ma nic prostszego.

Pani Robaczkowa ucieszyła się z wizyty sąsiadki, zadowolona, że może podzielić się swoim doświadczeniem i porozmawiać z kimś innym niż wyleniały stary kocur, całymi dniami wylegający się na kuchennym parapecie. Pan Robaczek od rana ruszył na łąki, bo zaczynał się okres sianokosów, dorosłe dzieci dawno już poszły ze wsi, a prawie równie dorosłe wnuki przyjeżdżały tylko od wielkiego święta, mimo że wszyscy mieszkali w granicach województwa zachodniopomorskiego.

– Najlepij mleko z wieczornego udoju zastaw w ciepłym pomieszczeniu. Poczekaj, aż się zakwasi, podgrzej w gareczku, a jak oddzieli się syrek od serwatki, po prostu go odsącz. Możesz użyć ściereczki i obciążyć jakimś ciężarkiem, ale dla mnie wychodzi wtedy za suchy. Najlepij zostawić przez noc na durszlaku i rano masz twarożek na śniadanie jak ta lala. A serwatka to też samo zdrowie...

Podziękowawszy za porady, Mariola wróciła do siebie z silnym postanowieniem zrobienia pierwszego twarogu już następnego dnia. A za kilka dni przyjadą Jerzy i Dawid...

—Wszyscy święci, co to za dziura! W życiu nie dojechałbym tu bez nawigacji. To nie jest nawet wieś, tylko jakaś osada! Pięć domów na krzyż! Zwariowałaś doszczętnie! – przywitał ją Jerzy, całując w policzek. Dawid wypakowywał bagaże z samochodu. Mariola poczuła się, jakby dostała pięścią w twarz, ale zacisnęła zęby i usiłowała zrobić dobrą minę do złej gry. – Mam nadzieję, że znudziła ci się już ta zabawa w panią dziedziczkę? Odpoczniemy przez wakacje i wracamy do domu... Choć przyznam, że Piotrek odwalił tu niezłą robotę – dodał, rozglądając się dookoła.

Z wesołym szczekaniem z auta wygrzebała się Saba i podbiegła do dawno niewidzianej pani, radośnie wywijając ogonem.

– Cześć, mamo – Dawid podszedł i położył na ziemi tobołki.

– Cześć, synu! – Mariola rzuciła mu się na szyję. Objął ją niezgrabnie i uśmiechnął się.

– Strasznie się cieszę, że cię widzę, mamuś. Wyglądasz rewelacyjnie! Co najmniej trzydzieści lat młodziej! Prowadź na swoje pokoje.

– Ej! Czyli wcześniej wyglądałam niby na ile? Poza tym na nasze pokoje, kochanie. Twój jest ten największy, nad garażem. Jeszcze nieumeblowany, ale jak tylko się zadomowicie, pojedziemy do Stargardu albo i do Choszczna na meblowe zakupy i coś wybierzemy. Nie chciałam sama podejmować decyzji, w końcu to ma być twój azyl.

– Na pewno wybrałabyś dobrze – uśmiechnął się Dawid. – Mnie nie robi to w sumie większej różnicy. Najważniejsze, że nie ma tu żadnych skryptów, książek ani niczego, co przypominałoby mi o szkole. Łącznie z jajogłowymi. Poza tym przyjechałem tylko na miesiąc, bo jedziemy w góry. Mateusz ma na oku jakąś metę pod Sanokiem i umówiliśmy się na tydzień lub dwa wędrówek.

– OK, ale wakacje masz przecież do października, mój ty studenciku, więc jeszcze kupa wolnego ci zostanie. No, chyba że coś nie poszło w szkole? – zaniepokoiła się nagle. – Masz jakieś poprawki?

– No co ty. Wszystko na plusie. Masz przed sobą studenta drugiego roku FiR-u.

– No. Ale pogadamy później. Teraz chodźcie. Patrzcie, podziwiajcie i głośno chwalcie!

Dawid rozglądał się z ciekawością.

– Fajnie tu nawet. Internet masz?

– Jest, ale strasznie wolny. Zresztą mam nadzieję, że nie będziesz miał czasu na Internet. Wystarczająco długo siedzisz na komputerach w domu, a w szkole pewnie też. Jest tyle ciekawszych rzeczy. Anna i Piotrek zapowiedzieli się na weekend, pamiętasz ich chyba, prawda? Trzeba skosić trawę na łące i trawnik na podwórku, pociąć drewno na zimę, poznać okolicę, połowić ryby w Drawie i zrobić milion innych rzeczy.

– Mamo! To mają być wakacje czy jakiś obóz pracy? – z udawanym przerażeniem Dawid wybałuszył oczy na roześmianą matkę.

Zaciekawione zamieszaniem kozy przytruchtały z sadu.

– KOZY!? – Jerzy z niedowierzaniem spojrzał na Mariolę. – Po cholerę ci ten zwierzyniec? Co z nimi zrobisz, jak wrócimy do domu?

– Jurek, tu jest mój dom. I mam nadzieję, że również twój. Wiem, że nie takie miałeś plany, ale zobaczysz, jak tu się wspaniale żyje. Jaka tu cisza i spokój. Założę się, że wystarczy tydzień, a zakochasz się w „Rapsodii".

– To przegrasz – odburknął Jerzy i wszedł do domu.

Mariola westchnęła i weszła za nim. Rozejrzała się po pokoju, starając się spojrzeć na salon obiektywnym wzrokiem, zobaczyć go takim, jakim mógł widzieć go sceptycznie nastawiony Jerzy. Naprawdę nie miała się czego wstydzić. Salon był przestronny i niezagracony jak ich pokój dzienny w bloku. Być może dlatego, że nie miała jeszcze czym go zagracić. Na komodzie pięknie prezentowała się figura konia stojącego dęba, wycięta z drewna przez Aleksandrę. Przez duże, umyte dzień wcześniej okna wpadał jasny i ciepły blask słońca. Biała firana falowała lekko w uchylonych drzwiach, za którymi częściowo zadaszony taras zapraszał na sjestę. Mariola wyostrzyła wzrok. *Cholera jasna, Zaraza znowu uwaliła się przy bujaku.* Na werandę wpadła Saba, zapoznająca się z nowym otoczeniem. Stara sunia miała już czternaście lat, słaby wzrok i nie za wiele zębów, ale jej węch sprawował się jeszcze całkiem nieźle, więc od razu zwróciła się w stronę niespodziewającej się niczego Zarazy. *Matko Boska! Zaraz będzie cyrk, akurat dziś!* – pomyślała spanikowana Mariola. Saba ruszyła na Zarazę, która zerwała się spod fotela. Fotel przewrócił się, pociągając za sobą turystyczny stolik, na którym stała niesprzątnięta od rana filiżanka po kawie. Rozległ się głośny brzęk tłuczonego szkła i łomot przewracających się mebli. Dwa stwory stanęły naprzeciwko siebie, jeden z nastroszoną sierścią, głośno warczący z samych czeluści gardła, drugi z nastawionymi rogami, równie głośno beczący.

– No faktycznie... cisza i spokój... – Jerzy spojrzał na żonę z politowaniem, zabrał walizkę i poszedł na piętorko.

– Mamo, chyba mi się tu spodoba, będzie wesoło – zachichotał Dawid, mrugnął do matki i ruszył za ojcem.

Pół godziny później wypakowani i odświeżeni panowie zasiedli do obiadu. Mariola ugotowała gar pomidorowej zupy z makaronem, jeszcze ze sklepowych pomidorów, ale miała szczerą nadzieję, że od przyszłego roku będzie już używać własnoręcznie wyhodowanych produktów. Na drugie zaserwowała ziemniaki, kotlety mielone i czerwone buraczki. Ilość jedzenia była iście hurtowa, ale Mariola wiedziała, jak dopisuje apetyt po całodziennym przebywaniu na świeżym powietrzu. Dania pysznie wyglądały na nowych, kwadratowych talerzach.

– Mamo, nie uwierzysz, ale one dalej tak stoją – zaśmiał się Dawid, zerknąwszy na taras.

Faktycznie, oba stworzenia pozostały w tej samej pozycji, choć już bez efektów dźwiękowych. Mariola spojrzała za wzrokiem syna.

– Ale już nie są takie naindyczone – zachichotała. – Chyba się nie pozabijają. Teraz jest walka na przetrzymanie. Zaraza uważa i słusznie zresztą, że to jej teren, Saba natomiast, jako pełnokrwisty i prawie pełnorasowy wyżeł, nie może pozwolić, żeby zwierzyna łowna stawiała jej jakiekolwiek warunki. Jedzcie teraz. Po obiedzie nakarmię obie panie i zobaczymy, co zwycięży, łakomstwo czy ambicja. Obstawiam łakomstwo.

Po obiedzie Dawid poszedł zwiedzać posiadłość, a rodzice zasiedli na tarasie z filiżankami kawy. Tak jak

Mariola przewidywała, zwierzęta postanowiły się pojednać, koza wróciła do sadu, a Saba kończyła właśnie wylizywać swoją miskę, po czym z błogim westchnieniem położyła się u stóp swojej pani.

– Dalej nie wiem, po co ci te kozy. Rozumiem chęć posiadania domku na wsi, drzew owocowych i krzewów, ale kóz? Żrą tylko za darmo i srają. Ponoć taka koza strasznie wszystko niszczy. – Jerzy zerwał się nagle na równe nogi. – Chyba nie wlezą do garażu, co?

– A co? Boisz się, że Zaraza samochód ci zeżre? – Mariola od razu wiedziała, że mąż nie doceni żartu.

– Nie bądź zgryźliwa. Nie zeżre, ale lakier może porysować, nie? Albo szybę stłuc tymi rogami swoimi. Sama przecież widziałaś, jak zaatakowała psa.

– Nie przesadzaj. Po prostu broniła swojego terytorium. Zresztą już są kumpelkami.

– Mimo wszystko nadal nie rozumiem, po jaką cholerę ci te kozy.

Mariola zastanowiła się przez chwilę.

– Smakuje ci kawka?

– No, owszem, jak to kawa.

– No widzisz. A wiesz, jakie mleczko masz w tej kawce?

Jerzy ponownie zerwał się z krzesła i z obrzydzeniem wyplul na podłogę zawartość swoich ust.

– Czyś ty oszalała?! Przecież te kozy żrą nie wiadomo co, a ty mnie poisz ich mlekiem?! Poisz mnie mlekiem tych chodzących symboli biedy i ubóstwa!? Poza tym, czy ono nie ma jakichś bakterii, czy innych odzwierzęcych zarazków!? Przegotowałaś je przynajmniej, kobieto?

– Przegotowałam. Zresztą mleko kóz jest najzdrowszym mlekiem, polecanym nawet niemowlakom. Poczytaj sobie w Internecie. A wiesz, co jadły te krowy, których mleko kupujesz w sklepie? Daj spokój! – odparła Mariola, lekko zszokowana wybuchem Jerzego. – Jakiś podminowany jesteś. Wszystko OK?

Jerzy spojrzał na nią jak na najgorszego wroga.

– Nic nie jest OK, do cholery! Ty bawisz się tutaj w hodowcę kóz, Dawid w szkole, a ja siedzę sam jak palec. I to ten środkowy. Jakbym rodziny nie miał. Zakupy, gotowanie, sprzątanie, pranie, wszystko na mojej głowie. Do nikogo gęby otworzyć, z psem tylko gadam jak jakiś pustelnik. Nie tak powinno być, nie uważasz? Masz chyba wobec mnie jakieś obowiązki, prawda? Czy już mnie sobie odpuściłaś?

– Nie odpuściłam. I masz rację, mam wobec ciebie obowiązki. A ty wobec mnie. Sam tego przecież chciałeś. Prosiłam cię, żebyś przyjechał tu ze mną. Mało tego, ja ciebie błagałam! Pierzesz, sprzątasz i tak dalej, po samym sobie, więc w czym rzecz? Jak ja to robiłam, to ci nie przeszkadzało. Zresztą mi również nie. A na to, że jesteś sam, pracowałeś całe lata. Czy możesz mi wymienić jakichś znajomych, których poznaliśmy w ciągu ostatnich dziesięciu lat?

Jerzy wyprostował się sztywno.

– Całe mnóstwo.

– Słucham.

Namyślał się głęboko.

– Kiedyś po kinie poszliśmy na drinka z tymi ludźmi, co siedzieli obok, pamiętasz? Fajnie było.

– Pamiętam. Ela i Jarek. A ile jeszcze razy spotykaliśmy się z nimi?

– No nie pamiętam, kilka...

– Nie, mój drogi. Raz. A byłeś tak nafochowany, że na tym spotkaniu zakończyła się nasza znajomość. Jeszcze kogoś pamiętasz?

– Ta twoja koleżanka z pracy – Magda. Przecież była u nas kilka razy.

– Rzeczywiście, po każdym razie, widząc mnie w pracy, patrzyła współczująco, fantastyczny przykład.

– No dobra. Jestem nietowarzyski, nie potrzebuję do szczęścia stadka głupich papużek i puszących się pawi. Wystarczysz mi ty i Dawid. Nie muszę śmiać się z tego, co wszyscy, płakać nad tym, co wszyscy i udawać, że coś lubię, jak nie lubię. Czy to znaczy, że jestem złym człowiekiem? Ja po prostu mam swoje zdanie. – W mężczyźnie znów zagotowała się żółć.

– Nie, Jerzy. Ty po prostu niczego nie lubisz, chyba nawet siebie. Mieczem wojujesz, od miecza giniesz, co zasiejesz, to zbierzesz, jak pościelesz, tak się wyśpisz, znasz te powiedzenia? To są naprawdę mądre przysłowia. Przekonałam się o tym właśnie tutaj, na wsi. Zasiejesz ziarno, zbierzesz chleb. Przytniesz gałęzie, aby prześwietlić drzewko, zbierzesz jabłka i gruszki. Nakarmisz kozę, dostaniesz mleko. Uśmiechniesz się do sąsiadki, otrzymasz od niej życzliwość, sympatię i pomoc w każdej potrzebie. A to jest bezcenne. Nieważne, czy mieszkasz w mieście, czy na wsi. Żyjesz wśród ludzi i potrzebujesz ich, choć wydaje ci się, że nie. Przekonałeś się o tym na własnej skórze. I nigdy nie powiedziałam, że jesteś złym człowiekiem. Ty tylko zakładasz niedobrą maskę, która skrywa prawdziwego ciebie, pokazujesz ludziom oblicze dziwnego, nieprzyjemnego typka.

Jerzy długo milczał. Gdy Mariola zwątpiła już w odpowiedź, podniósł na nią wzrok.

– Czyli niby co? Mam się brać za piłę i zacząć rżnąć gałęzie?

Pani psycholog-amator uśmiechnęła się do swojego pacjenta.

– Od tego możesz zacząć.

Tej nocy różowa wata cukrowa przybrała barwę o kilka dobrych odcieni ciemniejszą.

ROZDZIAŁ 7

Spokojna do poprzedniego dnia „Rapsodia" zmieniła się w przedsionek piekieł.

– Dzie moja dupa, moja duuupaaa, dzie, mami, duuupaaaa!!!

– Daj jej wreszcie tę butlę, bo zaraz moi koledzy z pracy tu przyjadą, a mam dziś wolne i nie mam zamiaru oglądać ich zakazanych twarzyczek – zaśmiała się Anna do Aleksandry.

– Zaraz, widzisz chyba, że doprawiam sałatkę. Swoją drogą ten kozi twaróg idealnie komponuje się z rukolą. Chyba samodzielnie wrąbię całą miskę. Piotreeek, daj Miśce butlę z sokiem, bo ogłuchniemy!

– Nie mogę teraz. Tłumaczę Jurkowi zasady funkcjonowania domów szkieletowych, Hanka niech jej da.

– Haaanka, daj Miśce jej butlę!

– Oj mamoooo! Właśnie idę z Dawidem pokarmić kozy, chyba nie chcesz, żeby były głodne, no nie?

– Jasne. A własna siostra niech umiera z pragnienia…

Aleksandra podniosła do ust łyżkę sałatki i po spróbowaniu dosypała jeszcze trochę soli.

– Dzie duuupaaa!!!

Mariolka znalazła butlę z sokiem wśród stosów misek na kuchennym blacie i pobiegła do dwuletniej Michaliny, która z wściekłą miną darła się wniebogłosy.

– Masz, masz, tylko proszę cię, nie drzyj się już.

Krokodyle łzy momentalnie zamieniły się w rozanielony uśmiech.

– Moja dupa.

– Twoja, twoja, pij.

– Tati Pała dzie?

– Tata Piotrek rozmawia z wujkiem Jurkiem.

– Mami Ola dzie?

– Szykuje jedzonko.

– Aja dzie?

– Hania poszła z Dawidem do kózek.

– Misia tes – powiedziała Michalina, po czym zabrała swoją ukochaną butlę i na krótkich nóżkach podreptała za starszą siostrą.

Dziesięć sekund później rozległ się kolejny wrzask:

– Mamoooo, czy ja nie mogę mieć chwili spokoju? To chyba twoje dziecko, nie moje?! Czy ona wszędzie musi za mną łazić?!

Aleksandra ani drgnęła.

– O matko! Ty masz tak zawsze? – zaśmiała się pytająco Mariolka.

– Taa, normalka, nie zwracaj uwagi. Twoje kozy są dobrze zamknięte?

– Tak. Nie martw się, nic dziewczynkom nie zrobią. Zresztą jest tam przecież Dawid.

Ola zerknęła na Mariolę krojącą pomidory.

– Ja się o kozy martwię.

– Aha...

– Gdzie oliwa z oliwek?

– Na prawo. Może pójdę już rozpalać grilla, co? – Mariola skierowała się do wyjścia.

– Krój... Piotreeek! Skończ to gadanie i rozpalaj, jak chcesz jeść – wydarła się Aleksandra w kierunku tarasu, po czym wróciła do krojenia warzyw. – Mówię wam, jak Piotrek wejdzie na swojego najnowszego konika, czyli kanadyjskie domy, to potrafi zanudzić na śmierć. O, widzę, że Jurek już ziewa jak hipopotam.

– Niech słucha i się uczy. Przecież góra wybudowana jest właśnie w tym systemie – odezwała się Anna i spojrzała na Mariolę. – Namówiłaś go?

– Jeszcze nie, ale pracuję nad tym.

– Nad czym? – zainteresowała się Aleksandra.

– Nad jego przeprowadzką na stałe do „Rapsodii".

– To on zamierza stąd wyjechać? Nie żartuj!

– No niestety. Jerzy jest wsiofobem, domatorem i wszelka myśl o zmianie budzi w nim patologiczny wstręt. A tu miałby dwa w jednym. I zmiany, i wieś. To nie lada wyzwanie dla mojego miastowego męża. Poza tym jego świat to komputery, a tutaj Facebook otwiera się dziesięć minut, więc wyobraź sobie tylko, co by się działo. Wrzask Miśki przy ewentualnym wrzasku Jurka to pikuś.

Ola z dezaprobatą pokręciła głową.

– Powiem ci, że ja chyba nigdy tych chłopów nie zrozumiem. Ma tutaj taki piękny dom, okolica wręcz wymarzona, niejeden dałby się pociąć za takie luksusy. A tego do śmierdzącego miasta ciągnie. Albo weź mojego

Piotrka. Chłop jak dąb, po rusztowaniach i dachach lata jak wiewiór jakiś i nie boi się, że poleci na łeb i skręci kark. A wizytę u dentysty odkłada, już sama nie wiem który raz. I błyska ludziom po oczach czarną dziurą. O ile dziura może błyskać, naturalnie... I bardzo cię proszę, tylko nie pytaj mnie, jak on tego zęba sobie wybił.

– No dobra, dobra, nie pytam... Sama gadaj.

– Ja ci opowiem, bo to jedna z moich ulubionych historii rodzinnych – zaśmiała się Anna.

– Hania, jak wiesz, chodzi do pierwszej klasy. Raz w tygodniu w ramach wuefu dzieciaki mają basen. Mała nieźle sobie radzi, ale za Chiny Ludowe nie zamoczy głowy w wodzie. Boi się i już. Olka sto razy prosiła Piotrka, żeby poszedł z nią potrenować, aby później w szkole wstydu się nie najadła. Ale wiesz, jak to jest. W końcu zaszantażowała go całkowitym brakiem seksu, bo skoro jedną córką tatuś nie ma czasu się zająć, to na pewno nie będzie ryzykować i narażać się na trzecie dziecko. Piotrusia wizja ta tak przeraziła, że już następnego dnia w kąpielówkach i klapeczkach paradował po basenowych kafelkach, zerkając na co zgrabniejsze pływaczki. Hanka się już rozgrzała, więc tatuś postanowił przeprowadzić trening. Tak się przypadkowo złożyło, że w tym samym czasie pani Bożenka prowadziła zajęcia z fitnessu i braciszek tak się zapatrzył na panie wywijające nóżkami, że wchodząc po omacku do basenu, tak przyrżnął w barierkę, że ratownicy musieli go wyciągać. Pewnie miał nadzieję, że pani Bożenka zrobi mu usta-usta, ale się rozczarował grubo, bo panie nawet nie przerwały treningu. Natomiast Hania narobiła rabanu na cały basen, krzycząc: „Tatusiu... tatusiu... Ja się nauczę nurkować, przyrzekam ci, tylko nie przychodź tu więcej ze mną, bo mi siaaarę robisz!!!".

Wszystkie trzy roześmiały się, po czym każda złapała po dwie salaterki i wyszły na taras, gdzie już na ruszcie skwierczało mięso. Panowie z piwami w ręku siedzieli na krzesłach.

– To nieprawda – perorował Piotrek. – Ogrzanie stumetrowego domu szkieletowego gazem to koszt maksymalnie dwustu złotych. Tutaj zrobiliśmy ogrzewanie podłogowe z kominka w salonie, więc gaz praktycznie nie jest w ogóle potrzebny, chyba że do kuchenki i ewentualnie ciepłej wody. A w przyszłości machnie się na dach panele fotowoltaiczne, mono- albo polikrystaliczne. Aby zamontować instalację, wystarczy spokojnie trzydzieści pięć metrów kwadratowych dachu, bo tyle wynosi powierzchnia modułów, więc oszczędność utrzymania takiego domu będzie jeszcze większa. Standardowa moc przyłączeniowa dla domu jednorodzinnego wynosi trzynaście kilowatów...

– A ja zaraz wyniosę ciebie. Nie spotkaliśmy się tutaj, żeby gadać o metrach, watach ani sratach, więc może zmień temat, kochanie, i przełóż tego hamburgera. Przecież wiesz, że Hanka nienawidzi spalonych, a tym nie wiele już brakuje, żeby nadawały się tylko dla psa – Aleksandra bezwzględnie ucięła mądrowanie się męża.

– Dobra, dobra. – Piotr mrugnął do Jerzego. – Tak to jest, chłopie. Moja Oleńka z każdego kozaka potrafi zrobić pantofla. Ty to masz raj z Mariolką. Nie wrzaśnie,

szmatą przez łeb nie walnie.... I jaki piękny posag ci za-
łatwiła...

– Oj, jaki ty bidulek, pomyślałby kto. A Mariolka zawsze może swoje kozy wytresować, żeby rogami załatwi-
ły to, czego sama nie może.

– Dobra myśl – ucieszyła się Anka. – Mam nawet znajomą kosmetyczkę, która jest wolontariuszką w schronisku dla psów. Mari, szepnij tylko słówko i zaraz cię
umówię.

Jerzy w lekkim oszołomieniu przysłuchiwał się dyskusji. Nie brał udziału w zwariowanej rozmowie, ale sam
się dziwił, że tak mu dobrze w gronie obcych właściwie
osób. Dziewczyny śmiały się i nakładały na talerze sałatki, Piotr krzątał się przy ruszcie. Jurek słuchał jednym
uchem paplaniny kobiet, drugim fachowych porad szwagra. Zapach zdecydowanie przyspieszył pracę jego ślinia-
nek. Głośno przełknął ślinę.

– O, Jureczek już ma ślinotok – zaśmiała się Anna. –
Piotrek, mieszaj tam szybciej swoimi przyborami.

– Mógłbyś zacząć mieszać w końcu swoimi – odgryzł
się jej brat. – Czterdziestka na karku, a żadnego szwagra
ani widu, ani słychu. Myślisz, że do końca życia na każdej imprezie będę nadwornym kucharzem jaśnie pań?
Nie ma mowy! Całe szczęście, że Jurek przyjechał. Dziś
dam ci jeszcze fory, chłopie, ale następny grill ty obsłu-
gujesz, jasne?

Piotrek zamachał szczypcami w stronę Jerzego. Skądś
nagle przyteleportowały się dziewczynki. Zaraz za nimi
przyszedł Dawid.

– Mniam, mniam... – Michalina wlazła na kolana mamy.

– Chodź, skarbie, będziemy mniamniusiać. Kurczaczka? – Ola zajęła się pakowaniem do rozwartego dziubka co pyszniejszych kąsków.

– Dawidzie, jak ci się podoba „Rapsodia"? – zapytał Piotrek.

– Super. Kozy są zajebiste. Sorry, mamo. Dom wypasiony, no i mama się tu śmieje, to najważniejsze.

Jerzego nagle ogarnął niewytłumaczalny gniew.

– Zobaczymy, jak się będzie śmiała zimą. Gdy przyjdzie jej w piecu palić, śnieg odetnie drogę do cywilizacji, a wiatr pozrywa linie, że nawet po pogotowie nie będzie jak zadzwonić w razie czego.

Mariola spuściła głowę. Zapanowała nieprzyjemna cisza.

– No co, prawdę mówię. Jestem realistą, a nie jak wy wszyscy hurraoptymiści. Też mi się tu podoba. Nie powiem, że nie, jest tu, jak to powiedział Dawid, zajebiście... Ale latem. Nie mam zamiaru całe życie chodzić w gumiakach i śmierdzieć gnojem. We wrześniu zabieram Mariolę i wracamy do domu. To nieodwołalne. Trzeba wrócić kiedyś do normalności, taka jest brutalna prawda. Kozy, domek na wsi, grille na werandzie to jest fantasy, nasz realizm jest w Przemyślu. Sorry, ale właśnie tak wygląda życie.

Jakaś zbłąkana, zwabiona zapachami mucha przefrunęła dookoła stołu i usiadła perfidnie na środku talerza z ugrillowanymi szaszłykami. Nikt nie podniósł nawet ręki, aby ją odgonić.

Anna uniosła głowę.

– Życie, mój drogi szwagrze, bywa takie, jakie chcemy, żeby było. O jakim marzymy i śnimy. Czasem wystarczy zrobić pierwszy krok, podjąć śmiałą decyzję i fantasy zmienia się w realizm. Co pasuje jednym, może być przekleństwem dla drugich, więc nie gadaj mi tu pierdół. Ciotka Franka mieszkała tu całe życie. Latem, jesienią, zimą i wiosną. A nie miała odpicowanego, ocieplonego domku, porąbanego równiutko drewna pod wiatą ani rodziny gotowej przybiec o każdej porze i w każdą aurę. Mimo że całe życie mieszkała na wsi zabitej dechami, którą niejeden miastowy głęboko gardzi, była szlachetnym i dobrym człowiekiem. Mimo że nie skończyła podstawówki i ledwo umiała się podpisać, na jej pogrzeb przyszło mnóstwo ludzi i każdy mówił o niej same dobre rzeczy. Kto przyjdzie na twój pogrzeb, mój kochany, wykształcony, miastowy szwagrze? I co będą o tobie mówić?

– To się w pale nie mieści!

Jerzy rzucał się jak w amoku.

– Ta twoja kuzyneczka zmieszała mnie z błotem, a ty nawet nie otworzyłaś gęby w mojej obronie! Nikt mnie jeszcze tak nie poniżył! A własna żona siedzi i patrzy! O nie... Ja na pewno tu nie zostanę. Jeśli ty chcesz, proszę bardzo. Zamień się w prostaczkę, jak one, i żyj ze swoimi kozami. Proszę cię bardzo... Dawid, pakuj manele. Wyjeżdżamy natychmiast.

– Ja zostaję z mamą. Ty rób, co chcesz.

Dawid odwrócił się i poszedł do siebie. Mariola popatrzyła na swego spienionego męża.

– O co się pieklisz? Anna powiedziała tylko prawdę, nikt cię nie obraził, nikt nie wyzwał ani nie poniżył. Załóż wędzidło swemu wielkiemu ego i uspokój się trochę. Zrobisz, co chcesz, jesteś ponoć dorosły. Pamiętaj jednak, że decyzje podejmowane w gniewie zazwyczaj są błędne. Idź na spacer... Nad rzekę czy do lasu. Albo jeśli wolisz, ja pójdę, żebyś mógł pogadać od serca sam ze sobą.

– Nie traktuj mnie jak dziecka albo psychola jakiegoś. Sam wiem, co robić.

Trzasnął drzwiami i prawie pobiegł przed siebie. Mariola wyszła na taras i usiadła na bujaku. Wyciągnęła z paczki papierosa i wsadziła do ust.

– Mamo, znowu palisz? – Dawid usiadł obok niej. – I po co się trujesz?

Puściła chmurkę dymu. Kiedy ostatni raz miała papierosa w ustach? Nie pamiętała. *Jak Robaczki przyprowadzili Zarazę? Nie, chyba wtedy, gdy jakiś dostawca nawalił i Piotrek się pieklił, że nie ma waty szklanej czy czegoś...* Energicznym ruchem zdusiła niedopałek na spodku od filiżanki.

– Masz rację, synu. Nie ma co się truć. Co ma być, to będzie.

Rozdział 8

—Mariola, ja cię strasznie przepraszam, ale wiesz, jaki ja mam niewyparzony jęzor.

Siedziały w niewielkiej choszczeńskiej kawiarence i piły latte z wysokich zmrożonych szklanek.

– Przestań. Wcale nie musisz mnie przepraszać. Po pierwsze nie skłamałaś, po drugie wyszło to Jerzemu tylko i wyłącznie na dobre. Zdenerwował się cholernie, to prawda, ale chyba dawno nikt nie powiedział mu takich słów prosto w twarz. Albo i nigdy. Ja zawsze przeczekiwałam, Dawid się nie wtrącał, a on utwierdzał się w swojej doskonałości. Jak pojechaliście, poszedł na długi spacer nad Drawę. Nie było go ze trzy godziny. Zaczęłam się już na poważnie niepokoić, ale w końcu wrócił wieczorem, już spokojny. Długo rozmawialiśmy... To naprawdę nie jest zły albo głupi facet. On po prostu otoczył się obronnym murem, odgrodził od wszystkich i teraz nie umie tego muru zburzyć. Nawet jeśli chce.

– Ty jesteś po prostu za dobra dla niego.

– On też był dobry dla mnie. Po prostu jakoś poplątał drogę i nie może wrócić na właściwą. Jutro jedzie do Przemyśla.

– O nie! Przeze mnie!

Anna czuła naprawdę ogromne wyrzuty sumienia. Siedziała na krześle i wyglądała jak kupka nieszczęścia. Mariola złapała ją za rękę i spojrzała uspokajająco w smutne oczy.

– Nie, to nasza wspólna decyzja.

Anka podniosła głowę i popatrzyła wyczekująco.

– Jak to?

– Postanowiliśmy zrobić sobie przerwę. Muszę się zastanowić, czy lepiej mi z nim, czy bez niego, a on, czy starczy mu sił na roboty wyburzeniowe.

– Mari, tak mi przykro...

– A mnie wcale, więc przestań już marudzić. Wczoraj pogadaliśmy sobie tak szczerze, od serca, jak chyba jeszcze nigdy, i myślę, że po prostu co ma być, to będzie. I koniec tematu. Powiedz lepiej, co tam u ciebie.

Anka westchnęła i z powrotem zasępiła się jak chmura gradowa.

– Pamiętasz, jak opowiadałam ci o tej malutkiej Emilce, katowanej przez tatuńcia? No więc tatusiek znów się uaktywnił. Tym razem jednak tak poszalał, że matka znalazła się w szpitalu z połamanymi żebrami i stłuczoną miednicą.

– No nie gadaj! Co za gnój!

– Najgorsze jest to, że mała została umieszczona tymczasowo w policyjnej izbie dziecka w Stargardzie, bo te nieliczne pogotowia rodzinne na naszym terenie są przepełnione, a dalszej rodziny biologicznej brak. Nie ma też nikogo innego, u kogo dziecko mogłoby zamieszkać na czas powrotu matki do zdrowia. Więc siedzi tam biedulka razem z drobnymi złodziejaszkami i innymi małoletnimi chuliganami. Boję się o jej psychikę... I nie tylko zresztą. Jak ją zabieraliśmy, to dosłownie serce się krajało na sam widok. Malutka, chudziutka i cała posiniaczona. Całe szczęście, że typa zabrali, bo na pewno przyrżnęłabym mu zdrowo pałą, nie bacząc na konsekwencje.

– Masakra. Ile mała ma lat?

– Pięć. A wygląda na niewiele starszą od Miśki.

– No i co dalej?

– Będziemy szukać tymczasowego domu gdzieś poza powiatem, ale to będzie ciężka sprawa. Wszędzie bliższa koszula ciału niż sukmana... – Atmosfera się zagęściła i Anna poczuła kolejne wyrzuty, że ponownie przysparza kuzynce zmartwień. Chcąc się jakoś zrehabilitować, wpadła na typowo babski pomysł: – No ale dość o tym. Jutro idę do Beaty, no wiesz, tej kosmetyczki od psów. Mogłabyś się ze mną wybrać. Kiedy ostatnio zrobiłaś coś dla swojego wyglądu?

– Dziś rano – odpowiedziała lekko zdziwiona nagłą zmianą tematu Mariolka.

– A mianowicie?

– Umyłam włosy i wyszczotkowałam zęby.

– Ha, ha, bardzo zabawne. Kudły masz już jak Hagrid, a paznokcie jak... Sama Wiesz Kto. Beti ma świetną fryzjerkę, może po znajomości uda mi się ciebie wcisnąć? To jak?

W końcu co mi szkodzi? – pomyślała Mariolka. – *Gorzej chyba nie będzie...*

– Dobra. W końcu mnie się też coś od życia należy.

– I właśnie o to chodzi, kochana kuzyneczko, tak trzymaj.

Po wyjściu z kawiarni Anka gdzieś poleciała, a Mariola poszła na zakupy. Trzeba było kupić zapas chemikaliów i trochę artykułów spożywczych, bo dwa męskie żołądki pochłaniały w ciągu dnia więcej karmy, niż sama zdołałaby zjeść w ciągu tygodnia. Co dziwniejsze, Dawid przestał wybrzydzać i pakował wszystko, jak leci, byle tylko w ilościach hurtowych. Jerzy również przekonał się do koziego nabiału. Zażartował nawet, że zaraz po niej będzie mu brak twarożku z pomidorami i bazylią, który serwowała na śniadania, co wprawiło ją w pełne zachwytu, ciche zdumienie.

Mariola postanowiła pójść krok dalej i wyprodukować kozi ser podpuszczkowy. Namówiła ją do tego Aleksandra, która dzięki Cytrynie ponownie przekonała się do nabiału i wprost nie mogła najeść się serami z „Rapsodii". Mariolka zaczęła nawet na poważnie myśleć o powiększeniu stada, bo jedna Cytryna nie nadążała z produkcją mleka.

W niewielkim sklepie nabiałowym kupiła buteleczkę naturalnej podpuszczki w płynie. Zaszła na cmentarz do rodziców i Frani, pokręciła się po miasteczku i zjadła lody w ulubionej lodziarni. Zajrzała jeszcze do księgarni, aby kupić upatrzoną wcześniej książkę o serowarstwie, gdyż Internet znowu szwankował. Nadszedł w końcu czas na powrót do domu. Jerzy czekał w umówionym miejscu. Droga upłynęła im w milczeniu. Nie było to jednak milczenie spowodowane skrępowaniem czy złością. Było to milczenie przyjaciół, którzy wszystko, co dobre i złe, powiedzieli sobie dzień wcześniej. Przynajmniej chwilowo atmosfera była oczyszczona. *Do następnej bu-rzy* – pomyślała pesymistycznie Mariola.

Zanosiło się na deszcz. Kozy stały już w swoich bok-sach, a Dawid próbował połączyć się z Internetem. Kiep-sko mu szło, sądząc po zduszonych przekleństwach. Jerzy wypakował zakupy, a Mariola po szybkiej zmianie ciuchów wzięła się za dojenie Cytryny. Po obfitym popa-sie koza dała ponad litr mleka. Mariola wniosła wiaderko do kuchni i wzięła się za lekturę.

„Podgrzać mleko do temperatury 30 stopni Celsjusza".

– Cholera, wiedziałam, że czegoś zapomniałam. Skąd mam wiedzieć, kiedy będzie te 30 stopni?

„Dodajemy 4 krople podpuszczki na litr mleka".

– Dam 5...

„Mieszamy dokładnie i pozostawiamy mleko na co najmniej 30 minut".

– No i super. Czas na kolację.

„*Po tym czasie zrobi się zwarty* skrzep, który trzeba do-kładnie pokroić na małe kawałeczki".

– Fuj, jaki znowu skrzep?

„Po pokrojeniu skrzepu wstawić garnek na mały gaz i podgrzewać do 45 stopni Celsjusza..."

– No raczej nie Fahrenheita...

„...często mieszając, aby skrzep nie przypalił się na dnie".

Przeczytawszy przepis do końca, stwierdziła, że da sobie radę. Wkropiła krople do podgrzanego mleka i zgodnie z przepisem zostawiła je w spokoju. Poszła do sadu, żeby jeszcze przed deszczem zerwać parę garści poziomek. *Naleśniki z poziomkami to jest to, co misie lubią najbardziej* – krążył jej po głowie super inteligentny cytat z jakiejś bajki. Zbieranie drobnych, ale smakowicie pachnących owoców zajęło jej może z piętnaście minut. Po powrocie zastała w kuchni Dawida i Jerzego, którzy na jej widok gwałtownie umilkli.

– Co jest? – zapytała podejrzliwie.

– Że niby co? – Dawid zgrywał niewiniątko.

– No przecież widzę.

– Oj, nie czepiaj się, mamuś.

Podeszła do zlewu, aby przepłukać owoce.

– Mariola, a Cytryna to na pewno zdrowa jest? – zagaił ni stąd, ni zowąd Jerzy.

– Jak rydz. A czemu pytasz?

Mąż popatrzył na syna, szukając pomocy lub natchnienia, ale ten nie zamierzał ojcu ułatwiać zadania. Nie doczekawszy się ratunku, wzruszył ramionami.

– A nic... bez powodu.

– Jak nic, to spadajcie mi stąd, bo będę smażyć naleśniki. A jak was znam, będziecie podżerać z patelni i nigdy nie uda mi się ich podać tak, jak zaplanowałam. Bye, bye! Do pokoiku, chłopcy!

Smażąc naleśniki, pogwizdywała wesoło pod nosem. *Miś Uszatek to jest cham, miał poziomki, wrąbał sam.* Zajrzała do serka-skrzepka. *Szlag!*

– GDZIE MOJE MLEKO NA SER!?

Lekko przestraszeni winowajcy wpadli do kuchni.

– Jakie mleko na ser?

– To, co w tym garnku na kuchence stało!

– A to... wypiliśmy.

– Jak to wypiliście?

– No normalnie... z garnka...

– I smaczne było?

Mariola zaczęła się śmiać. Panowie spojrzeli na chichoczącą kobietę, później wymienili szybkie spojrzenia między sobą.

– No nie za bardzo właśnie... Dlatego tata pytał, czy Cytryna zdrowa, bo przecież przed chwilą ją doiłaś, a to mleko jakieś takie...

– Kwaśne? – Mariola popatrzyła na Jurka

– Właściwie nie, ale takie glutowate... Więc wylaliśmy je do kibla, żebyś się nie denerwowała, że znowu mam jakiś problem...

Niedoszła serowarka ryknęła śmiechem. Jej mąż w pokorze chylący głowę... cichaczem spuszczający w muszlę pechowy zaczątek sera, żeby tylko żonka się nie zdenerwowała... Bezcenne...

– Chodźmy na kolację – ocierając załzawione ze śmiechu oczy, Mariola zgarnęła dwóch spiskowców. – Kozią mozzarellę zrobię kiedy indziej...

Gdy z samego rana Jerzy zaczął pakować walizki, Mariola zwątpiła lekko w słuszność ich wspólnej decyzji, tym bardziej że wczorajszy dzień był taki miły. Zagryzła jednak zęby i nie wypowiedziała ani słowa. *Niech mu się nie wydaje, że wystarczy parę uśmiechów i miękną mi kolana –* pomyślała, choć tak właśnie było. Gdyby tylko Jurek się odezwał, pewnie odpuściłaby mu wszystkie grzechy i życie wróciłoby do nienormalnej normy. Mężczyzna jednak milczał.

W ciszy zamknął walizkę i w ciszy zasiedli do śniadania. Dawid profilaktycznie zjadł wcześniej i pobiegł do starego Robaczka, pomóc mu przy zbieraniu wcześniej skoszonego siana, którego część Mariola kupiła od niego na zimową paszę dla kóz.

– Obiecaj, że nie skreślisz mnie od razu, że dasz mi szansę – odezwał się cicho Jerzy, smarując kromkę chleba masłem.

– No oczywiście, że nie – odparła wzruszona Mariola, która już zaczynała łamać swoje postanowienie sprzed paru sekund. – Będziemy do siebie dzwonić i mailować. Ja będę ci opowiadać, co słychać w „Rapsodii", a ty przekazywać nowinki z Przemyśla. Choć nie wiem, co będzie z nami dalej, możesz być pewny mojej przyjaźni. Tylko proszę cię, nie odpuszczaj, walcz, bierz się z ego za bary. Spróbuj polubić świat i ludzi dookoła ciebie. Niech wróci do mnie ten Jerzy, którego pokochałam, bardzo za nim tęsknię.

Jerzy na szczęście nie powiedział nic więcej. Wspólnie wypili kawę na werandzie, po czym podeszli do samochodu. Mężczyzna gwizdnął na Sabę. Pies ruszył w jego stronę, spojrzał na jedno, na drugie, po czym z cichym piśnięciem zatrzymał się w pół drogi.

– No, dawaj! – Jerzy ponaglająco machnął ręką i klepnął się w udo. Saba się nie poruszyła. Wzgardzony pan popatrzył na żonę. – No tak. Syn nie chciał się ze mną pożegnać, żona zostawiła dla kóz, a teraz zdradził mnie nawet pies. Gdybym wiedział, co się wydarzy, nie pozwoliłbym ci tu przyjechać. Żałuję, że odebrałaś w ogóle ten cholerny telefon od Franasa. Warto było? Przecież byliśmy tacy szczęśliwi... Co się z nami stało?

– Nie byliśmy szczęśliwi, Jerzy. Tylko nie wiedzieliśmy o tym. Albo po prostu nie chciało nam się z tym nic robić. Zamknęliśmy się, każde w oddzielnym świecie, i wegetowaliśmy, zamiast żyć. Byliśmy jak chomiki na karuzeli, którym wydaje się, że biegną przed siebie, a tak naprawdę pozostają wciąż w tym samym miejscu.

Popatrzył na nią w zamyśleniu, po czym wsiadł do auta i odpalił silnik. Mariola długo jeszcze stała na drodze, którą odjechał jej mąż. Zastanawiała się, jaki dalszy ciąg scenariusza napisze dla nich życie.

ROZDZIAŁ 9

Dzwonek telefonu wyrwał Mariolę z zamyślenia. Myła właśnie przyniesione przez panią Robaczek ogórki. Uśmiechnęła się lekko na myśl o sąsiadce.

– Bierz na zdrowie, kochaniutka, grządki obrodziły. Sezon dopiero się zaczyna, a mój już nie może na ogórki patrzeć. Wczoraj pół gara ogórkowej kurom ja musiała wylać. Nastaw sobie na małosolne, o tej porze smakują najlepij. Przyślij Dawida, to zerwie ci jeszcze kopru i chrzanu. Czosnek masz? Dołóż też parę liści z porzeczki, ale czarnej, to będą twarde i pachnące.

– Dziękuję bardzo, pani Wiesiu. Ile płacę?

– Tyle samo, co ja tobie za mleko i serek. – Pani Robaczkowa uśmiechnęła się serdecznie. – Jedz, dziecko, na zdrowie.

Szorowanie hurtowej ilości ogórków było doskonałym odpowiednikiem lepienia pierogów. Mariola napełniała właśnie nimi trzecią miskę, analizując w myślach ostatnią rozmowę z Jerzym, gdy zadzwonił telefon i trzymany w dłoni ogórek wyskoczył jak żywy na podłogę.

– No cześć, Aniu.

– Hejka. Pamiętasz o naszym babskim sabacie piękności, mam nadzieję? Przyjechać po ciebie, czy dotrzesz sama? Podam ci adres salonu Beaty, pisz...

– Kurczę, przepraszam cię, ale jakoś nie mam nastroju, lekki dołek mnie złapał i chyba zaraz pójdę się położyć...

– Rozumiem. Czyli ja przyjadę po ciebie. Będę po piętnastej, pa.

Mariola nie zdążyła się sprzeciwić, gdyż nieczuła kuzynka nie dała jej na to szansy, rozłączając się profilaktycznie. Z westchnieniem podniosła ogórka i przepłukała go nad zlewem.

– Dobrze zrobiłaś, mamo – odezwał się znienacka Dawid. – Nie martw się tak. Ojciec pójdzie po rozum do głowy i wróci. Przecież wiesz, jaki on jest. Głupi by zobaczył, że tutaj jesteś sto razy szczęśliwsza.

Mariola zerknęła na syna. *W tym właśnie problem, czy ja na pewno chcę, żeby on wrócił* – pomyślała.

– Idę do Robaczka, coś mu ciągnik nawala. – Dawid złapał kromkę chleba i już go nie było.

– Robaczkowego kopru mi przynieś! – zawołała za nim przez okno.

Pewnie zamiast tego przyniesie robaczywego selera – pomyślała z lekkim rozbawieniem. Przypomniała sobie, jak kiedyś Jerzy wysłał go do sklepu po sałatę i jogurt, a synuś przyniósł kapustę i kefir. Niestety, przypomniała sobie również narzekania Jerzego i jego kompletny brak rozbawienia tym faktem. Mimo tego, że sam nie odróżniał pomarańczy od mandarynki czy brzoskwini od nektarynki. *Ciągnik? Hmmm... od kiedy to Dawid zna się na ciągnikach...?*

Punkt piętnasta trzasnęły drzwi i do kuchni wpadła Anna.

– No jak tam, kochana? Gotowa? Streszczaj się, bo na czwartą jesteśmy umówione – spojrzała na Mariolę z uwagą. – Ryczałaś.

– Oj tam... Cebulę kroiłam.

– Taaa, a ja mam tylko cztery szare komórki, z czego dwie po nieudanej transplantacji. Jeśli naprawdę nie chcesz, to nie pojedziemy. Zostanę i wspólnie popłaczemy sobie nad naszym losem. Dwie ryczące czterdziestki... to będzie bardzo epickie. Ponarzekamy sobie, że żadnego księcia nie ma wokoło, same tylko żaby, które można całować do usranej śmierci. W zmarszczkach pod oczami będziemy hodować pietruszki, a pod paznokciami pory. Będziemy się ubierać w worki po ziemniakach i tak jak Frania całymi dniami gadać z kozami. Do jedzenia będziemy...

– Dobra, dobra, zamknij się już... Skumałam.

– To idź się ubrać jak człowiek, a ja zrobię sobie coś do żarcia, bo umieram z głodu. I zrozum, kochana, że mąż to niestety nie jest pralka. Ani ci nic nie wypierze, ani nie ma gwarancji...

Mariola poddała się woli Anny i poszła do garderoby zastawionej szafami, półkami i wieszakami, na których... nie wisiało prawie nic. Krytycznie przyjrzała się swoim ubraniom. Dżinsy, zwykle podkoszulki i topy na ramiączkach, krótkie sportowe spodenki, dresy i świeżo uprany zestaw ciuchów, które nazywała oborowymi, używany w oczywistych celach. Szafkę na buty wypełniały adidasy, tenisówki, kilka par japonek i praktyczne gumiaki. *Uuups... Houston, mamy problem* – pomyślała. Ostatecznie zdecydowała się na jedyną, jaką miała, długą który obejrzy ranę i powie, co dalej. Nic się nie martw, kochanie. Spójrz na Mandarynkę. Ona już ma minę, jakby chciała coś spsocić. Głowa do góry, obiecuję ci, że wszystko będzie OK.

Pełna wątpliwości dziewczynka potrząsnęła głową.

– Ale na pewno zawołasz weterynarza? Pies Kingi kiedyś strasznie sapał. Kinga prosiła tatę, żeby poszli do lecznicy, ale oni nie poszli... i Kinga nie ma już psa. – Usteczka Hanusi zadrżały, a z oczu znów spłynęła pojedyncza łezka.

– Obiecuję ci to na tysiąc procent. Pierwsze, co jutro zrobię, to poszukam weterynarza dla Mandarynki.

Dziecko dało się uspokoić i odprowadziło pacjentkę do obórki, zgarniając po drodze obierki po jabłkach, które z pewnością miały za zadanie złagodzić ból w zranionej nodze kozy. Reszta stada stała już w swoich boksach i bez jakichkolwiek oznak współczucia przeżuwała spokojnie obficie dane w żłobach siano.

Kolejnego dnia, od razu po przebudzeniu, Mariola zarzuciła szlafrok i pobiegła do obory. Kozy przywitały ją przyjaznym beczeniem. Mandarynka stała spokojnie i nie wydawało się, żeby groziły jej jakieś powikłania po wczorajszym nieprzyjemnym epizodzie. Podrzuciła zwierzętom siano i spady z jabłonek. *No, moje drogie, dziś zostaniecie na miejscu, przynajmniej na razie.* Mogła zostawić w oborze tylko Mandarynkę, ale obawiała się, że opuszczona przez towarzyszki kózka mogła być niespokojna i – nie daj Bóg – zrobić sobie większą krzywdę. Upewniwszy się, że w koziarni panuje ład i porządek, wróciła do domu. Nastawiła ekspres i w kontaktach

spódnicę w kwiaty i błękitny top na ramiączkach. Na stopy wsunęła pierwsze z brzegu japonki.

Anna krytycznie zmierzyła ją od stóp do głów.

– No cóż. Wiem, gdzie pójdziemy następnym razem. Shopping, mówi ci to coś? Ale spoko, Beti ubiera się podobnie, kiedy idzie do swoich psiaków, więc na pewno dojrzy w tobie bratnią duszę.

– Ha, ha, ha, pękłam ze śmiechu... – odburknęła obrażona Mariolka. Mimo to wsiadła za Anną do auta i ruszyły w drogę.

–Super ci w tych włosach!

Dzień później siedziały na tarasie i popijały martini z wysokich kieliszków. Było piękne, słoneczne popołudnie, delikatny wietrzyk przynosił zapach siana, które Piotr i Dawid ładowali na stryszek stodoły.

Mariola siedziała na bujaku i machała stopą. Czerwony lakier błyszczał pięknie na jej paznokciach.

– Elka uwielbia strzyc, farbować i robić różne cuda z włosami. To prawdziwa mistrzyni nożyc i grzebienia. Z naszego kopciuszka zrobiła prawdziwą seksbombę – potwierdziła zachwyt Aleksandry Anna.

– A pamiętasz swoje sławetne tipsy? – Obie dziewczyny zachichotały.

– Mówię ci, Mari, jak Beti wściekła się wtedy na Olkę. To było już kilka dobrych lat temu, kiedy sztuczne paznokcie robiły się modne. Beata produkowała się ze trzy godziny. Przyklejała, piłowała, malowała jakieś wzorki.

Starała się jak nigdy, bo chciała uwiecznić swoje dzieło na zdjęciu i potraktować jako reklamę. A nasza kochana Oleńka wróciła do domu, jednym tipsem otworzyła mleko, a drugi skroiła do sałatki. Przez tydzień unikała Beaty, bo bała się, że zginie śmiercią tragiczną z rąk własnej kosmetyczki.

– Ty też nie byłaś lepsza – odgryzła się Ola. – Pamiętasz, jak Beata pomalowała cię na ślub Grześka, a ty posiałaś gdzieś kluczyki od samochodu i wpadłaś do kościoła, nie dość że spóźniona, to jeszcze z twarzą pandy, bo padał wtedy deszcz?

– Proszę cię! Nie przypominaj mi tego upokorzenia! Wszyscy się na mnie gapili, a ja myślałam, że to dlatego, że tak świetnie wyglądam, i kretyńsko się do nich uśmiechałam!

– Mami... obieś. – Michalinka przybiegła z sadu z kilkoma papierówkami.

– Powinnaś zająć się owocami, Mari. – W Aleksandrze odezwała się gospodyni. – Mam świetny przepis na cydr. Jest idealny jako naturalny napój musujący na letnio-wczesnojesienne upały. Bierzesz trochę słodkich i trochę kwaśnych jabłek i wyciskasz je w sokowirówce razem ze skórkami. Jak trochę przefermentują, przelewasz do butelek po piwie, do każdej wsypujesz łyżeczkę cukru – od tego zrobią się bąbelki – kapslujesz, odstawiasz na kilka dni i gotowe. Jak nie masz butelek, służę pomocą. Gdybym zaniosła je do skupu, to Piotrek mógłby chyba drugą chatę postawić...

Przez tylną furtkę od strony łąki Dawid z Hanią i Sabą, która pomagała jak umiała, przypędzili kozy.

– Mamo, Mandarynka strasznie kuleje. – Dawid miał zaniepokojoną minę, a Hania prawie płakała.

– Bo ona się, ciociu, zaplątała w jakiś drut, co był na łące. Bardzo się szarpała, jak Dawid chciał jej pomóc, i ten drut jej się coraz mocniej wrzynał i ona całą nóżkę ma teraz zakrwawioną... – Łzy jak grochy potoczyły się po twarzy dziewczynki.

– A ja płacę? – zaniepokoiła się Michasia.

Wszystkie trzy kobiety poderwały się i podbiegły do kózki. Rzeczywiście, Mandarynka stała tylko na trzech nogach, a z tylnej lewej na ziemię spadały ciemnoczerwone krople krwi. Mariolka pobiegła do domu po wodę utlenioną. Wróciła z prędkością błyskawicy.

– Anka, pomóż mi, bo nie dam rady jej utrzymać! – krzyknęła do kuzynki.

– A ty, Ola, zajmij czymś dzieci – dodała, bo obie dziewczynki zgodnie ryczały. Hania nad losem biednej kózki, a Misia nie za bardzo wiedziała czemu, ale z pełnym entuzjazmem solidaryzowała się ze starszą siostrą.

Anna trzymała wyrywającą się i beczącą, bardziej chyba ze strachu niż z bólu, Mandarynkę. Mariola polewała całkiem sporą ranę wodą utlenioną i usiłowała założyć prowizoryczny opatrunek, a Dawid pobiegł po Piotrka, który razem z Robaczkiem odkrywał tajemnicę buntu silnika prawie nowego traktora Ursus C-330. Michalina dała się namówić i poszła z Olą do salonu na bajkę, ale Hania nie pozwoliła oderwać się od swej ulubienicy.

– Ciociu, czy ona umrze?

– Ależ skąd! Jutro postoi cały dzień w oborze. Rano na wszelki wypadek zawołamy jakiegoś weterynarza,

telefonu poszukała numeru Beaty. Spojrzała na zegarek – siódma czterdzieści pięć. Miała nadzieję, że nie wyrwie dziewczyny ze snu.

– Cześć, Beti, tu Mariola. Przepraszam cię, że dzwonię o tak nieludzkiej porze, szczególnie że dziś poniedziałek, a wiem, że poniedziałki masz wolne, ale muszę cię poprosić o pomoc.

– No cześć. Spoko, już nie śpię, nawijaj.

– Potrzebuję lekarza dla jednej z moich kóz, poraniła się wczoraj na pastwisku. Pomyślałam sobie, że masz może numer telefonu do weterynarza, który opiekuje się twoim schroniskiem.

– Doktor Arek. Tak, mam gdzieś. Zaraz wyślę ci esemesem. Mocno się uszkodziła?

– Chyba nie jest tak źle, ale wolę, żeby na wszelki wypadek obejrzał to lekarz. Tym bardziej że stało się to przy dzieciakach Olki. Hania bardzo się przejęła i obiecałam jej, że potraktuję to poważnie, więc sama rozumiesz...

– Tak, Hania bywa bardzo stanowcza – zaśmiała się Beata. – Śmiało do niego dzwoń, to fajny doktorek z sercem dla zwierząt w odpowiednim miejscu. Możesz powołać się na mnie jakby co, ale nie podejrzewam żadnych problemów z jego strony. To na razie. Już szukam i wysyłam, pa.

Mimo zapewnień koleżanki Mariola postanowiła poczekać do dziewiątej, gdyż nie wiedziała, od której czynna jest lecznica, a nie chciała wyjść na panikarę. Wypiła kawę, zjadła z Dawidem śniadanie, pokręciła się po domu i obejściu, po czym zerknąwszy na zegarek, zadzwoniła pod podany numer.

– Dzień dobry. Nazywam się Mariola Mężyk. Chcę zamówić wizytę domową dla mojej kozy. Poszarpała sobie wczoraj drutem tylną nogę i chciałabym, żeby obejrzał to lekarz. Czy jest taka możliwość?

W słuchawce odezwał się niski, męski głos.

– Oczywiście. Rano mam umówionych pacjentów, ale mogę podjechać do pani w godzinach popołudniowych. Około czternastej będę już wolny. Adres?

– Jagodzice dwa. To szesnaście kilometrów od Choszczna w stronę Drawna.

– Dobrze. To jesteśmy umówieni. Proszę przetrzymać ją w oborze do mojego przyjazdu i jakoś zabezpieczyć ranę. Czy koza jest mleczna?

– Nie. To młoda kózka z zimowego wykotu.

– To dobrze, bo ranne kozy są niespokojne i mogłaby pani mieć kłopot z udojem. A więc do zobaczenia.

– Dziękuję bardzo. Do widzenia.

Mariola postanowiła zrobić ciasto. Poczęstuje się doktorka i łatwiej będzie nawiązać współpracę, bo pewnie domowa wizyta przyda się jeszcze nie raz. Tym bardziej że na wiosnę miała w planach powiększyć zwierzyniec o jeszcze jedną kozę, a może i jakiegoś kociaka. Saba też była już wiekowa i choć tutaj na wsi czuła się doskonale, rano dawały jej się we znaki sztywniejące stawy.

Kobieta poszła do sadu i nazbierała kosz papierówek. Obierając je i wycinając gniazda nasienne, czuła prawdziwą satysfakcję. Mimo że jabłonki sadziła Frania, a może jeszcze ktoś inny, to ona – no, Piotrek, ale na jej prośbę – je bieliła, prześwietlała i teraz zbierała plon. *Trzeba będzie zrobić soki i przeciery* – pomyślała. – *I może parę butelek tego cydru na próbę...* Ugniotła kruche ciasto i wsadziła je do lodówki. Właśnie miała zajrzeć do obory, gdy zadzwonił telefon.

– Cześć, jak tam Mandarynka? Dzwonię, bo odkąd Hania wróciła z basenu, nie mówi o niczym innym.

– OK. Powiedz jej, że o czternastej będzie weterynarz i od razu oddzwonię i powiem, co i jak. A jeśli pan doktor wyrazi zgodę, Hania może przyjechać do „Rapsodii" w odwiedziny do pacjentki z dużym bukietem kwiatów. Z tego, co pamiętam, Mandarynka najbardziej lubi szałwię...

Porozmawiały jeszcze chwilkę, po czym Mariola wstawiła ciasto do piekarnika i zaczęła przygotowywać się do wizyty lekarza. Zamiotła taras i podwórko, wymieniła kwiaty w wazonie, podlała pelargonie i surfinie, które przepięknie kwitły, ciesząc oczy bogactwem kolorów.

– Wow, co tak pachnie? – Dawid wynurzył się ze swojego pokoju.

– Nie ruszaj jeszcze, dopiero wyciągnęłam.

– Matko wyrodna, nie katuj syna swego jedynego! Chociaż kawałek, błagam!

– Wynocha, darmozjadzie! – Ze śmiechem pogoniła go ścierą z kuchni. – Jak prosiłam cię, żebyś pomógł mi z tym durnym plikiem, którego nie mogłam otworzyć, to jakoś nie dosłyszałeś, a brzęk talerzy usłyszysz zawsze...

– To może ja pomogę z tym plikiem? Albo umówmy się, że najpierw obejrzę kozę, a później porozmawiamy przy tym bosko pachnącym cieście, bo nie chciałbym również być podciągnięty pod ten sam niepochlebny podgatunek ludzki.

Mariola podskoczyła jak oparzona. *Szlag, co za wstyd.* Przez głośną wymianę zdań z synem nie usłyszała podjeżdżającego samochodu. *A gdzie, do cholery, jest pies stróżujący!? Pewnie śpi na tarasie pod fotelem, który szczególnie ukochały sobie wszystkie zwierzęta...*

– Przepraszam bardzo, panie doktorze, nie zauważyłam, jak pan wszedł. Mariola Mężyk, miło mi pana poznać...

Wyciągnęła rękę do wysokiego, przystojnego mężczyzny, który stał przed nią, uśmiechając się i pokazując urocze dołeczki w policzkach. Miał kruczoczarne włosy, śniadą karnację i oczy z tak długimi rzęsami, że wyglądał jak Pocahontas w męskim wydaniu. I wielki nos. Mariola zamrugała oczami. *Skąd ja znam ten nochal?* Przez chwilę wpatrywała się w Pocahontasa z szeroko otwartymi oczami, a jej mózg wykonywał niezwykle wytężoną pracę.

– Ajron...? Ajron Mejden...?

Mężczyzna w białym fartuchu przestał się uśmiechać i zrobił minę, jakby zaczął poważnie zastanawiać się, kto tu jest pacjentką, i jeśli nie koza, to czy nie bardziej przydałby się lekarz o zgoła innej specjalizacji. Stali tak dobrą chwilę, wpatrując się uważnie i z niepewnością jedno w drugie. Wtem twarz doktora zaczęła powoli się zmieniać...

– Mariolka? Mariola Grabowska...?

—N o mówię ci, myślałam, że padnę trupem. Okazało się, że doktor Arek ze schroniska Beaty to mój szkolny kolega z liceum. Dołączył do nas w drugiej klasie i z miejsca rzucił wszystkie dziewczyny na kolana. Włącznie ze mną. Nazywa się Aaron Medinopolus, jego ojciec jest Grekiem, a matka Polką. Przeprowadzili się tu z jakiegoś dużego miasta i Aaron trafił do naszej klasy. Co to był za gość, mówię ci! Wysoki, czarny, długowłosy i ciemnooki. Chodził w glanach i czarnej skórze, grał na gitarze, więc od razu przechrzciliśmy go na Ajrona Mejdena. Wow, na samo wspomnienie miękną mi kolana... – Błysk w oku Marioli mógłby zawstydzić samo słońce.

– A teraz? – zapytała Aleksandra, trzymając się za brzuch. Nie wiadomo, czy ze śmiechu, czy może z obżarstwa, bo wciągała już trzeci kawałek ciasta.

– No, owszem, owszem... nie do pogardzenia... Rasowy ogierek, jeśli mogę lekko nawiązać do jego zawodu.

– Mam nadzieję, że nie wałaszek...

– No nie! Ty to jesteś doszczętnie nienormalna! I niemoralna do kompletu!

Obie śmiały się, nie tak znowu niewinnie, gdy do stołu podeszła Hania.

– No i co jeszcze powiedział, ciociu?

– No właśnie, co? – Olka zrobiła obleśną minę i puściła do Marioli oko.

– Powiedział, że już za kilka dni Mandarynka będzie całkiem zdrowa. Dzisiaj ma zostać na miejscu, ale jutro już ją wypuszczę na warzywniak, bo zanim kozunie pójdą na łąkę, sprawdzę, czy jest na pewno bezpieczna.

– A na kiedy się z nim umówiłaś na kolejną wizytę?

– No właśnie, na kiedy...?

– Przyjedzie za dwa dni.

– Hmmm, za dwa dni... – Aleksandra nie mogła się powstrzymać.

– A co będzie jeszcze robił, ciociu?

– Uuulalaaa, to jest dopiero pytanie!

– Olka! Zamknij się w końcu! Ściągnie jej opatrunek i sprawdzi, czy wszystko dobrze się goi, kochanie.

Uspokojona Hania z aprobatą kiwnęła głową, po czym zwróciła uwagę na zwijającą się ze śmiechu matkę.

– A z tobą to na pewno wszystko w porządku? – zapytała, patrząc na nią wzrokiem, który Ola często widziała w lustrze, kiedy dziewczynki były nie do wytrzymania.

– Nie mądruj się.

Hania opuściła nudne towarzystwo dorosłych kobiet, które chichotały nie wiadomo z czego i zachowywały się co najmniej dziwnie, po czym wróciła do zdecydowanie bardziej zrównoważonych kóz.

Rozdział 10

Oboje klęczeli przy tylnej nodze Mandarynki, a ich głowy znajdowały się niebezpiecznie blisko zadartego ogona. Doktor Medinopolus kończył bandażować ranę.

– Goi się jak na psie. Jeszcze trochę i będzie zdrowa jak koń.

Mariola zerknęła szybko na weterynarza.

– Wybacz, usiłowałem być zabawny... – Pocahontatus uśmiechnął się z lekkim skrępowaniem. – Choć właściwie średnio udał mi się ten żart, bo leczyłem psy ze strasznie opornymi ranami, a konie są jednymi z najwrażliwszych zwierząt. Widocznie już do końca życia będę się przed tobą błaźnić, taki mój los... – mówiąc to, zrobił komiczna minę. – A żeby moje poniżenie było kompletne, wyjaśnię ci, że to miała być mina mopsa.

– Proszę cię, kiedy to niby zbłaźniłeś się przede mną? – Mariola roześmiała się głośno i wesoło.

– Boże, patrzysz i nie grzmisz. – Doktorek wzniósł oczy do nieba. – Nie dość, że nie udawało mi się ciebie poderwać, to nawet nie zauważyłaś, że to robię! To ogromny cios prosto w serce dla mojego ego. Nie wiem, czy kiedyś się z tego podźwignę...

– Biedny Ajronek, odrzucany przez kobiety... Chodź, nakarmię twoje ego świeżym kozim twarogiem, to na pewno lepiej się poczuje.

– O nie, tak łatwo nie odkupisz swoich win, kobieto! Do twarogu dodasz jeszcze kubek kawy i wtedy możemy ponegocjować. Tego placka z jabłkami już pewnie nie masz...?

– Nawet jakby był, to nadawałby się najwyżej dla kóz. One uwielbiają sucharki.

Mariola otworzyła drzwi i kozy, wszystkie trzy, pokłusowały w stronę warzywniaka, gdzie rosły najsmaczniejsze i najdorodniejsze chwasty z całej okolicy. Mandarynka kulała jeszcze lekko, ale humor jej dopisywał i nie zdradzała żadnych innych objawów swego niedawnego bliskiego spotkania z kolczastym drutem. Arek wszedł na taras, a Mariola skierowała się do kuchni, by wstawić wodę na kawę (doktor preferował niezdrową kawę po turecku) oraz uszykować kilka szybkich kanapek z serem. Na talerz pokroiła całą górę ogórków małosolnych, które wyszły pyszne i idealnie twarde. Zapewne dzięki szczerze dodanym listkom z porzeczkowych krzewów.

– No to opowiadaj, co u ciebie słychać.

Mariola postawiła przed Arkiem jedzenie i kubek kawy. *Cholera, wcale nie zbrzydł* – pomyślała, obserwując dawnego kolegę, siedzącego swobodnie w bujaku.

– Naprawdę bardzo się cieszę z tego niespodziewanego spotkania. Twój telefon dała mi Beata, wolontariuszka ze schroniska dla psów, ale nigdy w życiu nie pomyślałabym, że nagle na moim progu stanie dawny pożeracz damskich serc, Ajron Mejden.

Arek przejechał ręką po gęstych włosach i uśmiechnął się do kobiety.

– Gdy usłyszałem swoją dawną ksywkę, przez chwilę mnie zatkało. Stałem pewnie i wyglądałem jak patrzący w malowane wrota wół. O nie! Znów te zwierzęce porównania... Pewnie myślisz, że jestem kompletnym baranem...

Mariolka nie mogła się powstrzymać i chwilę później tak chichotali, że zdziwiony pies wyczołgał się spod fotela i poszedł poszukać spokojniejszego miejsca.

– Skończyłem weterynarię w Poznaniu, pracowałem trochę w różnych lecznicach, to tu, to tam, ale jakoś nie kręciło mnie szczepienie piesków i odrobaczanie kotków. Przez jakiś czas pracowałem w poznańskim zoo, ale to również nie było to. Owszem, kocham wszystkie zwierzęta, ale moją pasją są konie i w nich się właśnie specjalizuję. Pod moją opieką są też prawie wszystkie zwierzęta gospodarcze w okolicy. Konie, krowy, no i – jak się okazało – kozy. Parę lat temu usłyszałem, że w okolicy Choszczna szukają weterynarza. A że miło wspominam czas tu spędzony, zabrałem manatki, sprzedałem mieszkanie w Poznaniu i zamieszkałem w Nowych Wiatrakach, parę kilometrów od miasta. – Ostrożnie upił łyk kawy, uważając, aby nie poparzyć ust. – Jeździsz konno? Mam dwa wielkopolany, karą klaczkę i gniadego ogiera. To najlepsza rasa pod siodło. Ważą maksymalnie pięćset siedemdziesiąt kilo, a w kłębie dochodzą do metra sześćdziesięciu. Są zrównoważone i łagodne, choć po przodkach czystej krwi odziedziczyły temperament i energiczność. Nie są też zbyt płochliwe. Boją się tylko dwóch rzeczy: tego, co się rusza, i tego, co się nie rusza – zaśmiał się ciepłym, miłym, barytonem. – Mógłbym gadać o nich bez końca, jak często wypomina mi Zuzka, moja córka.

W sercu Marioli coś drgnęło nieprzyjemnie. *A czego się spodziewałaś, durna? Przecież taki facet nie mógł długo chodzić luzem. Zresztą ty masz przecież męża* – przypomniała sama sobie.

– A że właśnie skończyła osiemnaście lat, uważa, że może ojcu dowalać, ile wlezie. No ale ja gadam i gadam tylko o sobie, a dalej nie wiem nic o tobie. Twoja kolej na spowiedź. – Spojrzał na Mariolę zachęcająco.

– Skończyłam liceum pielęgniarskie w Szczecinie, tam poznałam mojego przyszłego męża, urodziłam syna i przenieśliśmy się do Przemyśla. Pół roku temu dostałam spadek po zmarłej ciotce i wróciłam na stare śmieci.

– I...?

– Tyle. Więcej grzechów nie pamiętam – zaśmiała się niepewnie, bo zdała sobie sprawę, że naprawdę nie wie, co mówić dalej. Głupio, że dwadzieścia lat życia mogła streścić w tak nieprawdopodobnie krótkiej wypowiedzi. Głupio i wstyd. Owszem, mogłaby opowiedzieć Arkowi o kozach, o jej próbach gospodarzenia w tym uroczym zakątku, o przyjaźni z Anną, Aleksandrą, o ostatnio coraz bliższych stosunkach z Beatą. Mogłaby wspomnieć o przemianie jej syna z obojętnego nastolatka w odpowiedzialnego mężczyznę, o Jerzym... Ale wszystkie warte opowieści zdarzenia miały miejsce tutaj, na przestrzeni kilku zaledwie miesięcy. Gdzie się podziały wszystkie poprzednie lata?

– Zamyśliłaś się. Wszystko w porządku?

Miała nadzieję, że to, co usłyszała w jego głosie, nie było współczuciem.

– Jasne, jasne... Zastanawiam się tylko, gdzie podział się mój syn. Chciałabym ci go przedstawić, bo poprzednim razem nie raczył wyjść z pokoju, ale sam wiesz, jak to jest z młodymi. My, eskaesy, już za nimi nie nadążamy...

Ajron wydął usta.

– No wiesz! Babcia się odezwała. Nie zapominaj, że jesteśmy ten sam rocznik, więc nie obrażaj tu mnie jakimiś insynuacjami wiekowymi. No, chyba że siedziałaś po kilka latek w jednej klasie? – Doktorek zgrabnie złapał ogórka, którym rzuciła w niego Mariola. – Może poszedł gdzieś z ojcem? – niezbyt dyskretnie wypuścił sondę, a Mariola nie widziała powodu, żeby nie powiedzieć prawdy.

– Raczej nie. Jerzy jest w Przemyślu. Ostatnio mamy pewne kłopoty...

Mężczyzna mruknął ze zrozumieniem.

– No to jedziemy na tym samym wózku. Moja była puściła mnie w trąbę z doktorkiem od piesków i kotków, zresztą serdecznym kumplem ze studiów. Któregoś dnia, kilka lat po narodzinach Zuzi, powiedziała, że znalazła prawdziwą miłość i odchodzi, a na pocieszenie zostawiła mi kredyty do spłacenia i wizyty córki raz w miesiącu.

Popatrz, popatrz, czyli jednak zna smak kosza... – pomyślała zarówno z niedowierzaniem, jak i lekką, niezrozumiałą nawet dla siebie samej, nutką zadowolenia.

– Ale nie będziemy sobie tutaj smęcić w taki piękny dzień. Posiedziałbym z przyjemnością dłużej, ale robota to nie pewien znany bokser... Nie ucieknie. No i nie odpowiedziałaś mi w końcu, czy jeździsz konno.

– Niestety nie. Siedziałam na koniu kilka razy, ale wieki temu, i na pewno nie można było tego nazwać jazdą. Co najwyżej klepaniem tyłka o siodło.

– Na naukę nigdy nie jest za późno, jak mawiał ktoś tam, więc serdecznie zapraszam ciebie i syna na klepanie tyłków, a na razie muszę niestety spadać. Obawiam się, że czeka mnie okrutna robota, mająca na celu ucięcie pewnych organów kilku dwuletnim ogierkom.

Dopił kawę, pogłaskał po grzbiecie łaszczącą się Sabę i pojechał w stronę Choszczna, trąbiąc na pożegnanie klaksonem. Mariola wróciła na taras, usiadła w fotelu, który przed chwilą zajmował przystojny, dzieciaty co prawda, ale nieżonaty weterynarz, i podniosła kubek po jego kawie. Cielęcym wzrokiem wpatrywała się w fusy, jakby chciała odczytać z nich przyszłość. Po chwili otrząsnęła się z zauroczenia, energicznie wstała i włożyła kubek do zlewu. *Co ty wyprawiasz!* – ofuknęła samą siebie. *Zachowujesz się, jakby bawidamek Ajronek zamiast źrebaków wykastrował twój mózg!* Postanowiła wziąć się za jakąś robotę, lecz jej myśli nieposłusznie raz za razem wracały do przystojnego doktorka.

—Melduj. Dokładnie, chronologicznie i z własnym komentarzem.

Ciekawość, podekscytowanie i żądza sensacji w głosie poważnej i troskliwej matki dwójki dzieci rozśmieszyły Mariolę.

– Przyjechał, zbadał, obandażował i pojechał.

– Aha. Zaproponował jakąś dalszą kurację?

– Jazdę konną.

W słuchawce zapanowała pełna zdumienia cisza.

– Czyś ty zdurniała? Koza ma jeździć konno?!

– Nie koza, tylko ja, wariatko. Zaproponował, żebym przyjechała do niego pojeździć konno.

– Ale typ! Tak prosto z mostu? Nie poczekał nawet do trzeciej randki?

– Olka, opanuj się! – Mariolka wywróciła oczami. – Czy brak seksu na łeb ci padł? Niech Piotrek wróci w końcu z tego szkolenia, bo z tobą już nie można normalnie porozmawiać. O prawdziwym koniu mówię, na czterech nogach! Ajron ma bzika na punkcie koni, ma własne dwa i zaproponował mi naukę jazdy. W siodle!

– No dobra, dobra. Kiedy jedziesz? – zapytała pojednawczo Aleksandra.

– Nie wiem, czy w ogóle. A tak poza tym, czy ty nie musisz jakiegoś obiadu robić czy co?

– Rozumiem, rozumiem, pani Mariolcia musi pobyć z własnymi myślami... Nie myśl tylko sobie, że ci się uda zachować pięknego doktorka w tajemnicy. Biorę Ankę, a raczej ona bierze mnie i przyjeżdżamy wieczorkiem na przesłuchanie. Bye, bye, jałóweczko...

Nie wiedząc, czy się śmiać, czy płakać, Mariola odłożyła telefon i poszła do sadu wyzbierać dojrzałe jabłka, wczesne gruszki i zaczynające pomału fioletowieć śliwki.

Po szesnastej pojechała do miasta na zakupy. Postanowiła też odwiedzić Beatę i osobiście podziękować jej za pomoc. Dopiero pod salonem przypomniała sobie, że gabinet kosmetyczny jest dziś nieczynny, lecz przez okno ujrzała Elę uwijającą się przy jakiejś klientce. Otworzyła drzwi i weszła do środka. Ela uśmiechnęła się do niej.

– Tylko mi nie mów, że przychodzisz z reklamacją?

– W życiu! Żałuję, że dziewczyny nie zaciągnęły mnie do ciebie parę miesięcy wcześniej. Ja do Beaty.

– Och, Beti dziś nie ma...

– Tak, wiem, ale mam do niej biznes. Czy mogłabyś podać mi jej adres?

– Mogłabym, ale teraz nie zastaniesz jej w domu. W poniedziałki biega do schroniska. Na lewo od ogródków działkowych, tuż za Choszcznem, wiesz gdzie?

– Mniej więcej, powinnam trafić. Dziękuję ci bardzo, pa.

Ela odwróciła się ponownie do siedzącej na obrotowym krześle klientki, a Mariola wróciła do samochodu. Po drodze zatrzymała się w jednym z marketów. Kupiła Beacie butelkę wina. *Za telefon do takiego ciacha od niejednej otrzymałby całą skrzynkę* – zaśmiała się w myślach. Po krótkim namyśle wzięła też największy, jaki był, worek suchej karmy. Droga do schroniska nie sprawiła jej większych trudności i po kilku tylko pomyłkach wjechała na żużlówkę skręcającą w lewo za działkami. W związku z tym, że było gorąco, a jej golf nie miał klimatyzacji, jechała z otwartym oknem i już z daleka usłyszała ujadanie psów. Po paru minutach dotarła na miejsce, zaparkowała pod drzewem i biorąc pod pachę wór z karmą, wytarabaniła się z samochodu. Ze ściśniętym sercem rozejrzała się dookoła. Dziesiątki boksów, w niektórych nawet po dwa, trzy psy, stare i młode, najróżniejszych maści i wielkości. Mignęło jej nawet kilka wyraźnie rasowych. Niektóre szczekały zapamiętale na jej widok, inne ziajały tylko z wywieszonymi jęzorami, ale wszystkie patrzyły smutnym wzrokiem. *Ludzie to naprawdę świnie* – pomyślała i mimo smutku uśmiechnęła się lekko, przypominając sobie Ajrona i jego tekściki. W jednym z boksów zauważyła młodego człowieka, czyszczącego psie budy.

– Przepraszam, szukam Beaty... Nie wiem, jak ma na nazwisko, ale jest tu wolontariuszką.

– Jak my wszyscy – uśmiechnął się chłopak. – Przywiozła pani karmę? Super, proszę położyć worek, zaraz tu skończę i zaniosę do magazynu.

Z cichym westchnieniem ulgi Mariola pozbyła się swego dwunastokilogramowego ciężaru.

– A Beti jest tam chyba z tyłu, przy boczku – powiedział młodzian, wracając do swej pracy.

No to się dowiedziałam – pomyślała. – *To w końcu z tyłu czy przy boczku?* Postanowiła jednak nie zawracać już głowy zapracowanemu wolontariuszowi i ruszyła na poszukiwanie Beaty. Schronisko zajmowało dobry hektar terenu. Wolno szła przed siebie w nieustającym akompaniamencie ujadania, skomlenia i pisków. W melodii tej na szczęście zabrakło brzęczenia łańcuchów, gdyż żaden z psów, choć pozamykanych, nie był uwiązany do budy. Pomiędzy boksami zauważyła baraki, w których pewnie znajdowało się jakieś biuro, i poszła w ich kierunku.

– Niech mi ktoś przyniesie w końcu wody, bo to stworzenie ledwo żyje! – usłyszała znajomy głos i pospieszyła w jego kierunku.

Po drodze minął ją kolejny chłopak biegnący z dwoma pełnymi wiadrami. Beata klęczała w rogu pustego, zdawałoby się, boksu i przemawiała czule do kogoś.

– Już, malutki, już dobrze. Za chwilę dostaniesz pić i jeść, już cichutko, no ciii... – Obok niej przykucnął chłopak od wiader. – Jedno wlej do miski, a drugim go wolniutko polejemy. Jest cały rozpalony, a ma taką delikatną skórę... – Głos Beti również był bardzo delikatny, choć pobrzmiewała w nim nuta goryczy. Podniosła wzrok i zobaczyła Mariolę. – A ty co tu robisz? Arek nie przyjechał? – zdziwiła się.

– Nie, nie, wszystko OK. Przyjechałam właśnie, żeby ci podziękować, ale widzę, że chyba w złym momencie...

– W porządku. Teraz potrzeba mu tylko spokoju i cienia.

Beata podniosła się z kolan i Mariolka zobaczyła najdziwniejszego psa w swoim życiu. Właściwie kawałek psa, bo cały schowany był pod namoczoną szmatą, a na świat spoglądały tylko małe kaprawe oczęta. Odgłosy wydobywające się z dziwnej mordki też nie były podobne do otaczającego ją zewsząd hałasu. Kojarzyły się Marioli raczej z... Zbliżyła się niepewnie.

– Matko Boska, co to jest?

ROZDZIAŁ 11

Było grubo po dziewiętnastej, ale słońce jeszcze nie zamierzało się schować ani za horyzont, ani za najmniejszą chmurkę, gdyż na niebie nie było ani jednej. W oborze za to tłoczyło się mnóstwo zaaferowanych i podnieconych kobiet. Najbliżej drzwi stała trzymająca na ręku Michalinę Aleksandra, przed nią łokciami rozpychała się Hania. Tuż obok stały Anna i Beata. Mariola trzymała się bardziej z tyłu, obawiając się stratowania przez podekscytowane przyjaciółki.

– Ciociu, jak go nazwiemy? Może Szczęściarz? – Hania aż popiskiwała i nie mogła ustać w miejscu.

– W schronisku nazwaliśmy go Boczkiem – zaśmiała się Beti.

Wszystkie kobiety, duże i małe, pochylały się nad pustym do tej pory boksem. W boksie tym, na podścielonej grubą warstwą słomie, stała świnia. A dokładnie rzecz biorąc – około roczny knurek wietnamskiej świni zwisłobrzuchej. Miał krótką, czarną szczecinę, nieco jeszcze potarganą. Dookoła małego bystrego oczka i na środku grzbietu pyszniły się białe nieregularne plamy.

– Albo Podróżnik. Popatrzcie, on ma na plecach Afrykę!

111

Hanka wrzuciła do i tak przepełnionego już koryta kawał cukinii.

– Dobra, dziewczyny, wychodzimy. Boczek, Szczęściarz vel Podróżnik potrzebuje spokoju. Dajmy mu się zaaklimatyzować, a my spróbujmy tych pysznych lodów, które przywiozła Aleksandra.

Z pewnymi oporami, szczególnie ze strony najmłodszych kobietek, wyszły z obory.

– No, kochana, nie przestajesz mnie zaskakiwać. Co będzie następne? – pomrukiwała Anna.

– Myślę, że może koń... – odmruknęła tajemniczo Ola, złośliwie się uśmiechając.

Dziewczynki poszły odwiedzić kozy pasące się w sadzie i z prędkością kosiarek zjadające spady z drzewek, a przyjaciółki rozsiadły się na tarasie.

– Nienawidzę ludzi! Kupi taki kochający tatko albo mamuńcia zwierzątko synkowi albo córci, a jak zwierzę wyrośnie i nie jest już takie malutkie i słodziutkie, bach do auta i wywalają do lasu. Większość naszych psów właśnie tak trafiła do schroniska. Daję głowę, że tak samo było z tym knurem. Maciek znalazł go w lesie, ledwo żywego, i przywiózł do nas. Widać wyraźnie, że do tej pory mieszkał z ludźmi, bo ani sobie jedzenia nie umiał zdobyć, ani uchronić się przed upałem. Kręcił się pewnie w panice dookoła i usiłował znaleźć swoich właścicieli. Świnki wietnamskie, jak zresztą wszystkie świnie, są bardzo inteligentne i ostatnio nastała moda, żeby kupować takiego malucha do domu zamiast na przykład psa. Ale świnia, nawet mała wietnamka, musi mieć wybieg, trochę ziemi do rycia i bajorko do schładzania. Nie nadaje się do trzymania w bloku. A więc jak dorośnie, zaczyna być kłopotem, no i fora ze dwora. A za jakiś czas można brać następne malutkie, milutkie stworzonko. Lasy u nas duże... – Beata z wściekłością zanurzyła łyżeczkę w pucharku pełnym domowej roboty lodów śmietankowych, zrobionych przez Aleksandrę. – Przyjechał doktor Arek, zbadał go i powiedział, że jest głodny i odwodniony, ale niczego poważniejszego niż niewielkie oparzenia skóry na szczęście nie znalazł. Dał mu jakiś zastrzyk wzmacniający i zaszczepił przeciwko wściekliźnie i pryszczycy, bo nie wiadomo, czy był szczepiony ani z czym zadawał się w lesie – kontynuowała gniewnie.

– Ale jakim cudem znalazł się u ciebie? – zapytała szwagierkę Ola.

– Arek powiedział, że raczej nie przetrwa w schronisku – odpowiedziała Mariola. – Mówił, że świnki wietnamskie bardzo przeżywają wszelkie zmiany i są mocno narażone na stres. A w schronisku, same wiecie, ciągły hałas, szczekanie, smutek tych wszystkich biednych zwierząt... Powiedział, że Boczuś już więcej nie urośnie, przynajmniej wzwyż, bo wszerz może rosnąć prawie w nieskończoność. Jest ogólnie zdrowy, tylko wychudzony i zmęczony... No i decyzja tak jakoś sama się podjęła. Zapakowaliśmy go na pakę i przyjechaliśmy do „Rapsodii". Arek powiedział w skrócie, jak mu podścielić boks, czym go karmić, i musiał jechać, a Beata została, żeby mi we wszystkim pomóc.

– A Arek ma doskonały pretekst, żeby znów tu przyjechać – zaśmiała się Aleksandra.

– Uuu, o czymś nie wiem? – zainteresowała się Anna. Beata też zrobiła zaciekawiona minę.

– Czyżby zaiskrzyło między Mariolką i Arkiem?

Wszystkie trzy, niczym nienasycone harpie, pochyliły się nad speszoną kobietą.

– Przestańcie kłapać ozorami jak głupie. Okazało się po prostu, że chodziliśmy razem przez dwa lata do szkoły i powspominaliśmy stare dzieje. Wypiliśmy razem może kawę czy dwie, a wy tu zaraz o jakimś romansie marzycie.

– Ty, Mariola, miej oczy otwarte – spoważniała nagle Beata. – Nasz doktorek, choć go uwielbiam, jest łasy na kobiece wdzięki. A że facet z niego nieziemski, więc przyzwyczajony jest do łatwych podbojów. Babki same przed nim nogi rozkładają, a on skwapliwie z tego korzysta.

– Daj spokój! To tylko kolega, a tak w ogóle zejdźcie już ze mnie. Poza tym przypominam wam, że jestem mężatką. Może chwilowo na pół gwizdka, ale zawsze. A Arka traktuję tylko jak kolegę i weterynarza moich zwierząt, więc koniec tego tematu! Zresztą pokaż mi psa, który nie weźmie, jak mu suka daje. – Z jakiegoś niezrozumiałego powodu Mariola poczuła się w obowiązku bronić Pacahontasa i jego reputacji. Pozostałe kobiety spojrzały po sobie i postanowiły chwilowo odpuścić.

– A co się z tobą właściwie działo? – nieco sztucznie zmieniła temat Aleksandra, patrząc na Annę. – Przez cały tydzień nie dawałaś znaku życia.

– No właśnie, do „Rapsodii" też nie przyjechałaś ani razu. – Mariola skwapliwie skorzystała z szansy odwrócenia od siebie uwagi.

– Ach, nie pytajcie nawet. Szukam cały czas tymczasowego domu dla Emilki. Obdzwoniłam już wszystkie pogotowia rodzinne i chyba przyjdzie oddać małą do domu dziecka, bo w izbie policyjnej nie mogą jej już dłużej trzymać.

– Co to za Emilka? – zainteresowała się od razu Ola, jak każda matka przewrażliwiona na punkcie dzieci.

Anna pokrótce streściła nieciekawe losy biednej małej, jej połamanej, leżącej w szpitalu matki i agresywnego tatuńcia.

– Zabić skurwysyna to mało! – zdenerwowała się Aleksandra, której trudno było wyobrazić sobie sytuację, w której ojciec katuje dziecko. Piotrek za swoje dzieci dałby się pokroić żywcem, nie potrafił podnieść na nie nawet głosu, wszelkie karcenia i upominania zostawiając matce, przez co zresztą czasami dochodziło do sprzeczek pomiędzy nimi. – Ale nie rozumiem, dlaczego nie wpadłaś na najbardziej oczywiste rozwiązanie.

– Czyli jakie?

– To proste, Mariolka weźmie ją do siebie. Przecież przygarnęła Zarazę, teraz knurka. Nie sądzisz chyba, że odmówiłaby przygarnięcia dziecka?!

Rozległ się huk, a Mariola stała z otwartą buzią, patrząc na przemian to na szwagierkę, to na rozpływające się na podłodze tarasu lody.

—Ależ to jest doskonały pomysł! – przekonywała Mariolę Anna, gdy pozostały babiniec zapakował się do samochodu Beaty i pojechał do domu. – Będzie z tym trochę ambarasu, ale jeśli tylko się zgodzisz, uruchamiam swoje kontakty. Wiadomo, że będzie to lewizna, ale zaręczę za ciebie i mecenas Franas z pewnością też. A w papierach zrobimy cię jakąś daleką ciotką czy kimś w tym stylu.

– No chyba żartujesz. – Mariola bez przekonania popukała się w czoło. – Przecież nikt się na to nie da nabrać. Tyle czasu szukaliście rodziny, aż tu nagle czary-mary i okazało się, że jest nią kuzynka policjantki zajmującej się tą sprawą? Weź na wstrzymanie, przecież to jest szyte co najmniej snopowiązałką.

– No, wiadomo, że tutaj nikt tego nie łyknie, ale góra nie będzie tego dokładnie sprawdzać. Na papierze będziesz daleką kuzynką matki i już. A póki co w Polsce na razie jeszcze papier jest dużo ważniejszy niż rzeczywistość. Zresztą ty się tym nie przejmuj, to będzie moja broszka. Powiedz tylko, że się zgadzasz.

Mariola nie wiedziała, co ma myśleć. Całym sercem chciała pomóc, ale przecież mały człowiek to nie to samo co zwierzę. Nie wiedziała, czy poradziłaby sobie z takim wyzwaniem. Tak trudno czasem dbać i wychować na ludzi własne dzieci, a co dopiero cudze i z tak tragicznym bagażem na grzbiecie, mimo kilku zaledwie lat życia. Podzieliła się swymi rozważaniami z Anią.

– No chyba nie myślisz, że zostawimy cię z tym samą – oburzyła się Anna. – To chyba oczywiste, że wspólnie będziemy dbać o małą w każdym aspekcie. Fizycznym, psychicznym i materialnym. Chodzi tylko o to, żeby miała swój kącik, w którym poczuje się bezpieczna. My nie możemy sobie nawet wyobrazić, co dzieje się w jej malej główce. Pomyśl tylko, matki nie ma, ojca też, choć to tylko wyjdzie jej na dobre. Ale nawet on był chociaż dla niej czymś znajomym. Strasznym, ale znajomym. A teraz? W obcym miejscu, z obcymi ludźmi, niemająca pojęcia, co będzie jutro... Dorosły by się załamał, a co dopiero taka kruszynka...

Mariola długo myślała. Rozważała wszystkie argumenty za i przeciw. Wyobrażała sobie wszystkie potencjalne problemy i niedogodności. *Nie, nie ma mowy. Nie poradzę sobie. Jestem zbyt wygodna, za stara... Za mało mam zajęć w gospodarstwie? Mało mam własnych problemów? Czy ja jestem jakaś cholerna Matka Teresa, żeby brać na własne barki wszystkie nieszczęścia tego świata? Nie... absolutnie, nie ma mowy...*

– Dobra... działaj.

Sama nie uwierzyła w słowa, które padły bez udziału jej woli. Uśmiech Anny był za to tak szeroki, że gdyby nie uszy, to rozciągnąłby się przez cały salon, taras, Jagodzice i chyba świata całego byłoby mało, aby go ogarnąć...

Rozdział 12

Trzydziestokilowy wietnamek pozostał Boczkiem i szybko wyparł z miejsca faworyty Mandarynkę, która zresztą nie za bardzo się tym przejęła. Aleksandra straszyła, że chyba muszą na jakiś czas zamieszkać w „Rapsodii", bo Hanka cały czas mówi o prosiaczku, a Miśka zapomniała ludzkiej mowy i chodzi na czworaka, chrumkając radośnie.

– Niedługo będę musiała podawać im jedzenie na podłodze. I to z koryta... – śmiała się, dzwoniąc do Marioli.

Po dwóch dniach Boczuś poczuł się jak we własnym domu i całymi godzinami zwiedzał gospodarstwo, szczególnie interesując się, co też matka ziemia chowa przed nim w swoich czeluściach. *Dzięki Bogu, że nie zdążyłam zająć się warzywniakiem, bo na pewno nic by z niego nie zostało* – pomyślała Mariolka, obserwując ryjącego z zapałem, co się dało, knurka. Upodobał sobie – jakże by inaczej – miejsce pod słynnym bujakiem i Mariola czasem płakała ze śmiechu, oglądając wściekłe walki o zacienione miejsce pod fotelem, które zachodziły pomiędzy Zarazą, Sabą i najnowszym mieszkańcem „Rapsodii". Boczek korzystał też z każdej okazji, by przez uchylone drzwi tarasu wpadać do kuchni i niecierpliwym chrząkaniem dopominać się o smakołyki.

Doktor Pocahontatus przyjeżdżał każdego dnia. Nie na długo co prawda, ale po szybkim obejrzeniu Mandarynki, która hasała już wesoło, i Boczka obwąchującego z zapałem kieszenie lekarskiego fartucha zasiadali na tarasie z kawą lub sokiem jabłkowym. Ajron był doskonałym gawędziarzem, uważnym słuchaczem i wdzięcznym gościem, który pałaszował z apetytem wszystko, co podsuwała mu gospodyni, całując z wdzięcznością ręce, które przyrządzały „takie cudeńka" i czarując dołeczkowym uśmiechem. Mariola nie pamiętała, czy kiedykolwiek śmiała się tak serdecznie, jak przy opowieściach o pacjentach Arka, którzy czasami, a właściwie bardzo często zachowywali się nie tak, jak by pan doktor sobie życzył.

– Powinieneś chodzić do pracy w kosmicznym kombinezonie, kasku i hutniczych rękawicach – poradziła mu, gdy opowiadał jej „mrożące krew w żyłach" historie o przycinaniu końskich kopyt lub porodach krów i „delikatności" nowo narodzonych cielaków.

Dawid patrzył na to niezbyt przychylnym okiem.

– Czy ten doktorek nie za dobrze się tu czuje? – spojrzał spod byka na matkę, siedząc naprzeciw niej podczas kolacji. – Dzisiaj przyłapałem go, jak grzebał w szafkach w kredensie.

– Daj spokój, sama go prosiłam, żeby przyniósł cukier.

– To on wie, gdzie u nas leży cukier? I co jeszcze wie? Wie, że jesteś mężatką?

Mariola wstała od stołu.

– To, że wie, gdzie leży cukier, nie znaczy, że coś między nami jest. Anna i Aleksandra też wiedzą. Masz coś przeciwko?

– No to chyba trochę coś innego, prawda? – Dawid nie dawał za wygraną.

– To dokładnie to samo. Anka i Ola są moimi przyjaciółkami, a Arek przyjacielem. I tak, wie, że jestem mężatką. I nawet nie pyta, dlaczego ja mieszkam tutaj, a mój mąż dokładnie na drugim końcu Polski. A ja sama się czasem pytam, wiesz? I nie podoba mi się, że muszę odpowiadać na takie pytania. Bardzo mi się to nie podoba...

Wzięła ze sobą kubek z niedokończoną herbatą i wyszła z kuchni. Postanowiła zrobić rachunek sumienia. *Czy rzeczywiście za bardzo spoufalam się z Ajronem? Bez sensu. Lubię go, fajnie nam się gada, jest dobrym człowiekiem. A zresztą nawet jeśli, to co z tego? Mam czterdzieści dwa lata, prawie czterdzieści trzy, a ślubny mąż wypiął się na mnie i pewnie ogląda Klossa po przekątnej naszego świata. Mam do końca swych dni żyć w celibacie, jak mniszka, karmiąc tylko kozy i świnię? Mam rozmawiać tylko z kobietami, synem i podstarzałymi sąsiadami? A cholera z tym! Będę rozmawiać z tym, z kim mi się zachce. Będę chciała się narąbać, to wypiję cały cydr z piwnicy, znudzą mnie ubrania, to będę chodzić nago. A jak będę chciała przespać się z Ajronem Mejdenem, to się, cholera, prześpię. I nikomu nic do tego!*

Rano minęło jej wojownicze nastawienie. Zrobiła śniadanie i zawołała syna, czując się trochę nie fair, że zrzuciła swoje frustracje na Bogu ducha winnego chłopaka. Po kilku chwilach Dawid zszedł z pięterka.

– Przepraszam cię, mamuś. – Wyprzedził ją o ułamek sekundy. Zamierzała powiedzieć prawie dokładnie to samo. – Nie powinienem tak mówić. Wiem, że między tobą i tym Arkiem nic nie ma, ale żal mi ojca. Siedzi sam w tym Przemyślu i tak jakby wypadł z naszego życia. Ja wiem, że on sam tak chciał, ale czasem człowiek zaprze się tak bez sensu i sam sobie szkodzi. Może byś go jednak namówiła? Wiem, że on ostatnio zrobił się jakiś dziwny, drażliwy i nieprzyjemny, ale może tutaj by mu przeszło, co? Jak myślisz? Chyba go jeszcze kochasz, co?

– Oczywiście, że tak. – Pewność w jej głosie nie dorównywała pewności w sercu. Mariola spuściła wzrok. *Kocham?* – Myślę, że tata potrzebuje jeszcze trochę czasu. Ja zresztą też. Dopiero koniec lipca. Ostatnio maile od niego są coraz częstsze. Co prawda pisze głównie o sobie, ale myślę, że to dobrze, niech wyrzuci wszystkie swoje żale i oczyszczony jak feniks z popiołów wróci na łono rodzinki.

– Chyba odrodzony... – Dawid również przybrał żartobliwy ton.

Obojgu niełatwo było rozmawiać ze sobą na ten temat. Chłopak niby był dorosły, ale dla matki zawsze zostanie dzieckiem, a z drugiej strony dorosłe dziecko nie widziało w matce kobiety z krwi i kości, tylko po prostu matkę.

Oczyściwszy atmosferę, Dawid poszedł do Boczka, który głośno przypominał, że jemu również należy się chyba jakieś śniadanie. Kozy już dawno radziły sobie z tym same, pogryzając gałęzie i lekko już podeschnięte liście krzaków w podchodzącym prawie pod sam płot lasku.

Anna z kopyta ruszyła ze sprawą Emilki. Latała po urzędach, rozmawiała, uśmiechała się, groziła i kokietowała, a czego nie zdołała przeskoczyć sama, tam posyłała mecenasa Franasa. Trzy dni po podjęciu przez Mariolę decyzji szanowny wujaszek Marcin siedział przy kuchennym stole i podsuwał Marioli do podpisu stosy dokumentów.

– Pojutrze będziesz musiała jeszcze, dziecko, pojechać osobiście do PCPR-u. Tam przesłucha cię psycholog i wyznaczą ci kuratora. Znam jednego porządnego gościa i polecę im właśnie jego. Dobrze zrobiłaś. Frania byłaby z ciebie dumna. Z Ani zresztą również. Jak ta dziewczyna się uwija...

Po południu przyjechał swoim jeepem Ajron.

– Witaj, piękna. Jakie pani ma plany na dziś? Świnki i kózki oporządzone? Czemuż to tylko biedne konie nie znajdują zrozumienia w pani wielkim serduszku, choć piękna figurka dumnego ogiera stoi na komodzie w salonie?

Mariola popatrzyła na niego podejrzliwie.

– A ty co? Jeździsz po pijaku?

– Nigdy nie jeżdżę na podwójnym gazie. No, chyba że konno. I właśnie w tym celu przyjechałem dziś do ciebie. Dojrzałaś już do swej pierwszej jazdy?

– Chyba nigdy nie dojrzeję.

– Trudno, wezmę cię zieloną.

– A co ty taki wesolutki? Żadne krowy dziś nie rodzą?

– Dziś zrobiłem sobie wolne, moja pani. No, jestem pod telefonem jakby co, ale mam nadzieję, że wyczerpie się bateria. Chcę cię dziś zaprosić do siebie z dwóch powodów. Jeden to owa jazda, na którą nie mogę cię namówić już tyle czasu, a drugi to przedstawienie ci mojej córki, która właśnie przyjechała z Poznania i zostaje do końca wakacji.

– Super! Musisz się bardzo cieszyć. Nie powinniście pobyć trochę sami? Porozmawiać? Nie będzie miała nic przeciwko, że sprowadzasz do domu gości?

– Wręcz przeciwnie. Gadamy wystarczająco przez telefon i Internet, a Zuzka jest bardzo gościnna i z przyjemnością cię pozna, a jeszcze chętniej pozna twojego przystojnego syna.

– Zdurniałeś? W swatkę się bawisz?

Arek zrobił swą słynną minę mopsa.

– Przed wami, kobietami, nic się nie ukryje. Przyznam ci się, że trochę tak, ale nie z tych powodów, o których myślisz. Szczerze mówiąc, robię to z egoizmu. Widzisz, Zuzia jest miastową dziewczyną i tutaj zaraz zaczyna się nudzić. Ja wiecznie w pracy, niewielkie Choszczno nie jest dla niej zbyt atrakcyjne, koleżanek nie ma tu wiele, bo przecież większość czasu spędza w Poznaniu, więc pomyślałem sobie sprytnie, że Dawid zajmie jej myśli. A mnie uchroni od zrzędzącej nastolatki, a uwierz mi, że nie ma nic gorszego. Już wolę bykom jaja obcinać...

– No w takim wypadku zgadzam się oczywiście. – Mariola roześmiała się, widząc ulgę na twarzy mężczyzny. – Nie mogę pozwolić, aby ulubiony doktor Mandarynki i Boczusia zginął marną śmiercią, zagadany na amen przez własną córkę.

– Tylko Mandarynki i Boczusia? – Pewniejszy Ajronek znów zaczął błaznować. – A poza tym, moja Marioleczko, nie wiem, czy zauważyłaś jeszcze jedną korzyść z takiego rozwiązania. Młodzi zajmą się sobą i nie będą tak usilnie obserwować swoich rodziców.

– Mam nadzieję, że żartujesz sobie głupkowato?

Speszona Mariolka nie była pewna, jak potraktować ostatnie słowa Arka. Ten spoważniał nagle i pochylił się nad kobietą. Spojrzał jej prosto w oczy swymi czarnymi oczami, okolonymi absurdalnie wręcz długimi rzęsami, i wziął w swoje ręce jej dłoń.

– Szczerze mówiąc trochę tak, a trochę nie – powiedział niskim, schrypniętym nagle głosem. – Zauważyłem, z jaką niechęcią przygląda mi się ostatnio Dawid. Zauważyłem również, że ta jego niechęć nie jest tak całkiem, ... hmm... bezpodstawna... Mariola, przyznaj, że coś się między nami dzieje...

—No i zwiałam oczywiście. Zaczęłam coś tam bełkotać, że zaraz przyjedziesz z mecenasem, muszę jabłka wkładać w słoiki, uszykować jedzenie dla Boczka i sama nie wiem co jeszcze, ale na pewno nie było to nic mądrego, bo Ajron popatrzył na mnie z taką miną, jakbym powiedziała, że niebieskie ludziki tańczą dookoła dziury po meteorycie na moim podwórku. Popatrzył na mnie tym swoim wzrokiem, uśmiechnął się jak kot, który upolował wybitnie tłustą mysz, i pojechał. A ja jak ta durna stałam jeszcze z dziesięć minut z otwartą gębą.

– No, no, no...

Siedziały u Anny i popijały mrożoną kawę. Mariolka czuła nieodpartą chęć na papierosa, ale z braku takowego musiała zadowolić się słonym paluszkiem, których paczkę Ania wyciągnęła z szafki.

– Wzięło doktorka. A ciebie?

– Przestań. Oczywiście, że nie. Owszem, lubię go, nawet bardzo, nie odrzuca mnie również jego wygląd, a wręcz przeciwnie... Ale przecież ja mam męża. Nie mogłabym tego zrobić Jerzemu. On mi ufa. Mimo że dzieli nas cała Polska, wciąż łączy obrączka i przysięga małżeńska. Poza tym Dawid... Jak ja mogłabym spojrzeć mu w oczy, szczególnie że nie tak dawno rozmawialiśmy o tym i mówiłam, że nic...

– Rozmawiałaś o Ajronie z Dawidem?

– Sam zaczął. Miał pretensje, że bywa u nas za często i czuje się zbyt pewnie. No i okazało się, że coś w tych jego pretensjach było... Nie, to zupełnie bez sensu. Musiałam coś źle zrozumieć... Dodałam sobie dwa do dwóch i wyszło mi pięć. Ajron miał na myśli pewnie całkowicie coś innego, a ja durna wyobrażam sobie Bóg wie co...

Anna popatrzyła uważnie na roztrzęsioną kuzynkę i w nagłym zamyśleniu upiła łyk kawy.

– Widzę, że wraca stara, nudna i zakompleksiona Mariola z Przemyśla. Posłuchaj tylko siebie, co ty gadasz:

co by Jerzy pomyślał, co by Dawid pomyślał, to niemożliwe, bym się komuś tak spodobała, że chciałby zerwać ze mnie szmaty i rzucić na glebę! Dziewczyno! Ogarnij się! Jesteś atrakcyjną czterdziestką, no, z małym hakiem. Zadbaną, ze zrobionymi włosami i paznokciami i z własnym, pięknym domem. Masz dorosłego syna, który żyje już własnym życiem, i męża, który ma cię głęboko w dupie. To prawda, że zrobiłaś wielki krok do przodu. Może trzeba zrobić kolejny?

Po wizycie u kuzynki Mariola wróciła do domu jeszcze bardziej skonfundowana niż przed wyjazdem. Na szczęście Dawid poszedł z Robaczkiem nad Drawę łowić ryby, jak wynikało z kartki przyczepionej na lodówce, i mogła w spokoju zastanowić się nad słowami Anny. *Bzdury jakieś. Co ta szalona kobieta insynuuje? Romans z Ajronem? Rozwód z Jerzym? Czy może jedno i drugie?* Nie mogła zaprzeczyć, że od pewnego czasu relacje między nią i jej szkolną miłością wyraźnie się zacieśniły. Ostatniej nocy miała nawet jakieś gorące sny i podejrzewała, że to Pocahontatus maczał w tym swoje długie paluszki... hmmm... nie tylko paluszki. W ramach pokuty poszła na piętro i odpaliła Internet, który akurat dziś wyjątkowo szybko chodził. Weszła na pocztę i otworzyła maile od Jerzego.

„Dojechałem bezpiecznie. Całą drogę zastanawiałem się nad nami. Masz rację, powinniśmy odpocząć trochę od siebie. Naprawdę nie rozumiem, co się z tobą stało. Pozdrawiam – Jerzy”.

„Margulski przyjął w końcu mój projekt, więc zaraz zrobię ci przelew. Pozdrawiam – Jerzy".

„Strasznie dziś gorąco, ale opuściłem rolety i można wytrzymać. Dziś wieczorem w telewizji leci fajny film, zachęcam do obejrzenia. Pozdrawiam – Jerzy".

„Co tam u was? Tutaj nudy na pudy. Żadnej poważnej roboty na razie nie mam, tylko jakieś drobne poprawki, więc nie wiem, co z czasem zrobić. Gdyby był tu choćby pies, to poszedłbym z nim na długi spacer, a tak to siedzę całymi dniami w domu jak głupi jakiś. Nie masz naprawdę w ogóle wyrzutów sumienia, że tak zniszczyłaś nasz związek? Pamiętasz, jak było fajnie, gdy Dawid był mały i chodziliśmy do kina albo do cyrku? Albo jak wspólnie czytaliśmy mu bajki? Pozdrawiam – Jerzy".

„Byłem dziś w kinie. Grali jakiś wojenny film, nie za dobry, ale w domu pierdolca już dostaję. Nie pójdę więcej, bo głupio się tam czułem. Sam jak palec. Wszyscy albo w parach, albo w większym gronie, a ja nawet pogadać o filmie nie miałem z kim. Zupełnie jakbym rodziny nie miał, pomyśl o tym – Jerzy".

„Jak tam u Ciebie musi być teraz fajnie... W mieście gorąco jak diabli, śmierdzi spalinami i rozgrzanym asfaltem. Ostatnio mam za dużo czasu na myślenie i dochodzę do różnych wniosków. Mariola, przepraszam cię. Nie wiem, jak ty mogłaś tak długo wytrzymać z takim typem jak ja. Dopiero teraz rozumiem, co czułaś, bo pewnie czułaś to, co ja teraz. Obiecuję Ci, że się zmienię. Tęsknię za Wami – Twój Jerzy".

„Czytałem dziś w necie o kozach. No, faktycznie – ich mleko jest najzdrowsze ze wszystkich. Wiedziałaś o tym, że kozy trzeba na jesień zasuszać i zakocać, czyli zapłodnić, bo inaczej będą dawały coraz mniej mleka i w końcu przestaną w ogóle? A może pomyślałabyś o kilku kurach? Ponoć najzdrowsze jajka daje rasa zielononóżek. Całuję – Jerzy".

Czytając następujące po sobie maile, Mariola zastanowiła się głęboko nie tyle nad ich treścią, ile zmianą tonu i nastroju listów. Coś się zaczynało zmieniać, tylko czy nie było już na to za późno?

Rozdział 13

—Nie chciała góra do Mahometa, przybył Mahomet do góry, jak mawia staropolskie ludowe przysłowie – zawołał Arek, wychodząc z samochodu. Tuż za nim wysiadła wysoka, śniada i – jakże by inaczej – czarnowłosa dziewczyna. – Pozwól, że przedstawię ci moją córkę, Zuzannę. Zuzu, to jest właścicielka moich ulubionych pacjentów – Mariola.

Dziewczyna wyciągnęła rękę.

– Tata wiele mi o pani mówił. Właściwie to tak gadał i gadał, że postanowiłam sama tu przyjechać i na własne oczy zobaczyć kozy i tego prosiaczka – uśmiechnęła się, ukazując w policzkach dołeczki, identyczne jak te, które ostatnio nie dawały Marioli spać.

– Bardzo się cieszę. A może najpierw usiądziemy na tarasie i wypijemy kawę albo sok, jeśli wolisz?

Pocahontasowie rozsiedli się wygodnie, a Mariola poszła do kuchni wstawić wodę na kawę plujkę dla Ajrona i wyjąć z lodówki sok jabłkowy dla Zuzanny.

– Maaamooo, ten Internet mnie zabije! Gadałem na Gadu z Mateuszem i pięć zdań zajęło mi prawie dziesięć minut! Musimy coś z tym zrobić, bo naprawdę zdziczeję tu, zapuszczę brodę i długie włosy i zacznę rozmawiać ze zwierzętami jak ty albo ten twój doktorek!

– Cicho bądź! – syknęła na niego Mariola, wskazując ręką na taras.

Było już jednak zdecydowanie za późno. Obie twarze, jedna męska, roześmiana, i druga dziewczęca, zaciekawiona, odwróciły się w stronę kuchni, a dwie pary czarnych oczu przez otwarte na oścież drzwi spojrzały na zdezorientowanego i zarumienionego nagle Dawida.

– Poznaj, proszę, mojego syna Dawida, zagorzałego wielbiciela Gadu-Gadu, Facebooka i wszelkich rzeczy wirtualnych. Dawidzie, to jest Zuzanna – córka Arka.

Speszony chłopak podał rękę Ajronowi i uścisnął dłoń jego córki.

– Cześć. Dawid.

– Zuza. Przyjechałam z doktorkiem obejrzeć wasze zwierzaki. – Dziewczyna uśmiechnęła się trochę kpiąco do całkiem już buraczkowego Dawida.

– To chodź, pokażę ci. – Chłopak szybko odzyskał rezon i gestem zaprosił Zuzannę do zwiedzenia gospodarstwa. – Kozy są już na którymś pastwisku. Zaraza sama nauczyła się otwierać wszystkie drzwi i lezą, gdzie chcą, a Boczka wystarczy zawołać i zaraz gna na swoich krótkich nóżkach w nadziei na żarcie. A jak zaszeleścisz papierkiem, to osiąga prędkość ponadświetlną...

Odeszli od stołu, śmiejąc się i rozmawiając. *No proszę...* – pomyślała Mariolka, stojąc z niepotrzebną już szklanką soku. – *Gdzie się podział mój ponury, nieśmiały synuś, który potrafił przez cały dzień powiedzieć dwa słowa, ale za to trzydzieści razy wzruszyć ramionami?*

– Widzę, że nie zrezygnowałeś ze swojej matrymonialnej misji? – spojrzała na zadowolonego z siebie Ajrona.

– Ani z tej, ani z żadnej innej – odpowiedział, uśmiechając się tajemniczo. Irytująco wolnym ruchem podniósł do ust kubek z kawą i szczerząc zęby, dodał: – Mam na myśli oczywiście misję polegającą na uczynieniu z ciebie dzielnej amazonki, mknącej na rączym rumaku przez bezkresne przestrzenie. Naturalnie w towarzystwie dzielnego kowboja, broniącego przed złymi mafiozami.

Popijała małymi łyczkami gorącą kawę i jednym uchem słuchała paplającego wesoło Ajrona. Chcąc nie chcąc, porównywała go z wciąż naburmuszonym i niezadowolonym Jerzym. *Nie, to niesprawiedliwe* – pomyślała uczciwie. – *Jerzego tu nie ma, nie może się bronić. Zresztą on również potrafił kiedyś sprawić, że się śmiałam. Również żartowaliśmy razem, popijając kawę albo drinka, siedząc na balkonie w ciepłe dni.*

Dzień minął im na rozmowach, wygłupach i zajadaniu przygotowanych wspólnie sałatek, gdyż było zdecydowanie za gorąco na stanie w kuchni i gotowanie obiadu. To znaczy sałatki przygotowywała Mariola, a Ajron się temu przyglądał. Młodzi zniknęli w pokoju Dawida i kłócili się głośno o wyższość gier strategicznych, preferowanych przez Dawida, nad grami logicznymi, które wolała Zuzanna.

– Chyba się polubili, nie? – Ajron wskazał palcem sufit.

– Na twoim miejscu nie wyciągałabym pochopnych wniosków po jednym spotkaniu – odpowiedziała trzeźwo Mariola.

– Nie może stać się inaczej, skoro ja tak bardzo lubię ciebie. A wiesz... krew to krew...

Mariolka postanowiła potraktować ten komentarz jako żart, tak bardzo przecież w Ajronowym stylu. Na wszelki jednak wypadek wstała, pozbierała talerze i zaniosła je do zmywarki.

– No, ociec, spadamy – zakomenderowała schodząca z góry Zuzanna. – Gość jak ryba – trzy godziny i śmierdzi, a my siedzimy tu już z pięć. Pakuj swój doktorski tyłek do auta. Jestem pewna, że pani Mariola ma również inne zajęcia niż zabawianie zblazowanego weterynarza – powiedziała to wszystko ze śmiechem na ustach i Marioli spodobał się dystans Ajrona do siebie samego, bo mężczyzna podniósł się z krzesła i objął córkę za ramiona.

– Tak jest, szefowa – spojrzał na zegarek. – Matko Boska, już po szesnastej. Mariolka, czemu nie wygoniłaś nas wcześniej? Przecież ja ci muszę już nie tylko śmierdzieć, ale wręcz zabijać rybim zapachem.

Mariola aktorsko wciągnęła powietrze nosem.

– Trochę daje, ale bez przesady. Lekkie wietrzenie i będzie OK.

Mariolka z Dawidem odprowadzili gości do samochodu i wrócili do domu.

– Całkiem miły dzień, nie? – zapytała syna. Dawno już nie była w tak dobrym humorze.

– Dobra, dobra... Wiem, o co ci chodzi. – Dawid puścił do niej oko i poszedł do Robaczka umówić się na nocne łowienie ryb.

Mariola wstawiła właśnie na gaz duży gar z wypestkowanymi śliwkami, planując zrobić kilka słoiczków konfitur, gdy zadzwoniła Anna.

– Słuchaj, prawie wszystko załatwione. Jeszcze trochę formalności i najdalej za tydzień możesz brać Emilkę. Zajebiście, nie? Wujcio Franas okazał się bezcenny. Jutro o dziesiątej masz rozmowę z psychologiem, a już następnego dnia przyjadą z wizją lokalną. Więc umówiłam się z Olką, że zaraz do ciebie przyjedziemy i ogarniemy chatę. Co ty na to?

– Dobra, dawajcie. Ale nie ma nic do żarcia, więc kup coś po drodze, to rozpalimy na kolację grilla.

– Oj, ty biedaczko... – zaśmiała się Anna. – Z miłości do Ajronka nie możesz jeść?

– No właśnie to Ajronek wszystko pożarł, bo dopiero co stąd pojechał.

– Uuulalaaa! – Anka aż gwizdnęła do słuchawki. – To mi się zaczyna coraz bardziej podobać. Tak trzymaj, mała. Pogadamy, jak przyjadę, pa.

Co za wariatka – pomyślała wesoło Mariola, mieszając lekko przywierające do dna garnka śliwki. Zdała sobie sprawę, że ostatnio w ogóle cały czas się uśmiecha do i z byle czego. Cieszyły ją dojrzewające na drzewach owoce, zażółcona od upału trawa, coraz bardziej urozmaicone twarogi i mozzarelle, które wyrabiała bez najmniejszego wysiłku i którymi zajadali się wszyscy z nieustającym apetytem. Cieszyły ją zwykłe domowe roboty, które do tej pory wykonywała bez większego entuzjazmu. A ostatnio przyłapała się na tym, że życzyła smacznego Boczkowi, kiedy zeżarł jej wszystkie ziemniaki przygotowane na sałatkę jarzynową, nieopatrznie zostawione na tarasie do wystygnięcia. *To chyba to lato tak na mnie działa* – pomyślała, świadomie się oszukując, i zaklęła głośno, gdy do jej nosa doleciał swąd przypalonych śliwek.

Wczesnym wieczorem do „Rapsodii" przyjechała ekipa sprzątająca w osobach Anny, Beaty i Aleksandry. Aleksandra ruszyła do lodówki i zapełniła ją kiełbasą i kaszanką przeznaczonymi na kolację oraz kilkoma szybkimi sałatkami.

– Dobra – mianowała się szefem Anna. – Ja biorę dół, Mariolka podwórko, a Beti górę. A ty, Olka, idź do gościnnego i przerób go na cudny pokój dziecinny.

– Ale Mariolka musi mi dać jakieś wytyczne – zaoponowała Ola. – Nie wiem, co mam malować. Myślałam o śwince Pepie, ostatnio na topie jest Dora albo te Monstery, ale ja wiem, co lubi Emilka?

– A myślisz, że ja wiem? – zdenerwowała się nagle Mariola. – O matko, dziewczyny, ja nic nie wiem! Nie wiem, co lubi jeść, w co się bawić... Ja pierdzielę, nie wiem nawet, czy nie muszę jej dawać jakichś leków, może jest na coś chora albo uczulona...

– Przestań panikować – pewna swych racji Anna szybko zamknęła jej usta. – Z tego, co wiem, jest zdrowa. A zresztą poczytasz sobie jej akta i dowiesz się o ewentualnych lekach i innych. Co lubi, a czego nie, dowiesz się z rozmów z nią i z obserwacji, więc przestań się trząść i do roboty. A ty, Ola, pomaluj jakoś neutralnie. No wiesz, słoneczko, chmurki, jakieś kwiatki... Tak, żeby było miło i przytulnie. Zresztą co ci będę mówić, to ty jesteś rodzinną artystką, nie? No to koniec gadania, dziewczyny. Bierzemy się. Jak przyjedzie ta komisja, to nie może dopatrzyć się żadnych uchybień. Cholera wie, na co będą zwracać uwagę, więc się sprężmy – zarządziła, po czym pierwsza dała przykład i założyła ochronne rękawiczki. – Mariolka, dawaj wszystko, co masz. Płyny, proszki, szmaty i wiadra. Hej ho, hej ho, do syfku by się szło... – zanuciła, idąc energicznym krokiem do kuchni.

– Nie przesadzaj, nie mam aż takiego syfu! – krzyknęła za nią Mariolka.

Przez trzy godziny sumiennie sprzątały, czyściły i odświeżały. Aleksandra zamknęła się w gościnnym i zakazała komukolwiek tam wchodzić, dopóki nie skończy. Mariola z rozpędu pomyła również wszystkie drzwi w oborze i stodole. *Całe szczęście, że kilka dni temu Dawid wywalił parkiet z boksów i wywiózł taczką na malowniczą pryzmę w rogu sadu* – pomyślała.

Rozpaliła właśnie grilla i nalała soku spoconym przyjaciółkom, gdy Aleksandra zawołała je na górę. Stanęły wszystkie trzy w progu i nie mogły wypowiedzieć słowa. Zwykły dotąd pokój zamienił się w czarodziejski ogród. W jednym z rogów uśmiechało się olbrzymie słońce, a pod sufitem wręcz płynęły delikatne obłoczki. Na cieniowanej zielonymi kolorami łące Kubuś Puchatek puszczał bańki mydlane ze swoim przyjacielem Tygryskiem. Obok stał fioletowy hefalump i łapał je swoją trąbą. Na przeciwnej ścianie zielona łąka rozkwitała niezapominajkami i czerwonymi makami.

– Olka… – sapnęła z zachwytu Mariola, po czym wszystkie trzy rzuciły się na szyję zawstydzonej, ale szczęśliwej artystce…

Siedziały przy stole, na którym migotało kilka zapachowych świec, gdyż komary gryzły niemiłosiernie. Wszystkie cztery panie zajadały kiełbasę i kaszankę, popijając lekko musującym cydrem, który Mariola zrobiła według przepisu Aleksandry. Jedynie Beata, jako kierowca, musiała zadowolić się zwykłym sokiem jabłkowym, ale piła go z nie mniejszym zadowoleniem niż pozostałe dziewczyny.

– No bo wiecie, na początku namalowałam tylko łąkę, ale czegoś mi brakowało. A Kubuś Puchatek jest taki ponadczasowy. My go czytałyśmy, teraz czytamy naszym dzieciom, a co niektóre z nas niedługo będą czytać wnukom…

– Olka! Ty sobie nie myśl, że skoro przed chwilą po stopach cię całowałam, to zaraz nie mogę cię w nie ugryźć – pogroziła palcem Mariola. – Ale że pokój wyszedł ci przepięknie, pozostawię łaskawie ten chamski komentarz bez riposty. Na razie. Zresztą wszystkie się spisałyście. Dzięki, dziewczyny…

– No to za to, że tak pięknie posprzątałyśmy i przyozdobiłyśmy ten twój chlewik, uracz nas jakąś pikantną opowieścią – zaproponowała ochoczo Anna.

– Ciekawe o czym – zaśmiała się Beata. – Przecież ta bidula zamknęła się tutaj i świata nie widzi. A tyle razy zapraszałam ją na jakieś balety do Choszczna – zwróciła się niezbyt taktownie do Marioli. – No, chyba że ogórki zalałaś jakąś pikantną marynatą i opowiesz nam o tym...

– No, kochana, to się zdziwisz – z satysfakcją powiedziała Ania. – Tu się dzieje więcej niż we wszystkich tasiemcach razem wziętych. Powinni nakręcić serial „R jak Rapsodia". To byłby dopiero hicior!

– Opanuj się, Anka! Wy to obie z Olką jesteście niepoprawne romantyczki. To, że Ajron tu przyjeżdża i że gadamy sobie na tarasie, nie świadczy o tym, że rozgrywa się jakiś gorący romans! – Mariolę niezbyt zachwyciło to, że znów stała się głównym tematem rozmów. Szczególnie tych o niej i Ajronie.

– Ale przyznaj, że chciałabyś – drążyła bezlitośnie Anna.

– Durna jesteś!

– Co za Ajron? – zaciekawiła się Beti.

– Ha! Ona nic nie wie! Mariolka, musisz jej opowiedzieć o twym spotkaniu po latach z Ajronem Mejdenem. – Anka zwróciła się w stronę niewtajemniczonej przyjaciółki. – To nikt inny, moja kochana, tylko twój doktor Arek.

– Mariolka ma romans z Arkiem? – zawołała Beata gromkim głosem i upuściła na podłogę nadgryzioną kaszankę, którą bezzwłocznie przechwyciła Saba.

– Nie słuchaj tych wariatek. Nie mam żadnego romansu – tłumaczyła się słabym głosem Mariola. Beata zamilkła i upiła łyk soku

– Mari, pamiętasz co ci mówiłam kiedyś o Arku? On naprawdę bawi się kobietami. Nie to, że uwodzi i rzuca ze złamanym sercem albo wykorzystuje cynicznie. Masz oczy i widzisz, jaki z niego atrakcyjny facet. On też je ma i widzi, jak babki na niego lecą. I nie traktuje ich poważnie. Na romansik, na numerek, jak najbardziej, ale nie licz na nic więcej. Uwierz mi.

Na tarasie zaległa cisza. Przy odrobinie wyobraźni można było usłyszeć, jak skwierczą skrzydełka ciem, które bezmyślnie leciały do płomieni świec. *Czy ja też lecę jak ta głupia ćma i nie widzę osmalających się coraz bardziej skrzydeł?* – zastanowiła się Mariola.

– Uspokójcie się wreszcie – odezwała się w końcu Aleksandra. – Mariola ma rację. Nie ma żadnego romansu, a my wmawiamy jej dziecko w brzuchu. Durne baby, znudzone codziennym życiem i złaknione romantycznych porywów i uniesień. Dajmy już temu spokój. A tak w ogóle to popatrzcie, która godzina! Zbieramy się, bo Mariolka musi być przytomna na jutrzejszym przesłuchaniu.

Po krótkim rabanie pozbierały swoje rzeczy i wsiadły do auta Beaty.

– Ja ci mówię, że coś jest na rzeczy – szepnęła Marioli na odchodne Anna. – Beti albo się w nim kocha, albo coś było i się nie udało. A ty idź na całość! Wiesz, jak mówią: lepiej żałować, że się zrobiło, niż że się spanikowało. Tylko na wszelki duch się nie zakochuj...

Pomachały Marioli przez okno i po chwili została sama ze swoimi myślami, a kładąc się do łóżka, znów widziała dołki w policzkach i czarne oczy.

ROZDZIAŁ 14

Rozmowa z psychologiem poszła dużo łatwiej, niż się Mariola spodziewała. Myślała, że będą to jakieś skomplikowane testy albo przepytywanie z hipotetycznego drzewa genealogicznego, które zresztą na wszelki wypadek sobie przygotowała, tymczasem była to zwykła rozmowa z sympatyczną panią Kornelią o jej zainteresowaniach, poglądach na życie i planach na przyszłość.

Po wszystkim Mariola musiała oczywiście zdać relację Annie, później zajechała do marketu po podstawowe produkty żywnościowe i przetrzebione grubo środki czystości, a następnie wróciła do domu. Dawid chyba dopiero wstał po nocnych przygodach, bo chodził po kuchni w samych bokserkach, rozmawiając z kimś przez telefon.

– No spoko. Wezmę od mamy auto i będę za godzinę. Cześć.

– Gdzie się wybierasz?

– Do Choszczna

– Trzeba było mówić, jak czegoś potrzebowałeś, dopiero stamtąd wróciłam. A z kim rozmawiałeś?

– Z nikim. – Ni stąd, ni zowąd Dawid roześmiał się wesoło.

No tak – pomyślała Mariola – *nieważne, jaką diagnozę postawił psychiatra, grunt to być szczęśliwym...*

– Kupiłaś coś do jedzenia?

– Pełną torbę. Ryby brały?

– Same płotki. Robaczek wziął dla kota i kur.

Złapał w rękę bagietkę i dwa kabanosy, po czym poszedł na górę. Za chwilę usłyszała szum napuszczanej do wanny wody. Wypakowała resztę zakupów i porozkładała je w szafkach.

Nastawiła sokownik, bo jabłek było zatrzęsienie. Część soku postanowiła rozlać do butelek na zimowe dni, część miała zostać zamieniona na cydr znikający w zastraszającym tempie niezależnie od wyprodukowanej ilości, a z wytłoczyn po jabłkach postanowiła zrobić domowy ocet. *Przyda się zarówno do celów kulinarnych, jak i do sprzątania* – pomyślała praktycznie. Zganiając kozy któregoś wieczoru z pastwiska pod samym lasem, wpadła na jeszcze jeden pomysł. Brzeg lasu porośnięty był gęsto krzakami czeremchy i dzikiej róży. Postanowiła nazbierać kwiatów i zrobić nalewkę. Wstępny przepis wyszukała w Internecie, ale trzeba się będzie jeszcze poradzić pani Robaczkowej albo może raczej Robaczka...

– Mamo, czy myślisz, że ta koszulka jest OK?

Mariola zdusiła uśmiech, domyśliwszy się od razu tajemniczego rozmówcy.

– OK.

– A nie sądzisz, że w tych krótkich spodenkach mam jakieś takie chude nogi? Może lepiej założę te białe lniane spodnie?

Zduszony uśmiech zamienił się w gromki śmiech.

– Zuzanna widziała cię w tych krótkich, obszarpanych dżinsach, które ledwo zakrywają tyłek, więc skoro mimo tego umówiła się z tobą, to widocznie stwierdziła, że twoje nogi są w porządku.

– Bardzo zabawne... – obruszył się Dawid. – Boki zrywać... To mogę samochód? Będę wieczorem.

Nie czekając na pozwolenie, złapał kluczyki i dokumenty i wyszedł z domu.

Zadzwoniła komórka.

– Witaj, piękna.

– Cześć, bestio – uśmiechnęła się do słuchawki.

– Nie nudzisz się sama w domu, bez syna?

– A ty skąd wiesz? Przed chwilką wyjechał.

– Wiem, bo moja Zuzu ubrała się w jakąś kieckę i kazała wieźć do miasta. Więc skoro ja mam wolne, ty masz wolne, a do tego w sumie razem mamy dwie wolne chaty, to może jakieś propozycje?

– Nie pomyliły ci się czasem role? – zaśmiała się Mariolka. – To latorośle mają wolne chaty, jak ich starzy gdzieś zabalują.

– No, sama widzisz, jak ten świat staje na głowie... – zawtórował jej śmiechem Ajron.

Przez krótką chwilę Mariola zapragnęła zapomnieć o sokach, cydrach i nalewkach i rzucić się na głęboką wodę. Zostawić w domu rozsądek, wyrzuty sumienia i ruszyć z Ajronem w siną dal...

– Niestety, mój drogi. To, że ty masz urlop, nie znaczy, że mają go wszyscy. Mam straszne zaniedbania domowo-gospodarcze. Co prawda dom błyszczy na wysoki połysk dzięki jutrzejszej zapowiedzianej wizycie z PCPR-u, ale w koszach mam jeszcze tonę jabłek do przerobienia, w miskach kilogramy śliwek, a we wiadrach litry mleka. Tak więc sorry – taki mamy klimat.

– A czy perfekcyjna pani domu nie potrzebuje jakiegoś pomywacza, ugniatacza czy kogoś w tym stylu do pomocy? Tanio biorę. Zaledwie jeden całus za godzinę. Premia według uznania.

– Człowieku, jak ty się cenisz! Za jednego całusa miałabym obrobione całe gospodarstwo, przekopany ogród, przeczesaną ze śmieci łąkę i porąbane całe drzewo na zimę, więc sam rozumiesz...

– Jeśli chodzi o przeczesywanie i rąbanie, to ja nawet za darmo... Pomyśl o tym. Pa!

Czy my właśnie flirtowaliśmy? – zadała sobie retoryczne pytanie Mariola i wróciła do sokownika.

Walka z wiatrakami, czyli z owocami, które jakoś mnożyły się bez pamięci, zajęła jej cały dzień. Zmierzch już zapadał, gdy postawiła na kuchence garnek ze sfermentowanym mlekiem na twaróg. Na desce drobno pokroiła wyhodowaną na parapecie rzeżuchę, której ostry smak doskonale współgrał z kozim twarogiem. Dawida jeszcze nie było i mimo tego, że miał już on swoje lata, Mariola czuła lekki niepokój. *Czy już jestem toksyczną matką, czy jeszcze mieszczę się w normie?* – zastanawiała się pół żartem, pół serio. Na szczęście nie musiała zbyt długo się zastanawiać, gdyż za parę minut usłyszała warkot silnika swojego golfa. Dawid wszedł do domu i poszedł na górę. *Nie będę wścibska... nie będę wścibska...*

– No hej, kochanie. Jak było? – *Szlag, wiedziałam, że nie wytrzymam* – pomyślała.

– Spoko – krzyknął z pięterka gadatliwy synuś.

Hmmm, umiejętność prawidłowego stawiania pytań nie jest raczej moją mocną stroną – pomyślała samokrytycznie. Po wieczornym prysznicu miała w planie obejrzeć w telewizji „Zaklinacza koni", którego to zapowiedź widziała jednym okiem w małym kuchennym telewizorku, ale po krótkim namyśle, w trosce o swoje spokojne sny, zdecydowała się jednak na „Egzorcystę" i w pierwszej połowie filmu padła jak kamień. Mimo podjętych środków zapobiegawczych śniło jej się, że galopowała z Redfordem przez leśne drogi, a jego długie czarne jak smoła włosy powiewały na wietrze...

Wizyta komisji sprawdzającej warunki lokalowe, w których miałaby ewentualnie zamieszkać Emilka, odbyła się równie bezboleśnie, jak wcześniejsza rozmowa z psychologiem. Grupa składająca się z dwóch kobiet i towarzyszącego im bodyguarda pooglądała obejście, pogłaskała kozy, skrzywiła się lekko na widok Boczka, który jak na złość szukał wcześniej skarbów w pryzmie i jego perfumy nie przypadły do gustu miastowym nosom, i rozanieliła się na widok dziecięcego pokoju.

– Dziękujemy pani – w imieniu komisji zabrał głos bodyguard. – Napiszemy oczywiście raport z naszej wizyty, ale powiem pani w zaufaniu, że nie musi się pani martwić jego treścią.

Na zakończenie obchodu Mariola obdarowała wizytatorów dużym koszem jabłek i obie strony rozstały się w jak najlepszej zgodzie i dobrym humorze. Komisja była zadowolona z wyników i ekologicznych, niepryskanych smakołyków, a Mariola miała jeden kosz jabłek mniej do sprawiania.

– No to teraz już możemy tylko czekać – stwierdziła Anna podczas telefonicznej konferencji. – Pogonię jeszcze Franasa, żeby próbował przyspieszyć akcję, ale sama wiesz, biurokracja to u nas potęga. Każdy papierek musi odleżeć, każdy urzędas musi wbić pieczątkę, ale my zrobiłyśmy już wszystko, co możliwe. Nie mogę się już doczekać, kiedy przywiozę małą do „Rapsodii", a ty?

– Ja też – potwierdziła Mariola.

Naprawdę wcale tak jednak nie było. Im bardziej zbliżał się spodziewany termin przyjazdu dziecka, tym bardziej się denerwowała. *A może mnie nie polubi, nie spodoba jej się pokój, nic jej się nie spodoba, nie będzie chciała zostać...* – katowała się czarnymi myślami.

Nastawiła na obiad żur z białą kiełbasą i jajami od Robaczkowych kur.

– Mamo, masz coś przeciwko temu, żebym pojechał na spływ? – zapytał Dawid.

– Spływ? Nie, nie mam oczywiście, ale skąd ci to wpadło do głowy? – zdziwiła się Mariola.

– Zuza mnie zaprosiła. Jakiś znajomy doktorka organizuje spływy Drawą i Zuzka mówi, że to zajebista sprawa. Ona co roku spływa, jak jest we Wiatrakach u ojca. Od razu uprzedzę twoje pytanie: spływ jest dwudniowy. – Zrobił krótką pauzę. – Od ósmej rano do siedemnastej płyniemy, a później nocleg na polu namiotowym. No wiesz, ognisko, wóda, dragi, seks...

– DAWID!

Syn roześmiał się z przerażonej miny matki.

– No przecież żartuję. Jak zobaczyłem twoją minę po słowie „dwudniowy", nie mogłem się powstrzymać. Nie fisiuj, przecież mnie znasz...

Dwa dni później wstali bladym świtem. Mariola szybko wydoiła Cytrynę i wypuściła kozy do sadu. Dawid w tym czasie nakarmił i puścił na wolność Boczka.

– Jesteś pewny, że wszystko masz? – zapytała Mariola podczas pośpiesznie jedzonego śniadania.

– No mówiłem ci już z dziesięć razy. Na żarcie zrobiliśmy składkę, namioty i śpiwory zapewnia ten gość od spływu, plecaki z ciuchami na zmianę też bierze do samochodu i zawozi na miejsce noclegu, więc niczego nie muszę brać. No tylko to, co do kajaka, a na to też już się złożyliśmy... – wyszczerzył zęby do nadopiekuńczej matki. – A więc potrzebuję tylko transportu do Prostyni. Sorki, mamuś, że cię tak zrywam, pojechałbym sam, ale wtedy ty przez dwa dni nie miałabyś auta, więc rozumiesz, to tylko z troski o ciebie... Mógłbym się zabrać z doktorkiem, ale Wiatraki są z zupełnie drugiej strony Choszczna, więc nie chciałem się napraszać...

– Dobra, dobra... Kończ jeść i jedziemy.

Droga do miejsca zbiórki trwała około czterdziestu pięciu minut. Dawid prowadził w ciszy i skupieniu, a Mariola ziewała tak, jakby chciała połknąć wszystkie muchy z powiatu choszczeńskiego. Ocknęła się dopiero, kiedy syn zatrzymał samochód. Na miejscu zgromadziło się już ponad trzydzieści osób. Wszyscy radośni i podekscytowani wołali coś i machali do siebie.

– Widzę Zuzkę. To na razie, mamuś, pa! – Dawid złapał plecak, machnął ręką do matki i dołączył do reszty.

Mariola wyczłapała się z samochodu, żeby popatrzeć, jak odpływają.

– Zaspana i rozczochrana wyglądasz jeszcze piękniej niż zwykle – rozległ się w jej uchu cichy, znajomy głosik.

– Cześć, Aaajron – odpowiedziała Mariolka, która była właśnie w trakcie połykania gigantycznej muchy.

– Ooo, widzę, że jeszcze nie wstałaś. Zapraszam cię więc na kawę. Nie jest tu ona może zbyt rewelacyjna, ale powinna cię obudzić. I nawet nie oponuj. Jako twój lekarz polecam dawkę kofeiny przed powrotem za kierownicę.

– Jako mój lekarz? Przepraszam cię, mój drogi, ale masz mnie za kozę czy raczej za świnię?

– Mam cię za wyjątkowy egzemplarz samicy homo sapiens. No, może na razie tylko homo, ale mam nadzieję, że po kawie dojdziemy i do sapiens.

Czy ten człowiek ma gotową odpowiedź na wszystko? – zastanawiała się Mariola, podążając za Ajronem do maleńkiego przydrożnego, a właściwie przyrzecznego zajazdu.

– Nakarmiłaś i wypuściłaś zwierzyniec? – zapytał Pocahontatus mniej więcej w połowie filiżanki. Mariola kiwnęła głową. – Porobiłaś już jabłka i inne śliwki?

– Tak.

– Sery też?

Zdziwiona Mariola popatrzyła na Ajrona pytającym wzrokiem.

– A co ty tak mnie wypytujesz?

Ajron zachował poważną minę, choć jego oczy się śmiały.

– No to co z tymi serami? Odpowiadać!

– Zrobione, panie kapitanie – zasalutowała szeregowa Mężyk.

– Coś jeszcze pilnego do roboty?

– Melduję posłusznie, że nie, panie kapitanie.

– Jakieś spodziewane albo niespodziewane wizyty?

– Nic o tym nie wiem, panie kapitanie.

– No to w końcu cię mam, szeregowa.

Uśmiech zadowolenia rozlewający się na twarzy samozwańczego kapitana zaniepokoił nagle szeregową.

– Melduję posłusznie, panie kapitanie, że potrzebuję chyba kolejną kawę, gdyż poziom sapiens nie został jeszcze osiągnięty.

– Już szeregowej tłumaczę. Dowództwo postanowiło, że szeregowa Mężyk zostaje przeniesiona do kawalerii. W związku z tym, że – jak sama szeregowa powiedziała – plan na dziś został wykonany i nie ma żadnych innych pilnych misji, zaś wszystkie podległe szeregowej osoby ewakuowały się z terenu działań wojennych, przeniesienie nastąpi natychmiastowo. Zrozumiano?

Szeregowa Mężyk otworzyła usta, bynajmniej nie w zamiarze ziewnięcia, po czym je zamknęła i głośno przełknąwszy ślinę, spojrzała ze strachem na przebiegłego, podstępnego, kolaborującego z jej własnym synem kapitana Ajrona Mejdena.

—Wyprostuj się, ściągnij łopatki i spróbuj się zrelaksować. Konie mają rozum na poziomie ludzkiego trzy–czterolatka, ale są bardzo wrażliwe na ogólny nastrój. Wyczuwają strach i niepokój, ale również bezpieczeństwo i empatię. Jeśli poczujesz się pewnie i będziesz myślała o swym wierzchowcu z sympatią, zaufa ci i zawiezie, gdzie będziesz chciała. I odwrotnie, gdy będziesz myśleć tylko o tym, że zaraz spadniesz, to z pewnością tak się stanie. Daj mu poczuć, że dobrze ci na jego grzbiecie, a zrelaksuje się i z chęcią będzie współpracował.

– To zupełnie jak z facetem – zduszonym ze strachu głosem odpowiedziała Mariola.

Ajron uśmiechnął się lekko i mówił dalej:

– Ale równocześnie musisz być stanowcza. Koń musi czuć, że to ty jesteś tą mądrzejszą i to on ma słuchać ciebie, a nie odwrotnie.

– No dokładnie. Ale czy mieliśmy uczyć się jazdy, czy przeprowadzać głębokie studium związków damsko-męskich?

Niewzruszony mężczyzna nie dawał zbić się z tropu. Szedł równym krokiem obok klaczy, na której siedziała Mariola, i wolno prowadził ją dookoła placu. Mówił spokojnym, głębokim głosem:

– Super. Twoje złośliwe riposty sprawiły, że zapomniałaś o strachu i poprawiłaś dosiad. Czujesz, jak idzie teraz Prima? Żadnych podskoków, strzyżenia uszami... Ty się uspokoiłaś i Prima od razu to wyczuła. Robimy kolejny krok.

Przypiął do wędzidła lonżę i puścił konia, trzymając go teraz na długiej lince. Stanął pośrodku padoku, a koń spokojnym stępem zataczał obszerne koła. Mariola próbowała dopasować ruchy swoich bioder do ruchu zwierzęcia i gdy jej się to udało, poczuła prawdziwą przyjemność z lekcji. Poklepała lśniący, czarny kark.

– Spróbujemy pokłusować? – zapytał Ajron. Zatrzymał konia i podszedł do amazonki. Położył jej rękę na kolanie, przytrzymał chwilę, po czym delikatnie zwiększył nacisk i przycisnął ją do siodła.

Cholera, ukrył między palcami jakiś paralizator czy co? – pomyślała Mariola, gdy nagle owładnęła nią dziwna niemoc.

– Trzymasz się kolanami, nie łap równowagi na wodzach. Wodze służą tylko do tego, aby zachować kontakt z koniem. – Przełknął ślinę, spojrzał jej prosto w oczy i wolnym, pieszczotliwym ruchem przesunął swą dłoń na jej stopę. – Pięty w dół, łydki do boków konia i jedziemy.

Marioli kompletnie zaschło w ustach.

– Okej – wychrypiała.

Ajron świsnął lekko przez zęby i Prima przyspieszyła kroku. Mariola zachwiała się w siodle.

– Dociśnij kolana i podnoś do góry biodra, wczuj się w rytm, no dalej, raz, dwa, raz, dwa...

Słuchając rytmicznego liczenia, wstawała i siadała. Już po krótkiej chwili złapała tempo i pozwalając wyrzucać się do góry i łagodnie opadając, poczuła olbrzymią satysfakcję i bardzo ciepłe uczucie... do wierzchowca oczywiście. To, że Ajron pokazywał białe zęby w szerokim uśmiechu, w jego oczach błyszczała duma z jej osiągnięć, a w obcisłych bryczesach wyglądał lepiej od Redforda, naprawdę nie miało żadnego znaczenia.

Po czterdziestu pięciu minutach, bez sił, spocona, zasapana i bardzo szczęśliwa, zsunęła się z siodła prosto w nadstawione ramiona trenera. Ściągnęła z głowy toczek i przeczesała ręką wilgotne włosy.

– Panie kapitanie, melduję posłusznie, że głupia byłam, odwlekając tak długo ten cudowny awans.

– Od razu wiedziałem, że jesteś do tego stworzona – zaśmiał się radośnie Ajron. – Jeszcze parę jazd na placu i pojedziemy na długi teren. – Spoważniał nagle i pochylił swą głowę tak, że czarne kosmyki załaskotały ją w czoło, a oczy znalazły się tuż naprzeciw jej oczu. Zastanawiał się chwilę, zanim przemówił: – Gdy usłyszysz tętent i ujrzysz przed sobą rozwianą grzywę, gdy migną ci za plecami pozostające w tyle drzewa, a umykająca pod kopytami ziemia zamieni się w pył, dopiero wtedy zobaczysz, co to jest wolność... Gdy poczujesz owiewający cię wiatr i pozwolisz koniom pędzić do utraty tchu, gdy zapomnisz o świecie, odrzucisz bariery i zahamowania, wtedy odkryjesz, co to jest namiętność...

Mariola, jak zahipnotyzowana, pochyliła się w stronę czarnych, głębokich jak studnie oczu i wypowiadających dziwne słowa ust. Oczy i usta, do których zmierzała z żarliwą uwagą, zastygły w oczekiwaniu. Z bezwładnej ręki wysunął się i z głośnym stukiem potoczył po ziemi dżokejski toczek... I ten dźwięk obudził ją ze snu.

Rozdział 15

Anna i Aleksandra siedziały na brzegu wanny i moczyły stopy w wodzie z mydłem, a Mariolę usadowiono na najważniejszym w tym pomieszczeniu sprzęcie. U jej stóp klęczała Beata, bynajmniej nie po to, żeby ją po tych stopach całować, a wręcz przeciwnie. Beti miała na twarzy maskę i postronny obserwator mógłby omyłkowo stwierdzić, że stopy Mariolki nie pachną różami, ale byłby w błędzie, gdyż mydło, którego dziewczyny użyły przygotowując się do pedicure'u, było właśnie różane. Beata z prawdziwym poświęceniem szlifowała owe różane pięty, sprawiając, że Mariolka co chwilę podskakiwała.

– Błagam! Długo jeszcze? Mam tak masakryczne łaskotki na stopach, że zaraz całkiem obiję sobie tyłek na tym cholernym tronie!

– Cierp ciało, skoroś chciało – sentencjonalnie odpowiedziała niewzruszona Beti.

– Myśl o czymś innym niż łaskotki – nad wyraz inteligentnie podpowiedziała Aleksandra, stukając się kieliszkiem martini z Anną.

– Niby o czym?

– Na przykład o tym, co robiłaś wczoraj przez cały dzień. Wydzwaniałam do ciebie ze sto razy.

– No cóż, byłam zajęta, przepraszam. Dopiero wieczorem zobaczyłam milion nieodebranych połączeń, ale skończyła mi się karta i nie mogłam oddzwonić.

– A cóż to tak zajęło twe myśli i ciało? – włączyła się do dialogu Anna.

– Hmmm, nie chcę was zgorszyć, ale... koń Ajrona. – Mariola kończyła drugi kieliszek wina, a że kieliszki Aleksandry mieściły dwieście mililitrów płynu, czuła się odważna i dowcipna. – Ałć! Co ja ci zrobiłam, że tak mnie gnębisz? – zwróciła się Beaty, której ręka lekko drgnęła, pozostawiając na różanej stopie czerwony ślad.

– Sorki...

– I co z tym koniem? – zaciekawiła się gospodyni.

– Ogier czy wałach?

– Klacz, moja droga szwagierko, piękna, czarna klacz. Spokojna i łagodna. Pięcioletnia, po tatusiu jakimś tam i od mamusi Primadonny. Wiedziałyście, że źrebakom nadaje się imiona zaczynające się na tę samą literę co imię matki? A że klaczka urodziła się pierwszego kwietnia, Ajron nazwał ją Prima Aprilis. W skrócie Prima. Jest cudna, po jeździe dałam jej w nagrodę jabłko i wzięła je z mojej ręki delikatniej niż Dawid pierogi.

– W nagrodę za co?

– Za to, że mnie nie zabiła oczywiście.

Wszystkie cztery zachichotały pijacko. No może Beata najmniej, bo jako operująca ostrymi narzędziami piła dopiero pierwszy kieliszek.

– Co tu tak wesoło? – Przez otwarte drzwi, do łazienki wsunęła się głowa Piotrka. – Uuu... widzę, że grubo... Domyślam się, że ja dziś usypiam Miśkę?

– Cieszę się, kochanie, że nadal rozumiemy się bez słów – potwierdziła Aleksandra. – I wiesz co? Proponuję, żeby dzisiaj zrobić jej dzień dziecka. Nie chcę, żeby moja malutka patrzyła na te alkoholiczki. Jeszcze będzie miała w nocy koszmary...

– No nie przesadzaj! – oburzyły się solidarnie dziewczyny.

Piotrek pokiwał głową z lekkim politowaniem, oferując się na odchodne:

– Jak będziecie chciały, żeby was porozwozić do domów, to dajcie znać.

Beata wybrała jaskraworóżowy kolor i zaczęła pokrywać nim paznokcie Marioli.

– Kontynuuj, amazonko – pogoniła ją Anna.

– A co mówiłam?

– Że spokojna i łagodna.

– Aaa... No więc tak, spokojna i łagodna. W odróżnieniu od pańcia. On ma naprawdę hyzia na punkcie tych swoich koni. Stajnie czystsze niż moje salony. Uprzęże i siodła równiutko powieszone, słoma i siano poukładane w kupki. A jak on o nich opowiada... z taką pasją i miłością... że prawie go pocałowałam.

– NIEEE!

O nie! Czy ja powiedziałam to na głos? – spłoszyła się Mariolka.

– Czemu tylko prawie? – zdenerwowała się Anna, po czym jej wzrok skupił się na Beacie.

– A ty zwariowałaś? Po co jej tyle warstw kładziesz na ten jeden paznokieć, przecież wygląda już, jakby był spuchnięty. Nie trać tyle lakieru, ja też chcę ten.

Skruszona Beata złapała za zmywacz.

– Jak to „pocałowałaś"? – zaniepokoiła się Aleksandra. – Jerzy wie?

– Ty to jesteś nienormalna – stuknęła ją w głowę Anna, lekko chybiąc i prawie wybijając szwagierce oko. – Skąd ma wiedzieć, skoro przecież go tu nie ma?

– No ale gdzieś tam jest, nie?

– Ale skoro jest gdzieś tam, a nie tu, to tak jakby go nie było, nie? – nieco tajemniczo wyjaśniła jej policjantka. – Poza tym ciekawa jestem bardzo, kiedy Mariolka siedziała ostatnio na jego koniu.

– To ty jesteś nienormalna. Przecież Jerzy nie ma konia. On jest informatykiem.

– No, więc jeśli sama potwierdzasz, że Jerzy jest, że tak powiem, bezkonny, to ja dalej nie rozumiem, dlaczego Mariolka tylko prawie pocałowała doktorka, zamiast się na niego rzucić jak dzika bestia.

Zdezorientowany przedmiot kłótni wodził wzrokiem od jednej zaperzonej przyjaciółki do drugiej.

– Bo Mariolka nie jest dziką bestią jak ty, tylko porządną dziewczyną. – Aleksandra odpaliła najcięższe działo.

– Więc według ciebie ja jestem nieporządna? – Anna wstała gwałtownie, po czym zachwiała się niebezpiecznie w śliskiej od mydła wodzie i po krótkim zastanowieniu usiadła z powrotem.

– Według mnie ty nie masz męża, więc możesz się rzucać, na kogo chcesz, pod warunkiem że ten ktoś nie ma gdzieś kogoś, komu zrobiłabyś krzywdę swoim rzucaniem. A Mariolka powinna najpierw załatwić sprawę z Jerzym, a dopiero później przespać się z Ajronem.

– Ciekawe, jak ma tę sprawę załatwić. Według mnie ona powinna załatwić nie sprawę, ale Jerzego. I to już dawno. A przespać się z Ajronem powinna choćby zaraz. Czy ty wiesz, jak frustrująco na czterdziestkę wpływa brak seksu?

– Wyobraź sobie, że wiem, bo Piotrek prawie trzy dni był na kursie w Szczecinie – święcie oburzyła się Ola.

– Nie, moja droga, nie wiesz i nie kłam mi tu w żywe oczy, bo ty przecież jeszcze nie masz czterdziestki. A ty, Mariolka, jak już jesteś zrobiona, to przynieś z kuchni wino, bo się skończyło. Beti, teraz ja, bo nie mam już ochoty siedzieć z Olką w jednej wannie.

– I bardzo dobrze, bo ja też nie mam ochoty. I możesz, Beti, wypaćkać cały ten lakier, bo nie życzę sobie mieć takich samych paznokci jak Anka.

Mariola z trudem podniosła się z kibla i z rozcapierzonymi palcami poszła do kuchni.

– Tylko nie zepsuj niczego! – krzyknęła za nią Beata i wzięła się za Anine pięty. Uwaga bojowo nastawionej Anny przeniosła się na Bogu ducha winną kosmetyczkę.

– A ty nie próbuj mi obciąć palca albo coś. Pamiętaj, że ja jestem policjantką i mogę cię zaares... zaersz... zaaresztować.

– Matko jedyna, czemu miałabym ci niby obcinać palce? – szczerze zdziwiła się Beti.

– Ponieważ ja, jako doskonały śledczy, odkryłam twoją tajemnicę i wiem, że się kochasz skrycie w Ajronie.

– ANKA! – zbulwersowała się znów Aleksandra. – Zamknij się, jak Boga kocham. Zajmij się swoimi złodziejaszkami i agresywnymi tatuśkami. Odwal się od Beaty. I od Mariolki też.

Na szczęście Mariola nie słyszała ostatniej wymiany słów. Nieco chwiejnym krokiem podeszła do lodówki, na której przyczepiona magnesami wisiała cała kolekcja kolorowych obrazków. Były tam królewny, serca i wielkie pałace namalowane przez Hanię, jak również sporo bazgrołów Michaliny. Z butelką martini w ręku wzruszona ciocia podziwiała dzieła dziewczynek. Nagle z zachwytem i zamyśleniem wpatrzyła się w jedną z abstrakcji dwulatki. *O matko, jaka ta Miśka jest utalentowana...* – pomyślała z rozrzewnieniem, otwierając wino.

Zaniepokojone długą nieobecnością Marioli i butelki kobiety wysłały Beatę na poszukiwanie jednej i drugiej. Beti nader chętnie to uczyniła, woląc zejść z oczu niepoczytalnym chwilowo przyjaciółkom.

– O matko, Mari, czego ryczysz? – Beata zastała Mariolę przy lodówce z na wpół pełną flaszką w dłoni. Czy też na wpół pustą, jak pewnie powiedziałby Jerzy.

– Bo tylko popatrz na to... – Mariola z nieobecnym wzrokiem wskazała ręką lodówkę.

Niepewna Beata postanowiła improwizować.

– Nie martw się tak, kochana... Przecież są markety całodobowe. Poprosimy Piotrka i przywiezie nam jeszcze jedną butelkę...

– Jaką butelkę, co ty bredzisz? Popatrz na ten obraz...

Dziewczyna obrzuciła wzrokiem bogatą wystawę.

– No... masz rację... ta księżniczka jest naprawdę piękna...

– No czy ty jakaś ślepa jesteś? Przecież to ja i Ajron...

Beata, jako nie do końca nadająca na tych samych falach, zdębiała.

– Gdzie?

Zirytowana Mariola palcem wskazała jej swój portret.

– Mari, co ty bredzisz? Przecież to jakieś bohomazy Miśki...

– No tak, ale popatrz pod tym kątem...

Koneserka sztuk pięknych niebezpiecznie się wychyliła.

– Teraz widzisz? Popatrz, to ja, a obok mnie Ajron. Trzyma mnie w ramionach i całuje. I mówi, że mnie kocha i że zajebiście jeżdżę konno. Widzisz? Bosko razem wyglądamy, nie?

Beata z niepokojem popatrzyła na Mariolę.

– Pioootreeek!

Gospodarz domu wbiegł do kuchni.

– Cicho! Miśkę dopiero uśpiłem. Powiem ci, że podziwiam Olę. Przeczytałem jej trzy książeczki, opowiedziałem dwie bajki, sam prawie przy tym usnąłem, a ona nic. Oczy jak pięć złotych. W końcu z desperacji zacząłem jej opowiadać o właściwościach waty mineralnej i dopiero padła. – Spojrzał na nieruchomo wpatrującą się w lodówkę szwagierkę. – A ta co?

– Nic, podziwia dzieło Michaliny.

– Ale ta Mariola to jednak wrażliwa jest, nie? – ucieszył się Piotr.

– Ja tam co prawda widzę same mazgaje, ale przecież dziecko na pewno odziedziczyło talent po matce. Ta Mariolka to jednak niegłupia jest...

– Niegłupia, owszem, ale do tego pijana jak szpak. Zawieź ją do domu, bo zdecydowanie ma już dość. My jeszcze posiedzimy, bo Olka ma wciąż paznokcie niewyjściowe. Aha, a jak będziesz wracał, to kup jeszcze jednego martiniaka, bo tego Mariolka sama obaliła....

W głowie Marioli maszerował pułk wojska. Z nim wędrowała chyba cała kampania doboszy z ogromnymi bębnami. *O matko... co się dzieje? ... To na pewno jakiś guz mózgu ... Umrę...* Kaca giganta łagodził odrobinę zapach kawy dobiegający z korytarza.

– Wstałaś już? – odezwał się Dawid przez jakąś koszmarną tubę.

– Wstałam, ale proszę cię, nie drzyj się tak. Mimo podeszłego wieku nie jestem przecież głucha...

Cudowne dziecko podstawiło jej pod nos mocną kawę.

– Boli główka? – bez większego współczucia zapytał chłopak.

Mariolka postanowiła nie poniżać się do odpowiedzi na to drwiące pytanie.

– Która godzina?

– Za pięć dwunasta.

– Coo?

Poderwała się gwałtownym ruchem, po czym opadła ciężko z powrotem, żałując głęboko pochopnie podjętego czynu.

– Leż, leż... – zlitował się syn. – Kozy wypuszczone, świnie nakarmione... Aha, tak na marginesie, robiłaś ostatnio cydr?

– Ze trzy dni temu, fermentuje we wiadrze. Dzisiaj miałam przelać go do baniaka. A co?

– Fermentował. Chyba Boczek się do niego wczoraj dobrał, bo zataczał się dziwnie. Chciałem nawet po doktorka zadzwonić, jakby do dziś mu nie przeszło, ale wszedłem rano do obory, a tam waliło tak jak w twoim pokoju teraz, więc domyślam się, że nie ma on żadnej śmiertelnej choroby... I nie martw się, mamuś, ty też nie umrzesz, choć pewnie tak ci się teraz wydaje...

Wredny gad, na własnej piersi wyhodowany, postawił kawę na stoliku nocnym i ewakuował się z sypialni matki. Wolnym, ostrożnym ruchem Mariola podniosła filiżankę do ust. *Matko jedyna... co to się wczoraj działo? Były umówione na babski wieczór u Aleksandry. Beata miała im malować paznokcie...* Spojrzała na swoje stopy. *No, na razie się zgadza* – pomyślała i poruszyła zakończonymi różowymi paznokciami palcami u stóp. – *Nie boli – to dobry znak. Piłam wino, siedząc na klopie w łazience Olki i... hmmm... czarna dziura.*

Z niesamowitym wysiłkiem podniosła się z łóżka i poczłapała pod prysznic, mając nadzieję, że zimna woda podziała jako lek na amnezję. Pół godziny później siedziała w kuchni przy kolejnej filiżance kawy, dalej co prawda z zanikiem pamięci, ale na szczęście również z zanikiem kwaśnego zapaszku. Na obiad odmroziła wyprodukowane któregoś dnia w hurtowej ilości pierogi ruskie. Dawid przejął obowiązki pani domu i wszedł do domu z wiadrem papierówek.

– Dzięki, synu – poczuła się w obowiązku powiedzieć Mariola. – Jak tam spływ się udał? – przypomniało jej się nagle.

– Super ekstra. Musisz sama kiedyś się wybrać. Może jak ojciec przyjedzie...?

– Może... – odpowiedziała bez przekonania, czując, jak robi jej się niedobrze na samą myśl o bujającym się kajaku.

– Jadę do Choszczna. Potrzebujesz czegoś?

– Kilo aspiryny...

Całe popołudnie snuła się po domu i obejściu. Umyła wiadro, w którym jeszcze wczoraj dojrzewał cydr, po czym prędko pobiegła poobejmować się czule z muszlą, gdyż zapach sfermentowanych jabłek jakoś dziwnie zadziałał na jej żołądek. Po kilku godzinach wrócił z miasta Dawid, przywożąc ze sobą Annę, która dzisiejszego dnia wyglądała nie jak kuzynka, ale jak jej rodzona siostra. Ich wory pod oczami wyraźnie wskazywały, że poprzedni wieczór spędziły na zabawie tymi samymi klockami, które – prawdopodobnie made in China – najwyraźniej były toksyczne.

– Cześć, Anka. Chcesz aspiryny?

– Polej – zgodziła się skwapliwie bliźniaczka.

Siedząc w zacienionej części tarasu, z kubkami musującej aspiryny w dłoniach, usiłowały wspólnymi siłami poukładać puzzle, z których składał się wczorajszy wieczór.

– Na pewno ścięłam się z Olką, bo pomalowała sobie paznokcie na czarno. A ona maluje tak, jak się wścieknie. Pytałam ją o co, ale też nie wie. Dzwoniłam do Beti, ale jakaś sfochowana, więc ją na wszelki wypadek przeprosiłam, ale i tak nic się nie dowiedziałam.

– Pamiętam, że siedziałyście na wannie, może ją tam wepchnęłaś?

– Może... – odpowiedziała Anna bez większego przekonania.

– Mam wrażenie, że to chodziło o jakiegoś chłopa.

– O Piotrka?

– Chyba nie, bo Piotrek powiedział, że fajnie się bawiłyśmy. Ponoć rozmawiałyśmy o sztuce i okazało się, że ty najlepiej z nas wszystkich znasz się na malarstwie.

– Zwariował? Przecież tylko Olka się na tym zna. Ja kojarzę tylko Picassa i Matejkę. I to pobieżnie.

– Wydaje mi się, że akcja poszła po tym, jak przespałaś się z Ajronem.

– MATKO BOSKA, to on też tam był?! – Mariolka zbladła jak prześcieradło i prawie zgniotła trzymany w dłoni kubek z leczniczą ambrozją. – I JA SIĘ Z NIM PRZESPAŁAM?!

– No co ty! Po co miałby tam być, chyba nie maluje sobie paznokci u nóg... Myślisz, że maluje?

– Stuknij się w łeb. To po co mnie straszysz? A zresztą co za bzdury wygadujesz?

– No przecież sama mówiłaś...

– Co mówiłam?

– No, że się bzyknęłaś z doktorkiem dzień wcześniej.

– Anka, czy ty nie masz czasem problemu alkoholowego? Jakie dzień wcześniej...

– No, jak cię uczył jeździć konno.

– Wiesz co, walnij ty się porządnie w czachę. Może i z wczoraj niewiele pamiętam, ale za to wcześniejsze dni bardzo dokładnie. Na pewno nie bzyknęłam się z doktorkiem i nigdy nie bzyknę.

– Nigdy nie mów nigdy... – zamruczała rozczarowana, ale i pełna nadziei na przyszłość Anna. – No ale skoro tak dobrze pamiętasz wcześniejsze dni, to opowiadaj.

– Przecież opowiadałam – zaperzyła się Mariolka.

– O rany, ale zapomniałam. Mów jeszcze raz.

Mariola westchnęła i w skrócie opowiedziała przyjaciółce swoje wrażenia z pierwszej po tak wielu latach jazdy konnej.

– No ale co było dalej? – zapytała z wypiekami na twarzy Anna, gdy Mariolka opisała jej hipnotyczny trans, w jaki wprowadził ją Ajron.

– No wiesz, jak to ja. Chciałam zwiać i Ajron prawie siłą musiał wyciągnąć mnie z samochodu. Powiedział, że jadąc taka spocona autem z otwartymi oknami, na pewno skończę w szpitalu, po czym pokazał drogę do łazienki i dał czysty ręcznik. – Zamilkła i wróciła wspomnieniami do tamtego dnia...

Stała pod zimną wodą, którą próbowała schłodzić swoje rozpalone ciało. Jej serce łomotało jak głupie, a płuca wolno wciągały i wypuszczały powietrze. *Oddychaj, durna, oddychaj...* – napominała samą siebie. *– Matko Boska, co on mi robi? Jak on mi to robi? Jakim cudem ja, czterdziestka z hakiem, czuję się jak nastolatka z liceum, która ujrzawszy nagle najcudowniejszego chłopaka świata, zakochała się w nim bez pamięci od pierwszego wejrzenia. Podobnie zresztą jak wszystkie pozostałe dziewczyny z klasy. Czemu znów czuję się jak młody podlotek, który odrywał się ze szczęścia od ziemi, gdy przedmiot uwielbienia powiedział „cześć", a wręcz rozpływał się w zachwycie, gdy dodał do tego choćby zdawkowy uśmiech. Przewentylowałaś się podczas jazdy, dziewczyno, nic innego, nadmiar tlenu podczas głębokich wdechów spowodował, że w twoim mózgu zaczęła się masowa produkcja endorfin, serotoniny i innej chemicznej mieszanki. A jeśli to nie to, to po prostu padło ci na łeb i tyle.* Wyszła niepewnie spod prysznica, nie wiedząc, czego się spodziewać. Będzie zły, rozbawiony, zdenerwowany...?

Na pewno nie spodziewała się seansu filmowego. Tymczasem Ajron, przebrany już w zwykłe szorty i koszulkę, wstawiał do mikrofali torebkę z popcornem. Na ławie przed telewizorem stała salaterka z chipsami, słone paluszki i butelka coli.

– Po takim wysiłku należy ci się leżenie przed telewizorem z nogami na stole i nadrabianie spalonych kalorii niezdrowym żarciem. Siadaj i odpoczywaj, a ja zorganizuję błogie popołudnie.

Zgodnie z poleceniem Mariola usiadła na kanapie i zastanawiała się nad rozwojem sytuacji. Przypomniały jej się ostrzeżenia Beaty. *Pewnie zaraz puści jakąś "Pretty Women" albo inną bajeczkę o współczesnym kopciuszku* – pomyślała z lekkim rozczarowaniem.

Rozległ się brzęk mikrofalówki i po chwili z kolejną miską, tym razem wypełnioną po brzegi prażoną kukurydzą, podszedł Ajron. Postawił salaterkę obok pozostałych i usiadł blisko kobiety, która poczuła, jakby kanapa jakimś czarodziejskim sposobem zmniejszyła swe wymiary co najmniej o połowę. Przez chwilę milczał i patrzył na nią dziwnie. Nagle, skrępowany, przełknął ślinę i spojrzał jej prosto w oczy.

– Nie znamy się za długo, ale wiedz, że ci ufam. Pragnę odkryć przed tobą jeden z moich najmroczniejszych sekretów, ale mimo wszystko chciałbym, aby po tym wyznaniu nic się między nami nie zmieniło. Wiem, że będzie to trudne, może niemożliwe, wiem, że możesz się ode mnie odwrócić na zawsze, ale proszę, spróbuj mnie zrozumieć.

Przerażona Mariolka zmartwiała. *O matko, co on chce mi powiedzieć?*

– Chcę ci pokazać, przy czym się relaksuję. Ostrzegam, to może być szok. Niewielu mężczyzn byłoby w stanie przyznać się do takich dewiacji... i nie dziwię się. Nie jest to powód do dumy dla żadnego dojrzałego faceta... więc tym bardziej proszę cię o wyrozumiałość...

O Matko Boska! – była gotowa w każdej chwili zerwać się i uciec. – *On chyba nie chce puścić mi Klossa?*

Wolnym, przyczajonym krokiem indiańskiego wojownika, z nieprzeniknioną miną, Pocahontatus podszedł do DVD i włożył płytę.

– Na pewno jesteś na to gotowa? – zapytał, trzymając w ręku pilota. – Potem nie będzie już odwrotu.

Nie, nie jestem, chcę stąd wyjść... – gorączkowo krzyczała w myślach Mariolka, ale było już za późno i czołówka filmu ukazała się na ekranie sześćdziesięcioczterocalowego telewizora. Oniemiała kobieta zamarła w pół ruchu... Obracająca się wokół swojej osi kostka z pochylonymi literami HB znikła i z telewizora popatrzyła na nią twarz... Freda Flinstona.

– Jabadabadabaduuu!!! – zawył Ajron i rzucił się na miejsce obok Mariolki, śmiejąc się jak wariat i rozsypując popcorn. – Uwielbiam stare bajki Hanna-Barbery. Mogę do znudzenia oglądać misia Yogiego i psa Huckleberry'ego. A Tom i Jerry to po prostu mistrzostwo świata...

– Ajron! Ty czubku! Wiesz, jak mnie przeraziłeś!?

Po odbyciu szybkiej, lecz gwałtownej bitwy na poduszki zgodnie zaśmiewali się z kreskówek...

–No i oglądaliśmy bajki ze dwie godziny, objadając się popcornem i paluszkami, rżąc jak te osły. Gdyby ktoś nas obserwował, z pewnością zadzwoniłby po pogotowie...

Anna również rżała jak oślica i uspokoiła się dopiero po dłuższej chwili.

– Wiesz co, Mariolka? Lubię tego Ajrona.

– Ja też – przyznała Mariola i znów cofnęła się myślami...

Zmierzch już zapadał, gdy stali pod płotem „Rapsodii", każde oparte o swój samochód.

– Przyznaj się, myślałaś, że chcę cię uwieść za pomocą jakiejś komedii romantycznej. – Ajron jak dziecko cieszył się z własnego dowcipu. – Pewnie myślałaś, że puszczę ci coś w stylu „Notting Hill"?

– Spodziewałam się raczej „Pretty Woman" – przyznała się roześmiana Mariola. – A później oczekiwałam jakiegoś wyuzdanego pornola...

– No wiesz, mam i takie, jeśli wolisz...

– Zdecydowanie wolę Flinstonów – ucięła krótko kobieta.

Stali tak jeszcze z kwadrans, nie mogąc się rozstać, i być może staliby kolejny, gdyby nie obawa Marioli o to, jak wyglądało jej gospodarstwo przez cały dzień pozostawione na pastwę zwierzyńca. I o to, jak wyglądał zwierzyniec pozostawiony sam sobie.

Rozdział 16

−To fantastycznie, panie Marcinie! Ma pan u nas zapewnioną dozgonną wdzięczność. A u Mariolki dodatkowo hektolitry herbaty i tony konfitur porzeczkowych. Naprawdę nie wiem, jakich czarów pan użył, no ale grunt, że zadziałały... Przekażę jej już za sekundę, bo tak się złożyło, że nocowałam dziś w „Rapsodii", i właśnie siedzi obok mnie... Pojadę osobiście... Do widzenia. − Anna z niedowierzaniem podniosła na Mariolę szeroko otwarte oczy. − Zgadnij, kto dzwonił?

− Domyślam się, ale co mówił? Co załatwił?

− No to domyśl się również, kto będzie dziś spał w pięknym kubusiowym pokoiku? Podpowiem, że nie będę to znowu ja...

− Nie gadaj! Już dzisiaj? Matko Boska, lecę wymienić pościel.

Mariola pobiegła do domu tak szybko, że Anna zastanowiła się chwilę, czy się nie obrazić. *Tak niby śmierdzę, że natychmiast musi wietrzyć kołdrę...?* Postanowiła jednak wybaczyć kuzynce brak taktu i ruszyła do pomocy.

Spanikowana Mariola biegała po pokoju, jakby zażyła niezłą porcję dopalaczy. Zdążyła już powlec kołdrę i poduszkę w niedawno kupioną pościel i łóżko zamieniło się w błękitne jezioro, po którym pływały białe łabędzie. W smugach słońca wpadających przez otwarte na oścież okna wirowały drobinki kurzu.

– Muszę jechać do miasta na zakupy. Muszę kupić jakieś mydło dla dzieci, szampon, zabawki... – spojrzała z paniką na Annę. – Matko Boska, przecież ja tu nie mam ani jednej zabawki!

– Opanuj się! Po Emilkę mam się zjawić około piętnastej. Do tej pory zdążymy wszystko kupić, a zabawek Olka dostarczy ci ze dwa worki. Będzie miała bidulka w czym wybierać. Nie picuj tak, przecież wszystko błyszczy. Kończymy kawę i jedziemy. Ty do Choszczna, a ja do Stargardu.

W mieście Mariola wykupiła pół Rossmanna, ogołociła kilka sklepów ze słodyczami i taszcząc pod pachą wielkiego pluszowego psa, ledwo wlazła do samochodu. *Ratunku, nie zdążę ze wszystkim* – pomyślała, dociskając do dechy pedał gazu. Zaniosła psa do pokoju i parę minut straciła, ustawiając go w różnych miejscach. W końcu posadziła pluszaka na łóżku i pobiegła do łazienki. Na rolce powiesiła miękki, różowy papier toaletowy i poustawiała kosmetyki na półce. Pędem rzuciła się do kuchni. *Pomidorowa, to wszystkie dzieci lubią, na drugie naleśniki z serem. Niee... nie zdążę. Makaron na słodko.* Szybko ukręciła mikserem czekoladową masę i wlała do foremek na muffiny. W garnku pachniał już bulion ze sklepowego kurczaka, gdyż prawdziwa kura od Robaczków, która mroziła się od kilku dni w zamrażarce, potrzebowałaby dobrych trzech godzin, zanim nadawałaby się do zjedzenia. Fakt, że wywar byłby sto razy pyszniejszy i zdrowszy, przegrał z pośpiechem, gdyż każda minuta była na wagę złota. Gdy wszystko było jako tako ogarnięte, wzięła się za siebie. Szybko spłukała kurz i pot pod prysznicem i włączyła suszarkę do włosów. Zerknęła na zegarek – było piętnaście po trzeciej. *Matko Boska, mogą być w każdej chwili!*

– Dawid! – wydarła się do syna, który właśnie wrócił nie wiadomo skąd. – Zamknij Boczka w jego boksie, bo jeszcze wystraszy małą. Wiesz przecież, że z wielkim kwikiem leci do każdego gościa i żebrze o żarcie! I na wszelki wypadek zamknij z nim Sabę, bo może mała boi się psów...

– Przestań, mamo – zaśmiał się będący w wyjątkowo dobrym humorze Dawid. – Przecież Saba to najpoczciwsza psia babcia na świecie.

– Nie mądruj się, tylko leć. Anka może być już tuż-tuż...

Przesadzała właśnie po raz setny pluszowego psa, gdy usłyszała samochód. Rzuciła go byle jak na łóżko i zbiegła na dół. Starała się uspokoić oddech i ubrać twarz w spokojny, gościnny uśmiech, ale nerwy sprawiały, że jej usta drżały jak w gorączce. Podobnie zresztą jak ręce i nogi. Niebieska corsa Anny przejechała przez bramę wjazdową.

– Co jest? – zapytała cicho Dawida. – Widzę tylko Annę...

Chłopak stał obok niej, przyjaźnie zaciekawiony, oczekując na nową lokatorkę. Otworzyły się drzwi i Anna wysiadła z samochodu. Odsunęła swój fotel, pogmerała przy pasach bezpieczeństwa i zrobiła krok w tył. Przez chwilę czas się zatrzymał, po czym z auta ostrożnie wysunęła się mała noga obuta w znoszony sandał.

– Chodź, Emilko – serdecznym głosem odezwała się do nóżki Ania. – Ciocia Mariola już nie może się doczekać, aby cię poznać.

Za małą nóżką powoli wyszła mała dziewczynka, miętosząca w dłoniach szmacianą laleczkę. Postała chwilę, nieśmiało podniosła głowę, podeszła do Anny i kurczowo złapała ją za rękę. Marioli serce pękło na tysiąc kawałków, gdy popatrzyła na tę maleńką, nieśmiałą dziewczyneczkę. Blond loczki wiły jej się wokół drobnej twarzyczki, rączką tak ściskała dłoń policjantki, że widać było wszystkie białe kosteczki nadgarstków. Drobne stopy w wypłowiałych, zielonych sandałkach niespokojnie przestępowały z jednej na drugą.

– Chodź, kochana, pójdziemy do domu. Czuję smakowite zapachy, coś mi się zdaje, że ciocia ugotowała jakieś pyszności na nasz przyjazd...

Z trzymającą się wciąż kurczowo jej ręki małą podeszły do obojga Mężyków.

– Witaj w „Rapsodii", Emilko.

Mariola przykucnęła i uśmiechając się, podała dziewczynce rękę. Dziecko ani drgnęło, ściskając jedynie jeszcze mocniej rękę Ani i patrząc z przerażeniem na nieznajomą twarz.

– Nie bój się, głuptasku. – Anna pogłaskała ją po złotej główce. – Mówię ci, to jest najlepsza ciocia pod słońcem, prawda, Dawidzie? – rzuciła chłopakowi krótkie spojrzenie z prośbą o wsparcie.

– Prawda – potwierdził chłopak, również klękając, ale nauczony doświadczeniem matki nie spoufalał się za bardzo.

– A jakiego pięknego pluszowego psa kupiła ci na przywitanie... Chcesz zobaczyć?

Mała głośno przełknęła ślinę i kiwnęła głową. Obie kobiety leciutko uśmiechnęły się do siebie ponad głowami Emilki i klęczącego Dawida. Dziecko spojrzało na Annę, pytającym wzrokiem, prosząc o radę i wciąż nie rozluźniając zaciśniętych paluszków.

– Pójdziemy wszyscy, dobrze?

Dziewczynka ponownie kiwnęła głową i cała procesja ruszyła na pięterko. Otwierając drzwi kubusiowego pokoju, Mariola wstrzymała oddech. Dawid wszedł pierwszy i uśmiechając się do dziecka, szeroko rozłożył ramiona.

– Patrz, mała. Będziesz tu mieszkała jak prawdziwa księżniczka. Ej ty, Fafik, posuń się... – podszedł do łóżka, na którym siedział wielki pluszak, i pstryknął go w nos. Pies przewrócił się na bok. – Nie myśl sobie, że całe łóżko jest twoje, musisz się nim podzielić z tą oto twoją nową panią – wskazał ręką Emilkę, która puściła w końcu dłoń Anny, a kąciki jej ust lekko podniosły się do góry w zapowiedzi rychłego uśmiechu. Pytając wzrokiem opiekunkę, podeszła powoli do zabawki. Kobieta skinęła potakująco głową.

– Pies jest twój. Podobnie jak i cały ten pokój.

– Czy ja tu będę teraz mieszkać? Ile dni? – po raz pierwszy odezwała się dziewczynka cichym głosem, podchodząc do łóżka i łapiąc za oklapnięte ucho psa.

– Będziesz tu naszym najmilszym gościem przez tyle dni, ile będziesz chciała – odpowiedziała wzruszona Mariolka, z całych sił zaklinając przeklętą łzę, która od dłuższego czasu usiłowała wydostać się z oczodołu.

– Czy mama tu też przyjedzie? – zapytało dziecko i z nadzieją spojrzało na nową ciocię.

Nowa ciocia z paniką spojrzała na starą ciocię.

– Jak wyzdrowieje, to przyjedzie tu po ciebie – obiecała jej Anna.

Buźka małej rozpromieniła się jak słoneczko.

– A tatuś?

– Nie, kochanie. Tatuś na razie zamieszkał w innym domku.

W takim, gdzie okna mają kratki, klawisze wygrywają kołysanki na dobranoc pałkami po plerach, a współmieszkańcy srają do kolacji – pomyślała mściwie pani policjant, po czym, jak gdyby żadne takie myśli nie przemknęły jej po głowie, a może właśnie dlatego, uśmiechnęła się słodko do małej.

– Jestem głodna jak wilk. Idziemy przekąsić coś pysznego?

– Nie chce mi się jeść. W poprzednim domku zjadłam obiad. Mogę sobie tutaj pobyć?

– Jasne. Chcesz, żebym pobyła tu z tobą?

– Nie, ty idź z nową ciocią jeść, ja pobędę z Fafikiem.

– Możesz go nazwać, jak chcesz – odezwał się Dawid. – Może Burek albo Azorek, albo nawet Czomolungma.

– Nie, on mi powiedział, że ma na imię Fafik.

Dziewczynka najwyraźniej chciała, aby zostawiono ją samą. Pewnie po to, by lepiej zaprzyjaźnić się ze swoim nowym, nieznanym psem i nowym, nieznanym poczuciem bezpieczeństwa.

Mariola i Anna siedziały zamyślone nad talerzem pomidorowej.

– Ona jest taka drobniutka, że początkowo myślałam, że coś poszło nie tak i przyjeżdżasz sama. W ogóle nie widziałam jej na tylnym siedzeniu.

– No wiesz, mój samochód do limuzyn raczej nie należy, ale prawda, zniknęła nawet w tak małym wnętrzu. Wyobraź sobie, że ona prawie przez całą drogę nie wypowiedziała żadnego słowa. Jedynie tak i nie, w odpowiedzi na moje pytania. Ona nie zgubiła się tylko w tym aucie. Ona jest ogólnie zagubiona i naszym zadaniem będzie pomóc jej się odnaleźć.

Mariola zastanawiała się chwilę nad słowami kuzynki.

– Ja to jednak świnia jestem, wiesz?

Anna popatrzyła na nią pytająco.

– Tak się długo zastanawiałam... Bałam się o swoje wygodne życie, martwiłam się, czy mi głupi twaróg wyjdzie albo wzdychałam do Ajrona... A tu, ledwie kilkanaście kilometrów od „Rapsodii", takie tragedie się dzieją...

– Nie jesteś świnia – nad wyraz poważnie odpowiedziała Anna, po czym dodała: – Choć faktycznie czasem masz wyraz ryjka podobny do Boczka, szczególnie jak zwietrzysz Paco Rabanne, którym pachnie nasz wspólny znajomy weterynarz. To znaczy po pracy, bo w pracy pachnie trochę mniej przyjemnie...

– Ha, ha, ha, bardzo zabawne... Tobie natomiast nader często zdarza się prychać jak koń, gdy coś się dzieje nie po twojej myśli.

– No wiesz, w sumie wolę być szlachetnej krwi klaczą niż tarzająca się w błocie maciorką... Choć tak naprawdę to masz rację. Ja też czasem, jak mam doła po jakimś świńskim dniu w pracy, siadam z drinkiem w dłoni i patrzę w okna sąsiadujących domów. Tak mnie nachodzi wtedy, że za każdym oknem dzieje się jakaś historia. Za którymś kłóci się mąż z żoną, za innym być może umiera stary człowiek, a za innym płacze dziecko gnębione przez takiego skurwiela jak ojciec Emilki. A reszta ogląda sobie film w telewizji albo popija drinka jak ja...

– Kogo jak kogo, ale ciebie nie można raczej posądzić o znieczulicę, więc nie bądź taka zgorzkniała. Robisz, co możesz.

– Masz rację. Siedzenie i zrzędzenie nic nie da, trzeba coś robić. Może się uda, może nie, ale jak to mówią, kto nie ryzykuje, ten nie pije szampana... A teraz dawaj tę babeczkę, bo naprawdę bosko pachnie.

Mariola nałożyła na talerzyki ciasto i wyciągnęła z lodówki mleko.

– Może ją zawołamy? Jak sądzisz?

– Nie. Dajmy jej czas na przyswojenie sobie myśli, że przez jakiś czas będzie tu mieszkać. Niech się odważy i sama zacznie z tobą komunikować. Nic na siłę, mamy czas. Matka małej będzie w szpitalu jeszcze co najmniej miesiąc, bo wdały się jakieś dodatkowe powikłania. Sepsa czy gronkowiec, nie znam szczegółów, ale nie za bardzo można ją teraz odwiedzać. Może to i dobrze, bo gdybyśmy pojechały z Emilką do szpitala, tak jak planowałyśmy, to mała znowu przeżyłaby traumę, kolejny raz oderwana od matki. Choć z drugiej strony na pewno bardzo za nią tęskni...

– Może przekażemy jej telefon przez pielęgniarkę czy salową i Emilka chociaż z nią porozmawia? Może byłaby wtedy pewniejsza i ośmieliłaby się mi zaufać?

– Ekstra. Tak zrobimy. Jutro. A na razie spadam. Aleksandra chciała oczywiście też przyjechać tu jeszcze dziś, ale wybiłam jej to z głowy. Za dużo emocji i nowych twarzy nie będzie na razie dla dziecka korzystne. Tym bardziej że te emocje, które miała ostatnio, niejednego dorosłego zwaliłyby z nóg.

Anna złapała jeszcze dwa muffiny i po zastanowieniu zdecydowała pojechać do domu bez uprzedniej wizyty w dziecięcym pokoju. Mariola wstawiła talerze do zmywarki, ogarnęła kuchnię i trawiona niepokojem podeszła na palcach pod kubusiowy pokój. Długą chwilę stała pod drzwiami, ale żaden, nawet najmniejszy szmer nie dobiegł do jej uszu. *Słoik mam przystawić do ściany czy jak?* – zastanawiała się niby żartem, choć z upływem kolejnych sekund ten pomysł, rodem ze szpiegowskich filmów, coraz bardziej ją kusił.

– A ty co? – zaskoczył ją Dawid, gdy stała z uchem przy samych drzwiach. – W Bonda się bawisz czy naszego swojskiego Hansa?

– Denerwuję się. Już ze dwie godziny tu siedzi...

– No to niech siedzi, jak potrzebuje. – Dawid wzruszył ramionami jak za starych, nie tak wcale dobrych czasów. – Przestań się nad nią trząść jak jakaś kwoka. Nie traktuj jak dziecka specjalnej troski.

– Ona właśnie zasługuje na specjalną troskę – zaperzyła się szeptem Mariolka.

– Ona zasługuje na normalną troskę, a nie na zbudowanie dookoła niej jakiegoś sztucznego kokonu. Co robiłaś, jak martwiłaś się o mnie?

– Jak to co? Wchodziłam i sprawdzałam.

– No to wejdź i sprawdź. – Dawid ponownie wzruszył ramionami nad dziwnym zachowaniem matki i poszedł do kuchni.

Faceci – pomyślała z pogardą Mariola. – *Wrażliwi jak Boczek przy korycie. I pewnie pognał właśnie do koryta...* Jej samej łyżka zupy i pół babeczki dalej stały w gardle. Po namyśle postanowiła posłuchać jednak rady syna i delikatnie otworzyła drzwi pokoju. Widok, jaki zastała, rozczulił ją prawie do łez, nie pierwszy zresztą tego dnia raz. Na środku pokoju leżały porzucone sandały, a Emilka słodko spała pod błękitną kołdrą, przytulając do siebie większego niż ona sama Fafika.

ROZDZIAŁ 17

Po sześciu dniach Mariola zaczęła się martwić, że nie radzi sobie z rolą tymczasowej opiekunki. Emilka była posłuszna, z apetytem zjadała wszystkie posiłki, grzecznie odpowiadała na zadawane pytania i sumiennie wykonywała wszystkie polecenia. Najchętniej jednak przebywała w kubusiowym pokoju albo wśród zwierząt.

– No mówię wam, jak aniołek żywcem sprowadzony z nieba. A ja czekam z utęsknieniem, kiedy wyrosną jej różki. Choćby najmniejsze. Czekam, żeby mi odpyskowała, czegoś nie zrobiła... Marzy mi się, żeby na przykład okno jakieś stłukła albo pokłóciła się z Dawidem...

Trzy przyjaciółki siedziały na tarasie i rozmawiały, popijając cappuccino. Początek sierpnia był równie upalny jak koniec lipca, choć słońce coraz prędzej znikało za horyzontem. Miśka na spółkę z Boczkiem wcinała z apetytem oskrobane marchewki, które przyniosła „na zupkę dla tej biednej kruszynki" wrażliwa pani Robaczkowa. Aleksandra bez większych wyrzutów wymyła i pokroiła sporą ich część, gdyż dostarczona ilość starczyłaby na kocioł zupy dla całego pułku wojska i to po ostrej bitwie.

– Ty to jednak nie jesteś całkiem normalna – skomentowała wypowiedź szwagierki Ola. – Ile ja bym dała, żeby moje dwie diablice były takimi aniołkami...

– A ja wiem, o co jej chodzi – poparła Mariolę Anna. – Popatrz na Miśkę. Brudna, rozczochrana po kłótniach o marchewkę z Boczkiem, zdarte kolana po ataku na krzaki, że nie wspomnę o zapachu, jaki roztaczała, gdy wspięła się wtedy za Mandarynką na kupę gnoju w sadzie...

Razem z Mariolą zachichotały na to wspomnienie, a Aleksandra podniosła oczy do nieba.

– Ty mi tego nie przypominaj! Ile ja różnych proszków zużyłam, żeby doprać jej ciuchy... Zresztą po wypraniu i tak miały plamy i poszły do kosza.

– Ale popatrz na nią – kontynuowała Anna. – Oczy się błyszczą, na twarzy rumieniec, buźka wciąż się śmieje... no albo ryczy, ale cały czas okazuje jakieś emocje. A spójrz na Emilkę... Tak jakby była bladym odbiciem Michaliny. Porównaj ją z Hanią. Przy twojej starszej córce wygląda jak... – Ania chwilę szukała obrazowego porównania i jej wzrok zatrzymał się na warzywniaku sąsiadów – ... jak ogórek przy cukinii – błysnęła elokwencją.

– Sama jesteś jak cukinia. Albo bakłażan! Sugerujesz, że Hanka jest za gruba? – święcie oburzyła się Aleksandra.

Śmiejąc się, mimo nienastrajającego w sumie do śmiechu tematu, Mariola opuściła przyjaciółki i poszła do kuchni po dokładkę ciasta, które również dla „kruszynki" upiekła pani Robaczek. Krojąc pokaźne porcje, usłyszała cichą rozmowę dobiegającą z dziecięcego

Starała się jak nigdy, bo chciała uwiecznić swoje dzieło na zdjęciu i potraktować jako reklamę. A nasza kochana Oleńka wróciła do domu, jednym tipsem otworzyła mleko, a drugi skroiła do sałatki. Przez tydzień unikała Beaty, bo bała się, że zginie śmiercią tragiczną z rąk własnej kosmetyczki.

– Ty też nie byłaś lepsza – odgryzła się Ola. – Pamiętasz, jak Beata pomalowała cię na ślub Grześka, a ty posiałaś gdzieś kluczyki od samochodu i wpadłaś do kościoła, nie dość że spóźniona, to jeszcze z twarzą pandy, bo padał wtedy deszcz?

– Proszę cię! Nie przypominaj mi tego upokorzenia! Wszyscy się na mnie gapili, a ja myślałam, że to dlatego, że tak świetnie wyglądam, i kretyńsko się do nich uśmiechałam!

– Mami... obieś. – Michalinka przybiegła z sadu z kilkoma papierówkami.

– Powinnaś zająć się owocami, Mari. – W Aleksandrze odezwała się gospodyni. – Mam świetny przepis na cydr. Jest idealny jako naturalny napój musujący na letnio-wczesnojesienne upały. Bierzesz trochę słodkich i trochę kwaśnych jabłek i wyciskasz je w sokowirówce razem ze skórkami. Jak trochę przefermentują, przelewasz do butelek po piwie, do każdej wsypujesz łyżeczkę cukru – od tego zrobią się bąbelki – kapslujesz, odstawiasz na kilka dni i gotowe. Jak nie masz butelek, służę pomocą. Gdybym zaniosła je do skupu, to Piotrek mógłby chyba drugą chatę postawić...

Przez tylną furtkę od strony łąki Dawid z Hanią i Sabą, która pomagała jak umiała, przypędzili kozy.

spódnicę w kwiaty i błękitny top na ramiączkach. Na stopy wsunęła pierwsze z brzegu japonki.

Anna krytycznie zmierzyła ją od stóp do głów.

– No cóż. Wiem, gdzie pójdziemy następnym razem. Shopping, mówi ci to coś? Ale spoko, Beti ubiera się podobnie, kiedy idzie do swoich psiaków, więc na pewno dojrzy w tobie bratnią duszę.

– Ha, ha, ha, pękłam ze śmiechu... – odburknęła obrażona Mariolka. Mimo to wsiadła za Anną do auta i ruszyły w drogę.

–Super ci w tych włosach!

Dzień później siedziały na tarasie i popijały martini z wysokich kieliszków. Było piękne, słoneczne popołudnie, delikatny wietrzyk przynosił zapach siana, które Piotr i Dawid ładowali na stryszek stodoły.

Mariola siedziała na bujaku i machała stopą. Czerwony lakier błyszczał pięknie na jej paznokciach.

– Elka uwielbia strzyc, farbować i robić różne cuda z włosami. To prawdziwa mistrzyni nożyc i grzebienia. Z naszego kopciuszka zrobiła prawdziwą seksbombę – potwierdziła zachwyt Aleksandry Anna.

– A pamiętasz swoje sławetne tipsy? – Obie dziewczyny zachichotały.

– Mówię ci, Mari, jak Beti wściekła się wtedy na Olkę. To było już kilka dobrych lat temu, kiedy sztuczne paznokcie robiły się modne. Beata produkowała się ze trzy godziny. Przyklejała, piłowała, malowała jakieś wzorki.

– Mamo, Mandarynka strasznie kuleje. – Dawid miał zaniepokojoną minę, a Hania prawie płakała.

– Bo ona się, ciociu, zaplątała w jakiś drut, co był na łące. Bardzo się szarpała, jak Dawid chciał jej pomóc, i ten drut jej się coraz mocniej wrzynał i ona całą nóżkę ma teraz zakrwawioną... – Łzy jak grochy potoczyły się po twarzy dziewczynki.

– Aja płacie? – zaniepokoiła się Michasia.

Wszystkie trzy kobiety poderwały się i podbiegły do kózki. Rzeczywiście, Mandarynka stała tylko na trzech nogach, a z tylnej lewej na ziemię spadały ciemnoczerwone krople krwi. Mariolka pobiegła do domu po wodę utlenioną. Wróciła z prędkością błyskawicy.

– Anka, pomóż mi, bo nie dam rady jej utrzymać! – krzyknęła do kuzynki.

– A ty, Ola, zajmij czymś dzieci – dodała, bo obie dziewczynki zgodnie ryczały. Hania nad losem biednej kózki, a Misia nie za bardzo wiedziała czemu, ale z pełnym entuzjazmem solidaryzowała się ze starszą siostrą.

Anna trzymała wyrywającą się i beczącą, bardziej chyba ze strachu niż z bólu, Mandarynkę. Mariola polewała całkiem sporą ranę wodą utlenioną i usiłowała założyć prowizoryczny opatrunek, a Dawid pobiegł po Piotrka, który razem z Robaczkiem odkrywał tajemnicę buntu silnika prawie nowego traktora Ursus C-330. Michalina dała się namówić i poszła z Olą do salonu na bajkę, ale Hania nie pozwoliła oderwać się od swej ulubienicy.

– Ciociu, czy ona umrze?

– Ależ skąd! Jutro postoi cały dzień w oborze. Rano na wszelki wypadek zawołamy jakiegoś weterynarza, który obejrzy ranę i powie, co dalej. Nic się nie martw, kochanie. Spójrz na Mandarynkę. Ona już ma minę, jakby chciała coś spsocić. Głowa do góry, obiecuję ci, że wszystko będzie OK.

Pełna wątpliwości dziewczynka potrząsnęła głową.

– Ale na pewno zawołasz weterynarza? Pies Kingi kiedyś strasznie sapał. Kinga prosiła tatę, żeby poszli do lecznicy, ale oni nie poszli... i Kinga nie ma już psa. – Usteczka Hanusi zadrżały, a z oczu znów spłynęła pojedyncza łezka.

– Obiecuję ci to na tysiąc procent. Pierwsze, co jutro zrobię, to poszukam weterynarza dla Mandarynki.

Dziecko dało się uspokoić i odprowadziło pacjentkę do obórki, zgarniając po drodze obierki po jabłkach, które z pewnością miały za zadanie złagodzić ból w zranionej nodze kozy. Reszta stada stała już w swoich boksach i bez jakichkolwiek oznak współczucia przeżuwała spokojnie obficie dane w żłobach siano.

Kolejnego dnia, od razu po przebudzeniu, Mariola zarzuciła szlafrok i pobiegła do obory. Kozy przywitały ją przyjaznym beczeniem. Mandarynka stała spokojnie i nie wydawało się, żeby groziły jej jakieś powikłania po wczorajszym nieprzyjemnym epizodzie. Podrzuciła zwierzętom siano i spady z jabłonek. *No, moje drogie, dziś zostaniecie na miejscu, przynajmniej na razie.* Mogła zostawić w oborze tylko Mandarynkę, ale obawiała się, że opuszczona przez towarzyszki kózka mogła być niespokojna i – nie daj Bóg – zrobić sobie większą krzywdę. Upewniwszy się, że w koziarni panuje ład i porządek, wróciła do domu. Nastawiła ekspres i w kontaktach pokoju. Naprawdę nie zamierzała podsłuchiwać, ale ręka trzymająca nóż znieruchomiała nagle w połowie kawałka, a nogi same powędrowały na schody. Hania i Emilka siedziały na podłodze w otwartych drzwiach pokoju i wyciągały zabawki przywiezione w dwóch olbrzymich workach przez Aleksandrę. *Bieduńka, naprawdę wygląda jak ogórek przy cukinii* – pomyślała wzruszona, patrząc na obie dziewczynki. *– Albo jak delikatny polny rumianek przy ogrodowym słoneczniku...*

– O, zobacz! Mój miś... Dostałam go na urodziny od cioci Ani. Kiedyś wpadł do baseniku na podwórku i mama się wściekła, bo wcześniej wpadł do błota... Ooo, a te klocki to mi Mikołaj przyniósł, jak byłam mała, wiesz? A ty co dostałaś ostatnio od Mikołaja?

Szpieg Mari-Hari wstrzymała oddech.

– Pomarańczę... – odpowiedział cichy głosik. Zaległa cisza...

– Super! Uwielbiam pomarańcze... i banany. A ty?

Dziękuję ci, moja mała, mądra siostrzenico – pomyślała ciepło o Hani Mariola.

– A to była moja ulubiona lalka! – kontynuowała odkrywanie zapomnianych skarbów Hania. – Dostałam ją od mamy.

– Ja też dostałam od mamy lalkę. Chcesz zobaczyć?

– Jasne.

Rozległ się nagły rumor, gdy Emilka pobiegła po swoją szmaciankę.

– Śliczna! Jak ma na imię?

– Ma różne imiona. Teraz nazywa się Mariola. – Imienniczka lalki nie próbowała nawet powstrzymać łez płynących ciurkiem po twarzy. – A wcześniej miała na imię Basia, tak jak nasza sąsiadka.

– A czemu tak? – autentycznie zaciekawiła się Hania. Mariola również zwiększyła swą uwagę.

– Bo często do niej chodziłyśmy z mamą, jak tata był... zmęczony... I ona robiła nam herbatę i chleb z dżemem...

– Mój tata też jest często zmęczony. Bo on buduje domy, wiesz? Ale my nie wychodzimy, tylko tata idzie spać albo krzyczy, że jak nie będzie spokoju, to on się stąd wyprowadzi, ale jak dotąd to się jeszcze nigdy nie wyprowadził.

Mariolka uśmiechnęła się pod nosem.

– Mój też krzyczy – zwierzyła się Emilka. – A kiedyś to tak mnie popchnął, że wpadłam pod stół w kuchni... Albo bierze kabel od starego żelazka i...

– Mnie też kiedyś mama zbiła. – Hanka nie chciała być gorsza. – Tak mi przywaliła ręką w tyłek, że aż mnie zabolało. A później mówiła, że jakby wiedziała, że mam taki twardy tyłek, to by wzięła skakankę, ale chyba żartowała, bo się śmiała.

– A mi to tata kiedyś tak przywalił, że mi krew leciała....

Tego Hanka nie mogła przebić, więc zmieniła temat i powróciła do zabawek.

– Ooo, a tę książeczkę to mi często tata czytał na dobranoc...

Mariola wytarła twarz i po cichu wycofała się do kuchni.

Przy kolacji, na którą pani domu przygotowała zapiekanki z szynką i odkrytymi niespodziewanie przy pryzmie koziego nawozu w sadzie pieczarkami, Emilka była cicha, ale na jej twarzyczce co jakiś czas pojawiał się delikatny uśmiech. *Pewnie to efekt zacząstku przyjaźni z Hanią i oczyszczającej rozmowy* – pomyślała Mariola. Po kolacji mała poszła z Dawidem zamknąć kozy i prosiaka, wymyła zęby i po krótkim oglądaniu bajek zaczęła szeroko ziewać.

– No, moja kochana, chyba pora iść lulu. – Mariola uśmiechnęła się do dziewczynki

Emilka, jak zawsze zresztą, posłusznie wstała, obciągnęła na brzuszku piżamę w koziołki, której Mariolka nie mogła się oprzeć, gdy zobaczyła ją w jednym z choszczeńskich sklepów, powiedziała „dobranoc" i poszła do swojego pokoju.

Mariolka posprzątała po kolacji i wstawiła na gaz zsiadłe mleko na jutrzejszy twaróg. *Dodam pomidorów* – pomyślała. – *Emilka lubi pomidory, a te malinówki dojrzałe w sierpniowym słońcu są przepyszne.* Zajrzała jeszcze do zwierząt, spokojnie szykujących się do nocy, pogłaskała zwiniętą pod bujakiem na tarasie Sabę i ruszyła do sypialni. Mijając przymknięte drzwi kubusiowego pokoiku, usłyszała cichy szloch.

O mój Boże, jak mam pomóc temu dziecku?

Otworzyła drzwi i podeszła do łóżka, na którym przykryta po same uszy i odwrócona w stronę ściany dziewczynka płakała żałośnie w poduszkę.

– Emilko, kochanie, czemu płaczesz? – Dźwięk umilkł i tylko szybki, przerywany oddech sugerował, że w błękitnej pościeli kryje się nieszczęśliwa istotka. – Coś cię boli?

Może brzuszek? – zapytała troskliwie Mariola, gdyż ani dzieci, ani dorośli nie odmawiali sobie dzisiaj przysmaków zza płotu.

– Nie, nic mnie nie boli, ciociu – rozległ się zduszony głosik. – Ale tak bym chciała, żeby była tu moja mamusia...

– Ja też bym chciała, rybko. Wiesz przecież o tym, że jest jeszcze troszkę chora i dopóki nie wyzdrowieje, musi zostać w szpitalu.

– Wiem, ale łezki mi tak same lecą, ciociu...

Przyklękła przy łóżku i objęła dziecko. Natychmiast poczuła, że mała zesztywniała i panicznie złapała haust powietrza. Odsunęła się i jak gdyby nigdy nic, mówiła dalej spokojnym głosem:

– Rozmawiałaś przecież z mamusią przez telefon, prawda? Powiedziała ci, że jak tylko lekarze potwierdzą, że jest zdrowa, natychmiast pojedziemy po nią do szpitala i przywieziemy tutaj, pamiętasz? – Niewielki ruch kołdry powiedział Marioli, że mała skinęła głową. – I jak tylko nabierze sił, wrócicie do waszego domku, tak?

Kołdra znów potaknęła. Po czym poruszyła się jeszcze delikatniej.

– A tatuś też?

Mariola zacisnęła zęby.

– Nie wiem, kochanie... Zapytamy cioci Ani, dobrze?

Tym razem kołdra ani drgnęła. Bojąc się, by nie urazić znowu dziewczynki, Mariola powstrzymała odruch, który kazał jej natychmiast utulić smutne dziecko, i cicho wyszła, przymykając drzwi. Idąc powoli do swojej sypialni, myślała o małym Dawidzie. Gdy był smutny lub zawiedziony jakimś swoim dziecięcym niepowodzeniem, też nie chciał z nią rozmawiać. Owszem, gdy emocje mijały, ze szczegółami opowiadał matce, co się zdarzyło. Ale w tamtych momentach mocno wtulał się w Sabę, która cierpliwie znosiła jego łzy na swojej sierści, i tylko jej powierzał swoje smutki. Gwałtownie zawróciła i wyszła na taras.

– Chodź, piesku... – zwróciła się do Saby, która na odgłos kroków swej pani podniosła głowę. – Znów jest dziecko do pocieszenia.

Klepnęła się w udo, ruchem, którym zawsze wołała psa, i zdziwiona suka poszła za nią do salonu. Odkąd trzy czwarte rodziny Mężyków, wliczając czworonoga, przeniosło się na wieś, pies wzgardził salonami i najchętniej spał bod Franinym fotelem lub w oborze z pozostałymi zwierzętami. Na wyraźne polecenie pani mądra, stara psina nie zawahała się jednak ani sekundy. Mariola przykucnęła i obiema rękami objęła psią mordę.

– Idź do Emilki. Zostań tam, zostań.

Zaprowadziła psa na pięterko i wpuściła do pokoju, w którym biedne dziecko samotnie borykało się z własnymi lękami i smutkami. Zamknęła dobrze drzwi wyjściowe w obawie, że suka wyjdzie za nią i ufając mądrości psa oraz własnej intuicji, poszła spać.

—Nie wiesz, gdzie jest Saba? – zapytał Dawid, smarując chleb serem i obkładając go grubymi plastrami pomidora. – Nie wyszła razem z Boczkiem, a na tarasie też jej nie było.

– Wiem. Dzisiaj spała z Emilką.

Ręka z kanapką zamarła w drodze do żarłocznie rozwartych ust. Dawid popatrzył na matkę z autentycznym podziwem.

– Ty to masz jednak łeb. W życiu bym na to nie wpadł.

Zadowolona z siebie Mariola skromnie opuściła oczy. *No, no, pochwała z ust syna...*

– Przypomniałam sobie twoje szczenięce lata i tak mi jakoś wpadło do głowy... Mam nadzieję, że poskutkuje. Jak na razie ani jedna, ani druga nie wyszły z pokoju.

– Pamiętaj tylko, że to twój pomysł, w razie gdyby się okazało, że kałuża na środku pokoju to jednak nie są łzy...

– Dobra, dobra. Jeśli pomoże, mogę posprzątać nawet dwójkę. Oby tylko okazało się to dobrym pomysłem...

Przez chwilę jedli w ciszy, którą znowu przerwał Dawid.

– Na pewno sama sobie tu poradzisz ze wszystkim? Mam trochę wyrzuty...

– Dam radę – uspokoiła go. – Przecież jest Anka i reszta. W razie cięższych robót pomoże mi Piotrek.

– Albo doktorek. Wczoraj wrócili z Międzyzdrojów. I choć urlop już mu się skończył, powinien mieć więcej czasu, bo Zuzka jedzie ze mną.

– O matko! Kiedy zdążyliście się zgadać? Przecież kilka dobrych dni ich nie było. Arek nie ma nic przeciwko?

Dawid spojrzał na matkę, a w tym spojrzeniu nie było już niestety ani śladu poprzedniego podziwu. Nawet jakby wręcz coś przeciwnego, ale Mariola wolała nie wnikać co.

– Po pierwsze nie było ich tydzień, po drugie są telefony, a po trzecie Zuzka jest pełnoletnia. Zresztą nigdy jeszcze nie była w Bieszczadach, więc chyba stary nie odmówi jej wycieczki krajoznawczej, nie?

– Mój drogi, to, że jest pełnoletnia, nie znaczy, że może robić, co chce. A poza tym Ajron jest dokładnie w moim wieku.

– No właśnie to powiedziałem, nie?

Dawid uchylił się przed nadlatująca ścierą i wyszedł na zewnątrz, wyjmując z kieszeni komórkę. *A więc Ajron wrócił już znad morza* – pomyślała Mariola, lekko rozczarowana tym, że jej nie zawiadomił. – *A co, spowiedniczką jego jesteś?* – zganiła się chwilę później.

Około godziny dziesiątej zaskrzypiały lekko schody i oba śpiochy weszły do kuchni. Emilka powoli z rozespanymi jeszcze oczkami, Saba natomiast wręcz przeciwnie. Tak szybko, jak tylko pozwalały jej na to zesztywniałe stawy, pobiegła na podwórko i kucnęła przy pierwszym lepszym krzaczku.

– Śniadanie gotowe, śpiąca królewno – uśmiechnęła się na przywitanie Mariola, nakładając na talerzyk kanapki i zalewając mlekiem kakao. – Coś pięknego musiało ci się śnić, skoro tak długo zostałaś w łóżku.

– Chyba tak, ale nie pamiętam co – odpowiedziała dziewczynka, siadając na krześle i machając gołymi nóżkami. – Wiesz, ciociu, że w nocy Saba do mnie przyszła?

– No nie mów? Chyba musi cię bardzo lubić, bo przecież zazwyczaj śpi pod fotelem.

– No właśnie. Dlatego też się zdziwiłam, ale pomyślałam, że może jest jej smutno, to jej nie wygoniłam. Źle zrobiłam? – spojrzała na ciocię z niepokojem w oczach.

– Bardzo dobrze zrobiłaś. Psom też może być czasami źle albo przykro i potrzebują poprzytulać się do kogoś, kogo lubią.

Mała z powagą skinęła głową.

– Kotom też. W domu mieliśmy kiedyś małego kotka i on też czasem ze mną spał.

– Pewnie tęsknisz za nim... – ze współczuciem powiedziała Mariola, ciesząc się, że dziewczynka sama, z własnej woli prowadzi z nią rozmowę. – Co się z nim stało? – zapytała nieostrożnie.

Emilka pochyliła główkę i zadrżała jej dolna warga. *O nie!* – zawołała w myślach ciekawska, niemyśląca, durna ciotka. – *Przecież możesz się chyba domyślić, idiotko, co tatuś alkoholik mógł zrobić z kotkiem córki!* W panice zaczęła szukać tematu, który odwróci myśli dziecka od złych wspomnień, gdy nagle wyręczył ją nieoczekiwany hałas.

– Ta podła świnia, ten baleron utuczony skończy na patelni! Zrobię sobie na tobie jajka i będę je jadł na śniadania, obiady i kolacje! Wytopię z ciebie całą wredną słoninę i będę na niej smażył kotlety schabowe z twojej afrykańskiej plamy! A ze skóry zrobię buty i będę łaził po najgorszych dziurach i nigdy w życiu ich nie wypastuję!

Przez otwarte drzwi wpadł do kuchni zasapany Boczek i z ogromnym kwikiem schował się pod stołem. Tuż za nim wpadł wściekły Dawid, a jego wykrzywiona gniewem i wysiłkiem twarz, ubranie i buty upaprane były brązową mazią, która wyglądem, a jeszcze bardziej zapachem kojarzyła się Marioli tylko jednoznacznie...

– Wyobraź sobie, mamo, że ta świnia, ten bekon cholerny wywąchał pieczarki w sadzie. Zrył wszystko dookoła, zeżarł zapewne, a jak chciałem go odgonić od tych nędznych resztek, które łaskawie zostawił, zepchnął mnie swoim tłustym dupskiem prosto w kupę gnoju! A na dodatek wczoraj po południu wywiozłem tam świeży parkiet od Zarazy!

Mariolka z całych sił zacisnęła usta. Zaczęła w myślach liczyć do dziesięciu, aby nie wybuchnąć śmiechem i nie zdenerwować jeszcze bardziej będącego na krawędzi eksplozji syna. Zdążyła policzyć tylko do trzech, gdy do jej uszu dobiegła prześliczna, wyczekiwana od tak dawna melodia. Najpierw cichutkie piano lekkich zduszonych nutek, później crescendo coraz śmielszych taktów, a na końcu forte dzwonków, fujarek i harf. Bosymi nóżkami Emilka stała obok krzesła, spod którego wystawał zakręcony ogon Boczka. Szeroko otwartymi oczkami wodziła od machającego szaleńczo ogona do oniemiałego i nieruchomego Dawida i śmiała się tak serdecznie, tak głośno i bez skrępowania, jak śmiało się każde, zdrowe, szczęśliwe dziecko.

Rozdział 18

—No mówię ci, cała porcja dzisiejszego soku nada się tylko dla Boczusia mojego kochanego, bo łzy mi ciekły taką samą strugą jak sok z sokownika i do tego samego wiadra. Dawid przez chwilę stał jak słup soli, a później zaczął tarzać się ze śmiechu po podłodze obok rozchichotanej Emilki. Całe szczęście, że nie po dywanie, bo byłby jak nic do wyrzucenia. Pół godziny szorowałam panele wodą z tym octem, co go ostatnio robiłam, a i tak wali jeszcze obornikiem w całym domu. Ale co tam... Boczek z tego wszystkiego szmyrgnął na dwór i do tej pory mała szuka go gdzieś po obejściu, omijając tylko sad na wszelki wypadek. Mówię ci, Aniu, jaki cudowny dzień dzisiaj...

Mariola odłożyła telefon i wróciła do przetworów. Jabłonki pracowały całą parą, a teraz dołączyły do nich śliwy i grusze. *Niech mi ktoś wytłumaczy, z czego ja tak się cieszyłam, gdy pierwszy raz zobaczyłam sad?* – jęczała do siebie, pakując w słoiki świeżo usmażony dżem jabłkowo-śliwkowy. Sapnęła z wysiłkiem, znosząc do piwnicy kolejne butelki soku. Stanęła przed szafkami i z prawdziwą dumą obejrzała swoje zapasy. Na najwyższych półkach stały przetwory z czarnej porzeczki i malin.

Nie było ich zbyt dużo, gdyż w porze ich owocowania urządzała dom i zaprzyjaźniała się z kozami, nie miała więc czasu ani głowy do pichcenia. Sporo kompotów i soków wiśniowych stało obok słoików z ogórkami we wszelkich zalewach. Kiszone, korniszony, pikle w curry i chili, a także kilkanaście małych słoiczków z przecierem na zupę. Najbardziej imponujący był jednak stojak z jabłkami. Niezliczone słoiki z dżemem i marmoladą, kompoty i soki, butle z cydrem i zaznaczonym naklejką z piorunem, aby się nie pomylić, octem własnej produkcji. Mnóstwo pustych jeszcze półek działało na Mariolkę trochę przygnębiająco, gdyż przypominało jej o dojrzewających gruszkach, pomidorach, którymi już straszyła ją sąsiadka, kabaczkach, dyniach i tysiącu innych owoców i warzyw, które czyhały na jej wolny czas. W rogu na posadzce stała wydająca miłe dla ucha pyknięcia butla pełna fermentujących od kilku dobrych tygodni wiśni i dwa pięciolitrowe słoje, w których tworzyła się nalewka z dzikiej róży i kwiatów czeremchy. W drugiej, bardziej przewiewnej piwnicy, ułożone w zgrabne stogi, szczapy wysuszonego dwuletniego drewna, dostarczone przez Piotrka, czekały na zimę. Było tu też miejsce na ziemniaki i inne warzywa korzeniowe, które miała zamiar zakupić od Robaczków w odpowiedniej porze. *My się zimy nie boimy...* – zanuciła w myślach, wracając do kuchni.

Po południu przyjechali goście. Niby niespodziewani, ale Dawid wypsikał na siebie pół butelki Gucci Guilty, a Mariolka co rusz mimochodem zerkała na drogę. Jedynie Emilka bawiła się beztrosko na podwórku z Boczkiem.

– Witaj, Marioleczko. Tęskniłaś?

O ile było to możliwe, Ajron wyglądał jeszcze lepiej niż zwykle. Białe zęby wyszczerzone w powitalnym uśmiechu wydawały się o kilka odcieni jaśniejsze przy opalonej, zrelaksowanej twarzy, na której – jak zauważyła z lekką zazdrością – oprócz delikatnej siateczki przy oczach, nie było widać żadnej zmarszczki. Dawid również nie mógł oderwać oczu, tyle że od ubranej w żółtą sukienkę Zuzanny.

– Oczywiście, że tęskniliśmy.

Mariola uśmiechnęła się do całującego ją w policzek mężczyzny. Z przeciwnego kąta podwórka niepewnym krokiem podeszła do nieznajomych zaciekawiona Emilka.

– A kogo my tu mamy? Gdzie znalazłaś taką piękną owieczkę? Mandarynka jest zabawna, Boczek szalony, ale ta owieczka podoba mi się zdecydowanie najbardziej. Czy ta owieczka ma jakieś imię?

Ratunku – Mariola zaśmiała się w myślach – *ten facet naprawdę ma kokietowanie we krwi...*

Owieczka uśmiechnęła się uroczo, spłonęła rumieńcem i uciekła.

– Jest jeszcze bardzo nieśmiała, ale Dawid z Boczkiem pracują nad nią pilnie i są na najlepszej drodze do osiągnięcia sukcesu.

– Sądzę, że ty pracujesz równie ciężko.

Ajron odprowadził wzrokiem znikające w podskokach dziecko. Młodzi poszli na górę, najmłodsi zniknęli w sadzie, a – no cóż – najstarsi usiedli na tarasie.

– Naprawdę nie masz nic przeciwko temu, że Zuzka pojedzie z Dawidem w Bieszczady?

– No przecież taki był mój plan, zapomniałaś?

– No taaak, a ty zawsze realizujesz swoje plany. – Mariola uśmiechnęła się się do Ajrona, który popijając sok jabłkowy, przyglądał się jej lekko zmrużonymi oczami.

– Właśnie. Niestety niektóre potrzebują widocznie więcej czasu, niż zakładałem, ale jestem cierpliwy.

Poczuła nagłe skrępowanie, łyknęła sok i chowając się za szklanką, rzuciła rozmówcy krótkie spojrzenie. Ignorując nagłą ciszę, Pocahontatus swobodnie delektował się chłodnym napojem i z lekko drwiącą miną przyglądał się zarumienionej kobiecie.

– A jak ci idzie z Emilką? Pewnie musisz ją oswajać jak małego, dzikiego kotka.

– Dokładnie, trafiłeś w sedno. Ona jest jak mały, dziki kotek siłą oderwany od matki i rzucony w świat pełen drapieżników. A za jednego z nich traktowała do niedawna również mnie.

Uśmiechnęła się, zadowolona, że podsunął jej bezpieczniejszy temat, i opowiedziała o przyjeździe małej oraz jej powolnym, choć na szczęście skutecznym oswajaniu się z sytuacją.

– Na zwierzętach zawsze można polegać, w odróżnieniu niestety od ludzi.

Ajron pochwalił i poparł w pełni pomysły Mariolki na resocjalizację dziecka przy skutecznym, jak się okazało, wsparciu zwierzaków.

– Dawid też pokazał klasę.

Arek uśmiechnął się lekko, ale z szacunkiem.

– Mało kto umie śmiać się z siebie i to będąc w tak niekomfortowym, a nawet powiedziałbym śmierdzącym położeniu. Wracając więc do twego pytania, lubię Dawida i sądzę, że mogę mu zaufać, oddając Zuzkę na tydzień czy dwa pod jego opiekę. Nie to, żebym miał coś do gadania w przypadku mojej samodzielnej córki, ale lepiej z nim niż z jakimś nieodpowiedzialnym pajacem.

Przepił do niej, podnosząc w górę szklankę soku. Pogadali jeszcze o rapsodiowych zwierzakach, wymienili najnowsze plotki o wspólnych znajomych i po niedawnej, krótkiej chwili skrępowania nie zostało nawet wspomnienie. Mariolka śmiała się głośno z opowieści o nadmorskich wrażeniach ojca i córki.

– Nie rozumiem, dlaczego ludzie z własnej woli pchają się nad Bałtyk w letnim sezonie. Lody ciekną po palcach, zanim zdążysz podnieść je do ust. Żeby zjeść kawałek ryby z frytkami, czekasz na wolny stolik, śliniąc się pół godziny, a przy rachunku zastanawiasz się, czy właśnie zeżarłeś złotą rybkę, zamiast poprosić ją, by cię stąd natychmiast zabrała. Na plaży walki o każdy kawałek piaszczystej przestrzeni, woda tak lodowata, że po wyjściu z niej zastanawiałem się, jakim sposobem zmajstrowałem Zuzkę. Gdy cudem udawało mi się zrelaksować i wsłuchać w szum fal, nadchodził facet i darł się do ucha, zachwalając jagodzianki, lody i prażoną kukurydzę. Nie wspomnę o tym, że gdy wśród fok i fląder udało mi się ujrzeć w końcu jakąś syrenkę, natychmiast zasłaniała ją Myszka Miki, Kubuś Puchatek albo inny spływający potem nieszczęśnik. A moja, zdawałoby się inteligentna córka była cała w skowronkach i nie rozumiała, czemu jej ojciec wygląda, jakby wciąż bolały go zęby – zamyślił się chwilę. – A wiesz, kiedy bolały mnie najbardziej? Pewnie to skrzywienie zawodowe, ale jak widziałem facetów w słomkowych kapeluszach, siedzących w cieniu i popijających piwko, którzy trzymali na długich uwiązach stojące w pełnym słońcu dla lepszej ekspozycji, ledwie żywe z upału i zmęczenia kuce, to ledwo się powstrzymywałem, żeby im tych bolących mnie zębów nie wybić. – Upił kolejny łyk soku, aby uspokoić emocje. – To nie jest tak, że nie lubię morza, wręcz przeciwnie. Chciałbym zabrać cię tam jesienią, gdy plaże świecą już pustkami i stojąc w sztormiaku z mocno zawiązanym kapturem, który wiatr zrywa ci z głowy, patrzeć na moc żywiołu, dla którego jesteś nic nieznaczącym pyłkiem. Chciałbym zjeść z tobą dorsza w zacisznej restauracyjce z widokiem na horyzont, gdy białe bałwany fal wdzierają się w ląd aż pod same wydmy. Chciałbym wreszcie wieczorami oglądać z tobą słońce chowające się w morzu, ogrzewając twe plecy własną kurtką, a kark oddechem...

– A później ucałowałbyś swą wybrankę w zroszone morską bryzą czoło, przygładził potargane wiatrem włosy i odjechalibyśmy galopem na białym rumaku, a woda spod jego kopyt słonym bryzgiem obmywałaby wszystkich maluczkich...

Ajron popatrzył na Mariolkę z urazą w swoich czarnych oczach.

– Ty to umiesz zepsuć nastrój...

Niewzruszona kobieta śmiała się wrednie z elokwentnego uwodziciela, który znokautowany przez wiejską gospodynię nie mógł zrozumieć, dlaczego ta przemowa tak ją rozśmieszyła. Mariolka uspokoiła się wreszcie.

– Ajron... to ja, Mariola. Mam czterdzieści dwa lata, a nie dwadzieścia cztery. Zresztą nie wiem, czy w dzisiejszych czasach nawet osiemnastolatka nabrałaby się na taką gadkę! Wolę już, kiedy opowiadasz mi o złotych rybkach...

Skrytykowany romantyk boczył się jeszcze chwilę. Za moment jednak uśmiechnął się po swojemu.

– Powiem ci, że twarda jesteś. Ale ten galop to nieźle wymyśliłaś. Nie ma nic piękniejszego od galopu brzegiem morza w zachodzącym słońcu. No, może jeszcze galop przez pole kwitnącego rzepaku, ale wtedy nie biegniesz przed siebie w stronę słońca, tylko spieprzasz przed ciągnikiem, którym goni cię właściciel pola...

Następnego dnia, tuż po śniadaniu, Ajron wpadł do kuchni i podał Marioli podziurawione pudełko po butach.

– Wybacz, że tak niespodziewanie, ale pomyślałem, że nie będziesz miała nic przeciwko temu. To dla Emilki.

Mariola wytarła w papierowy ręcznik dłonie i wzięła od mężczyzny prezent-niespodziankę.

– Są dwa, bo razem lepiej się chowają. Odrobaczone i zaszczepione. Muszę lecieć, bo po tym urlopie mam tyle zaległości, że głowa mała. Pa!

Pocałował ją krótko na pożegnanie i już go nie było. *Ho, ho* – pomyślała – *nasz czaruś nie miał dziś czasu na czarowanie.* Otworzyła pudełko i natychmiast zmieniła zdanie. Z czeluści pudła spojrzały na nią dwie pary błyszczących oczu, a z dwóch gardziołek wyrwały się przerażone miauknięcia. Mariola położyła pudełko na podłodze, a po chwili nieśmiało wysunęły się z niego dwa prześliczne kocięta. Oba kociaki, jeden szary w ciemniejsze prążki, drugi czarny z białym krawatem i skarpetką na przedniej nóżce, usiadły, otaczając się ogonami i badając otoczenie wzrokiem, a za chwilę, węsząc, rozeszły się po kuchni, zaglądając ciekawie w każdy kąt. Mariola usiadła na środku podłogi, patrząc z zachwytem na dwa maluchy i myśląc ciepło o ich dostarczycielu. Po paru minutach podniosła się z ziemi, złapała koty i mimo gniewnych protestów ponownie uwięziła w pudełku.

– Emilko! Chodź tu na chwilę – zawołała w kierunku schodów. Po chwili rozległ się stukot zbiegających w pośpiechu nóżek. – Pan Arek, ten co był tu wczoraj, przyniósł ci prezent. Chcesz zobaczyć, co to jest?

Emilka z emocji poczerwieniała i z szeroko otwartymi oczkami podeszła do piszczącego pudełka. Szybkim ruchem podniosła przykrywkę i z jej usteczek rozległ się podniecony pisk.

– To dla mnie? Oba? Ciociu kochana, czy one są moje?

– Tak, rybko.

Mariola wyglądała i czuła się tak, jakby właśnie strzeliła szóstkę w totka.

– Naprawdę? Moje własne?

Dziecko nie mogło uwierzyć swojemu szczęściu i z wielkim skupieniem wyciągnęło oba skarby. Jeden z nich natychmiast podrapał ją w nadgarstek, a drugi wyśliznął się z rąk i umknął za lodówkę. Mariolka wystraszyła się, że mała zacznie płakać, ale Emilka tylko roześmiała się radośnie.

– Widziałaś, jaki sprytny, ciociu? – Spojrzała na buraska, który grzecznie już siedział na jej kolanach. – Nie gniewam się na ciebie, że mnie podrapałeś. Pewnie się wystraszyłeś, kotku, jak cię od mamusi zabrali... Ale nie martw się. Zaopiekuję się tobą i twoim braciszkiem, tak jak ciocia zaopiekowała się mną.

Mariola głośno przełknęła ślinę i szybko odwróciła się w stronę podręcznej apteczki, aby ukryć łzę, która nagle zapiekła ją w oku. Wyciągnęła wodę utlenioną i przemywając rankę, myślała o słowach swojej podopiecznej. *Skąd taka wrażliwość u pięcioletniej, gnębionej dziewuszki? Skąd u niej taka troska i hojność w ofiarowaniu uczuć? Jak można podnieść rękę na tak czułe i dobre dziecko, na jakiekolwiek dziecko...*

Emilka tak długo wabiła kota, aż ten ostrożnie wyjrzał zza lodówki i widząc swego towarzysza chłepcącego w najlepsze pachnące mleko, w obawie, aby ten nie wypił wszystkiego, dopadł do miski i dołączył do poczęstunku. Ich nowa, maleńka pani z błyszczącymi ze szczęścia oczami dolewała mleka tak długo, aż oba brzuszki zmieniły się w okrągłe baloniki i kotki zaczęły szukać miejsca do snu. Mariola wyłożyła karton starym ręcznikiem, dziecko włożyło ostrożnie do środka półprzytomną dwójeczkę i pytając wzrokiem o pozwolenie, podniosło karton.

– Mogę je wziąć do swojego pokoju, ciociu?

– Jasne, kochanie.

Ostrożnie, jakby niosła najdroższą i najbardziej kruchą porcelanę świata, Emilka wniosła swe skarby po schodach i zamknęła się w pokoju, aby czuwać nad ich bezpiecznym snem.

Kocham cię, Ajron – pomyślała Mariolka. I nie słała tej myśli do zabójczo przystojnego Greka, który mówił gładkie słówka i powalał oszałamiającym uśmiechem, ale do prostego weterynarza, który sprawił, że buzia małej dziewczynki rozkwitła pełnym szczęścia uśmiechem.

Pierwszy dzień bez Dawida dał jej nieco popalić. Po szybkim wydojeniu Cytryny Mariola wypuściła kozy, które same wybrały pastwisko według im tylko wiadomych kryteriów. Nakarmiła Boczka przygotowaną dzień wcześniej warzywno-zbożową mieszanką i jemu również dała wolną rękę, choć wietnamek, podobnie jak spora część ludzkiej populacji, zamiast ręką zdecydowanie wolał działać ryjem. Mariola zaniosła mleko do kuchni i wróciła, aby zebrać opadłe przez noc owoce jabłoni, śliw i gruszy, zanim zajmą się nimi kozy lub knur. Zrobiła śniadanie dla siebie i Emilki, która zasiadła do stołu dopiero po tym, jak Bolek i Tola dostały sporą porcję mleka z porannego udoju. Okazało się bowiem, że burasek Bolek ma nie brata, a siostrzyczkę, co bardzo uradowało dziewczynkę.

– Bo wiesz, ciociu, Bolek będzie mógł jej bronić, gdyby działa się jakaś krzywda, prawda?

Mariola ledwo ogarnęła kuchnię po śniadaniu, zabrała się za przetwarzanie owoców i robienie serów, gdy już trzeba było myśleć o obiedzie. Emilka – złote dziecko – nie domagała się uwagi, oprowadzając swoje kocie dzieci po gospodarstwie i krzycząc na Boczka, kiedy próbował się z nimi za bardzo spoufalić.

Gospodyni nastawiła garnek zupy jarzynowej i bez sił padła na bujak z zimną już kawą. Zdążyła wypić zaledwie parę łyków, gdy usłyszała samochód Anny. Z auta z wesołym szczebiotem wysypał się babiniec. Po szybkim cmoknięciu ciotki na powitanie Hania z Miśką pobiegły do zdziczałego warzywniaka, skąd po chwili dobiegły zachwycone piski, świadczące o tym, że Emilka przedstawiła koleżankom swoje kociaki. Aleksandra, jak zwykle, skierowała swe kroki do kuchni, a Anna, również jak zwykle, walnęła się na krzesło obok kuzynki.

– Ale skwar. Jak tam nasza malutka?

– Coraz lepiej – odpowiedziała z uśmiechem Mariola. – Zresztą popatrz sama.

W ogrodzie panował nieopanowany rwetes. Wierna instynktom Saba ganiała koty, Hania i Emilka goniły psa w obawie o los nowych ulubieńców, wierny żołądkowi Boczek gonił dziewczynki, które zapomniały dać mu pachnących w kieszeniach przysmaków, a mała Miśka ganiała wszystkich, bo myślała pewnie, że to zabawa w berka.

Obie kobiety zaśmiewały się serdecznie, patrząc na to zamieszanie.

– Przypomina mi się nasze dzieciństwo... – powiedziała wzruszona Ania. – Tylko kolejność była trochę inna. Pierwsza leciała mała Mari, za nią gęś, za gęsią Piotrek z kijem, a za Piotrkiem Frania...

– A mała Andzia siedziała w krzakach porzeczek i śmiała się wniebogłosy, zamiast ratować zagrożone życie swojej najlepszej przyjaciółki... – dokończyła Mariola.

Ze świeżo zaparzonym dzbankiem kawy dołączyła do nich Aleksandra. Wylała paskudztwo z filiżanki Marioli i nalała jej porządną dawkę kofeiny.

– Wypijemy i do roboty. Mariolka, mów co trzeba. Ja upichcę jakiegoś placka i przygotuję parę obiadów. Ankę zagoń do przetworów albo niech gnój z obory wyciąga. A ty siedź i odpoczywaj.

– Sama gnój wybieraj – oburzyła się Anna. – Ja wczoraj u Beti nowe pazury zrobiłam. Mogę wziąć się za przetwory. – Pomachała dziewczynom przed oczami niebieskimi paznokciami. – Pod kolor munduru.

– A co tam się w ogóle dzieje? – Oli włączył się instynkt macierzyński.

– Małe podziwiają nowe kotki Emilki – zdała raport pani policjant.

– Fajnie. Kociaki jej kupiłaś?

– Dostała w prezencie. Od Ajrona.

Aleksandra kiwnęła głową usatysfakcjonowana odpowiedzią Marioli, ale Anna nastawiła uszu.

– Uuu. Kiedy? – Pani policjant zwęszyła ciekawy trop.

– Co kiedy?

– Kiedy tu był i czemu nic o tym nie wiemy.

– Był wczoraj na chwilkę, dać te koty.

– Iii...? – Anna uśmiechnęła się z niezrozumiałą satysfakcją.

– No i przedwczoraj, przywitać się po powrocie znad morza.

– Iii...?

– Co iii? I tyle.

– Lubisz go, co? – Anna nie dawała za wygraną.

– No pewnie, że go lubię. Popatrz, ile mała ma radochy.

– A ile radochy ma ta większa?

– Anka, odwal się! A w ogóle to idziesz za to do gnoju. Mam gospodarcze rękawice jakby co.

– Zapomnij! Ale zawołajmy do gnoju doktorka. Zresztą podejrzewam, że dla ciebie to by stąd całe szambo na własnych plecach wyniósł. I to błyskając zębiskami w uśmiechu.

– Szambo to ty masz w głowie. Tutaj, kochana, jest przydomowa oczyszczalnia, zaprojektowana przez kolegę mojego męża – sprostowała drobiazgowa Aleksandra. – A w ogóle skończmy już ten gówniany temat. Jutro przyjedzie Piotrek, zapędzimy go do obory i już.

– Dzięki, wariatki... – zaśmiała się Mariolka. – Ale nie ma potrzeby. Przed wyjazdem Dawid posprzątał wszystkie boksy, więc co najmniej przez tydzień nie mamy gówna na głowie.

– À propos gówna na głowie: „pamiętaj, że jak już ci nasrają, to chociaż nie daj przyklepać", jak mówiła moja dawna szefowa.

Po zakończeniu tego jakże fascynującego tematu kobiety ruszyły do pracy i po dwóch godzinach lodówka i zamrażarka pękały w szwach, a w piwnicy zapełniły się kolejne półki. Tym razem na tapetę poszły pomidory. Ola kończyła właśnie panierować krokiety, a kuzynki walczyły z jabłkami, gdy rozległo się przy płocie wołanie pani Robaczkowej. Poszły obie z Anną, zobaczywszy u stóp sąsiadki wiadro pełne dorodnych malinówek.

– Mariolciu, nie masz ty czasem serwatki? Tak mnie dziś głowa boli, a na to serwatka najlepsza. Pół nocy żem nie spała, przez tę pełnię księżyca. A mój też gdzieś się włóczył. My, starzy, nie potrzebujem już tyle snu, co wy, młodzi, ale jak go za mało, to głowa jednak odczuwa...

– Aaa, to już rozumiem te ostatnie doniesienia o zaginięciach i dziwnych wyciach dochodzących z pól... – powiedziała szeptem do ucha Mariolki Anna.

– Mam, pani Wiesiu, bo akurat dziś rano twaróg nastawiałam – cudem zachowując powagę, odpowiedziała sąsiadce Mariola, dając kuzynce w bok porządnego kuksańca. – Już niosę...

– Czekaj, dziecko, czekaj. Masz tu pomidorków. Mój już na pomidorową patrzeć nie może...

– Strasznie wybredny ten Robaczek – śmiała się cicho do Ani Mariolka, gdy wspólnie dźwigały spore wiadro. – Najpierw ogórkowa mu zbrzydła, teraz na pomidorową kręci nosem...

– Ależ ma krzepę ta babunia – zasapała z podziwem Anka, targając wiadro na stół. – Ja to ledwo podnoszę, a ona sama do płotu dotachała.

Mariola przyniosła z piwnicy garnek z serwatką, przelała ją do słoika i zaniosła pani wilkołakowej.

– Dziękuję ci, kochanieńka.

– Na zdrowie, pani Wiesiu. I bardzo dziękuję za pomidory.

Wróciła do domu i nastawiła sokownik.

– Tak jest. Sok pomidorowy ma dużo potasu i magnezu. Dla naszej chudzinki jak znalazł. – Ola kiwnęła głową na znak aprobaty.

– A dla nas do krwawej Mary – musiała wtrącić swoje trzy grosze Anna.

Dziewczynki bawiły się zgodnie i o dziwo wspólnie wszystkie trzy. Czas leciał szybko i beztrosko przy pracy i wesołym wzajemnym dogadywaniu. Napełniając następną butelkę pomidorowym sokiem i słuchając przekomarzań przyjaciółek, Mariolka z całą siłą poczuła, jak bardzo jest tu szczęśliwa, i wiedziała, że właśnie tutaj chce pozostać. Na dobre i na złe, każdego dnia kręcąc kolejny odcinek tego pasjonującego serialu „R jak Rapsodia". W końcu znalazła swoje miejsce na świecie.

Rozdział 19

—Wujku, opowiedz jeszcze raz, jak to było, gdy ciocia Mariola pierwszy raz zobaczyła Boczka.

Siedzieli na kocu rozłożonym na trawie. Emilka jadła kolejny kawałek ciasta ze śliwkami, które wspólnie upiekły przed południem. Mariola rozlewała sok do szklanek i z uśmiechem przyglądała się siedzącemu po turecku Ajronowi i Emilce, która z roziskrzonymi oczkami wpatrywała się w czarne, wesołe oczy Pocahontasa. Dawida nie było już ponad tydzień, a w związku z tym, że wspólnie z dziewczynami uwinęły się z robotą na dobre kilka dni, w „Rapsodii" powiało lekką nudą. Korzystając z jak dotąd niezmiennie pięknej pogody i starając się uatrakcyjnić pobyt dziecka w Jagodzicach, postanowiła zorganizować piknik na łące. Oprócz ciasta do wiklinowego koszyka zapakowała sok, zrobiony poprzedniego dnia twarożek z rozmrożonym musem truskawkowym, kilka jabłek i paczkę herbatników. Do drugiego mniejszego koszyczka Emilka zapakowała koty. Wymieniały się właśnie ulubionymi historyjkami, gdy niespodziewanie dołączył do nich Ajron, który skończywszy dyżur, postanowił odwiedzić rapsodiowe dziewczyny, sprawdzając, czy nie potrzebują jakiejś pomocy, pozbawione chwilowo męskiego Dawidowego ramienia.

– Biedny, zgłodniały i wymęczony Boczuś leżał pod mokrym kocem, którym otuliła go ciocia Beata. Nasza Mariola o dobrym serduszku podeszła do – jak myślała – pieska, aby go pogłaskać. Aż tu nagle nasz prosiaczek wyskoczył ze strachu przed wyciągniętą ręką i jak zakwiczał wielkim głosem! Jak zamerdał zakręconym ogonkiem! Jak runął do przodu, prosto do miski z wodą. Ciocia ze strachu oniemiała, zrobiła gwałtowny krok do tyłu...

– I weszła prosto w tego pana, który niósł następne wiadro wody...

– I cała woda wylała się na podłogę. Ciocia zaczęła przepraszać za bałagan, a Boczek...

– A Boczuś uwalił się w środku kałuży i chrumkał z zadowolenia...

Emilka, znająca tę historię na pamięć, śmiała się zachwycona.

– A nasza ciocia zakochała się w nim od pierwszego wejrzenia i postanowiła wziąć ze sobą i dać mu dom.

– No, w tej decyzji pomógł mi wujek Arek – włączyła się do dyskusji Mariola. – Powiedział, że Boczkowi w schronisku będzie tak źle, że ze smutku może umrzeć, więc nie miałam innego wyjścia, prawda?

– Prawda – potwierdziła z pełnym zrozumieniem Emilka. – Bolek i Tola też są ze schroniska, prawda, wujku? – Ajron skinął głową. – Czyli ja też je uratowałam, tak jak ciocia Boczka, prawda?

– Święta prawda. Ty jesteś nawet lepszą opiekunką niż ciocia, bo uratowałaś aż dwa zwierzątka i w związku z tym masz z nimi dwa razy więcej pracy – połechtał dumę dziewczynki świeżo przemianowany z weterynarza pan psycholog.

Mała z powagą pokiwała głową i spojrzała lojalnie na Mariolę.

– Ale moje kotki nawet we dwójkę jedzą mniej niż sam Boczek, to jesteśmy tak po równo, ciociu. Nie martw się – powiedziała, po czym, przypomniawszy sobie nagle o obowiązkach wobec podopiecznych, pobiegła szukać dwóch łobuziaków w wysokiej trawie.

Oboje dorośli odprowadzili ją wzrokiem.

– Jesteś niesamowita. – Ajron przeniósł spojrzenie na Mariolę.

– To ona jest niesamowita. Musiałbyś porównać to rozgadane, bystre dziecko do tamtej bieduńki, która przyjechała z Anną i bała się własnego cienia, że o innych cieniach nie wspomnę.

– Dlatego właśnie mówię, że jesteś niesamowita. Uratowałaś „Rapsodię" przed niszczeniem, Zarazę przed rzeźnikiem, knura przed śmiercią, Emilkę przed nieznanym jutrem i mnie przed spokojem ducha. Wszyscy, z którymi zetknie cię los, są szczęśliwi...

– No to ty raczej nie masz za co mi dziękować – zaśmiała się Mariola.

– Wręcz przeciwnie. Czy ty wiesz, jak nudny jest taki spokój ducha? Spędzasz w pracy całe dni, nie śpiesząc się do nikogo, twoje serce bije wciąż tym samym, jednostajnym rytmem, śpisz spokojnie wszystkie noce, nie masz żadnych żenujących snów ani jeszcze bardziej żenujących pomysłów...

O cholera – pomyślała w panice kobieta – *skąd on wie o moich snach i pomysłach!?* Opamiętała się jednak natychmiast i lekko zawstydzona pochyliła głowę.

Ajron złapał ją delikatnie za podbródek i podniósł do góry.

– Nawet na Primie nie mogę już jeździć, bo co chcę ją osiodłać, to przypomina mi się twoje sapanie i podskakujący w siodle tyłeczek... – Błysnął zębami, uchylając się przed jabłkowym pociskiem, który rzuciła w jego stronę zaczerwieniona Mariolka.

– Ty wredoto! Ani nie sapałam, ani nie podskakiwałam!

– Żartuję, żartuję... Jeździłaś jak prawdziwa amazonka!

Bała się wracać do rozmowy o pamiętnej jeździe konnej i wysilając szare komórki, po krótkiej chwili znalazła bezpieczny temat.

– Podobają się Zuzannie Bieszczady?

– Jest zachwycona. I Bieszczadami i, jak wywnioskowałem z rozmowy, Dawidem.

– Dawid też ją bardzo lubi. Dzwonił wczoraj i mówił, że prawdziwy z niej traper. Ani myszy, ani pająki, ani inne straszne rzeczy jej nie ruszają. A na górskich szlakach można spotkać różne dziwne stworzenia. Powinni być za tydzień, bo wracając, chce zatrzymać się w domu na kilka dni. To znaczy w starym domu... U ojca... – czując, że zaczyna bredzić, postanowiła zakończyć rozmowę.

Zerknąwszy wcześniej krótko na łąkę, gdzie ruch wysokich traw wskazywał miejsce pobytu Emilki, położyła się na kocu, wystawiając twarz do późnego już słońca. Ajron poszedł w jej ślady. Dookoła szumiały drzewa i świergotały nieprzerwanie tysiące żerujących na łące ptaków. Koc z dwojgiem leżących na nim ludzi zniknął wśród wysokich kłosów traw i polnych kwiatów. Mariola zamknęła oczy, będąc aż za bardzo świadoma faktu, że tuż obok niej leży mężczyzna, do którego jej serce wyrywało się kilka razy dziennie i który powodował, że budziła się nocą z plecami oblanymi potem. Nieświadomie starała się oddychać w rytm jego oddechu. Czuła, jak jej serce z wysiłkiem pompuje krew do najdalszych zakątków ciała... Wstrzymała oddech, gdy mały palec mężczyzny, lekko jak piórko, dotknął jej palca. Przez chwilę leżał nieruchomo, parząc prawie jej dłoń, po czym zaczął delikatnie poruszać się w górę i w dół. *O matko –* pomyślała kobieta – *powinnam zabrać rękę.* Dłoń Ajrona ubezwłasnowolniła ją jednak na dobre. Nie wyczuwając protestu, do niecierpliwego palca dołączyły kolejne, łagodnie splatając się z jej palcami. *Mogę udać, że śpię –* pomyślała niezbyt mądrze, ponieważ jej pierś unosząca się w coraz gwałtowniejszym oddechu na pewno nie zmyliłaby Ajrona co do stanu jej świadomości. Palce Marioli przestały być posłuszne jej woli. Zaczęły tańczyć i flirtować z palcami mężczyzny w wolnym, narzuconym przez niego rytmie. Kciuki zataczały kółka po wewnętrznej powierzchni jej dłoni. Opuszki delikatnie muskały brzegi palców, wzbudzając dreszcze całego ciała, a paznokcie lekko drapały, sprawiając, że Mariola czuła w brzuchu na przemian nieznośne gorąco i zimno. Badające palce opuściły jej dłoń, delikatnie przemknęły po nadgarstku i zatrzymały się w lekko ugiętym łokciu. Coraz bardziej rozpalona kobieta zacisnęła wargi, aby nie wydobył się z nich jęk rozkoszy, podczas gdy palce Ajrona powtarzały swój erotyczny taniec, muskając wrażliwe miejsca przy akompaniamencie urywanego oddechu wydobywającego się zarówno z męskiej, jak i kobiecej piersi. Cień na twarzy i nagły ruch prawie ją wystraszył, ale Ajron postanowił tylko zmienić narzędzie słodkich tortur. Oparł się na łokciu i nieznośnie wolno przesuwał źdźbłem trawy wzdłuż jej nagiego ramienia. *Śpisz... śpisz... nie wolno ci otworzyć oczu...* – gorączkowo nakazywała sobie w myślach Mariola, po czym spojrzała prosto w bezkresną toń wpatrujących się w nią oczu mężczyzny. Umilkły ptaki, znieruchomiały trawy, zatrzymał się czas i tylko usta Ajrona przesuwały się coraz bliżej jej rozchylonych ust...

– Ciociu... ciociu...

Ajron odsunął się gwałtownie, a Mariola z nagłym przerażeniem wróciła do rzeczywistości. Ptaki ponownie zaczęły swoje trele, a poprzez trawy biegła w ich kierunku Emilka, o której istnieniu zapomnieli na chwilę.

– Czy mogę dać kotkom trochę twarożku? Bolek był taaaki dzielny! Uratował Tolę przed konikiem polnym. Złapał go i zjadł.

– No to chyba nie jest głodny – ochryple i trochę wymuszenie zaśmiał się Ajron.

– Pewnie, że możesz. Chodź, zobaczymy, czy będzie im smakował truskawkowy twaróg. – Mariola skwapliwie złapała linę ratunkową rzuconą jej nieświadomie przez dziecko. – A jak zjedzą, to będziemy wracać do domu, późno się robi.

– Ciociuuu, jeszcze trochę...

– Nie. Musimy sprawdzić, co z resztą zwierząt.

Emilka zrobiła smutną minkę, ale jak zwykle posłusznie zaczęła wołać koty i szykować się do powrotu.

– Tchórz... – szepnął do ucha Marioli Ajron, uśmiechając się szelmowsko.

Mariola niosła koszyk i dziwiła się Ajronowi. Podczas gdy ona wciąż nie mogła dojść ze sobą, a raczej ze swoim własnym ciałem do ładu, przyczyna jej rozkojarzenia szła za rękę z Emilką, śpiewając fałszywie piosenkę o biednym misiu polarnym. Podejrzewała, że tekst był naprędce improwizowany, bo mała zanosiła się ze śmiechu, powtarzając w formie kanonu bzdurne wersy.

– Kiedyś byłem cały biały – śpiewał Ajron.

– Cały biały... – powtarzała Emilka.

– Lecz mnie wrony oskubały...

– Oskubały...

– Teraz same łyse place...

– Łyse place...

– Słońce grzeje misia w glacę...

– Misia w glacę...

Zacisnęła usta, gdy zorientowała się, że razem z Emilką powtarza na głos głupoty wymyślane przez wesołka. Wesołek również to zauważył i puścił do niej oko. *Czaruś pierwsza klasa, ma już w kieszeni nas obie* – Mariola nie mogła się nie uśmiechnąć. Doszli do domu. Na spotkanie wybiegł zgłodniały Boczek. Kozy na ich widok pomału, majestatycznie, skubiąc po drodze listki i źdźbła trawy, skierowały się do obory. Ajron ruszył za nimi, aby pozamykać boksy, a obie kobietki weszły do domu. Emilka skierowała się do swojego pokoju, a Mariola do kuchni. Szykując jedzenie dla wietnamka, podśpiewywała sobie pod nosem. – Kiedyś byłem cały biały... nananana, lecz mnie wrony oskubały... nananana...

– Jeśli wolisz, napiszę coś specjalnie dla ciebie. Albo jeśli ta piosenka aż tak ci się podoba, dopiszę chociaż nowe zwrotki... – Ajron stał w drzwiach i śmiał się kpiąco.

– Bardzo zabawne... bardzo... – odezwała się Mariolka, której momentalnie przeszła cała miłość do muzyki.

– Uwielbiam, jak tak marszczysz nos... – Niezrażony tekściarz podszedł do kobiety i wyjął z jej ręki nóż, którym kroiła cukinię. – Ja skończę, a ty idź wydoić Cytrynę. Sam chciałem, ale tak jakoś spojrzała na mnie spod rogów...

Mariola, śmiejąc się z odważnego weterynarza, założyła dres i poszła do obory, zabrawszy po drodze garnuszek na mleko. Kozy stały spokojnie, skubiąc siano, i na jej widok przyjaźnie zabeczały. Kucnęła przy Cytrynie, której pełne wymiona obiecywały co najmniej półtora litra mleka. Kończyła już, gdy wszedł Ajron niosący czubatą miskę warzyw dla knurka. Gdy nakarmili i oporządzili zwierzęta, postanowili nakarmić też siebie. Ajron poszedł pod prysznic zmyć zapach obory, a Mariola wzięła się za kolację. Rozbijając jajka na patelnię, zawołała Emilkę. Oboje zeszli z pięterka, zwabieni zapachami i z apetytem pałaszowali wcale niemałe porcje jajecznicy ze szczypiorkiem, zagryzając pajdami chleba z masłem.

Mariola obserwowała ich dyskretnie i czuła, że jakieś ciepło rozlewa się wokół jej serca. *Jeszcze tylko Dawid i nic już do szczęścia nie byłoby mi potrzebne* – pomyślała.

Po krótkim oglądaniu bajek zmęczona pełnym emocji dniem Emilka pożegnała się grzecznie, zgarnęła koty i poszła spać. Zadowolony i najedzony Ajron rozłożył się przed telewizorem i włączył jakieś wiadomości. Mariola stała bezradnie, nie wiedząc, co ma robić. Usiąść koło niego? Zasugerować dyskretnie, że już późno? Iść do kuchni i posprzątać po kolacji? Rzucić się na niego i błagać, żeby skończył to, co ledwie zaczął na łące? Ajron rozwiązał jej problem, gestem zapraszając ją na miejsce obok siebie.

– Wybacz, że tak się rozsiadłem. Chodź, obejrzymy, co nowego w świecie. Ty też pewnie jesteś zmęczona.

Mariola niepewnie podeszła do własnej sofy stojącej w jej własnym salonie. Rozparty wygodnie mężczyzna zdominował całkowicie otoczenie. Ostrożnie usiadła na brzegu kanapy. Bezwiednie wzięła do rąk komórkę leżącą na małym kawowym stoliku stojącym obok i bawiła się nią, aby zająć czymś niespokojne ręce, które zresztą najchętniej znalazłyby się na piersi Ajrona. Mężczyzna spojrzał na nią i przysunął się bliżej.

– O co chodzi? Jesteś napięta jak struna E w mojej starej gitarze. – Objął jej ramiona i spojrzał głęboko w oczy. – Czego pragniesz, kochana? Chcesz, żebym już pojechał... czy może raczej wolisz, żebym został? – Jego ręce zsuwały się powoli wzdłuż jej ramion, aż ponownie splótł swoje palce z jej bezwładnymi nagle palcami. – Bo doskonale wiem, czego pragnę ja...

Mariola podniosła telefon, który wypadł jej z ręki. Odruchowo spojrzała na wyświetlacz.

– Matko Boska! Dwanaście nieodebranych połączeń od Dawida. Muszę oddzwonić.

Ajron bez najmniejszego protestu skinął głową i odprowadził kobietę wzrokiem do kuchni. Patrzył ze wzrastającym niepokojem, jak blednie i jak ręka trzymająca telefon zaczyna drżeć. W nagłym strachu podszedł do Marioli i spojrzał na nią pytająco.

– Nie, nie, spokojnie. Dzieciom nic nie jest.

Ulga, jaką poczuł, zgięła jego kolana i ciężko opadł na krzesło.

– Matko Boska! Jak ty mnie wystraszyłaś, kobieto!

Nadal blada Mariola usiadła obok niego.

– Co się stało?

Nie potrafiąc ukryć swoich uczuć, spojrzała na niego z rozpaczą.

– Jerzy złamał nogę. Już pojutrze Dawid przywiezie go tutaj...

Rozdział 20

—Ja nie chcę! Było mi już tak dobrze, wszystko zaczęło się tak fajnie układać... Czułam, że żyję, chciało mi się wstawać z samego ranka i oczekiwać z radością na to, co przyniesie dzień... – Zaryczana Mariola, z policzkami, po których ciurkiem płynęły łzy, siedziała w pokoju kawalerki kuzynki, a Anna słuchała ją cierpliwie. – Ty nie wiesz, jak to będzie... Znów zaczną się ciągłe wyrzuty, krytyka tego, co zrobiłam albo czego nie zrobiłam... Narzekanie na wszystko i wszystkich... On jest jak jakiś cholerny wampir energetyczny, który wysysa pozytywną energię z całego otoczenia, a najbardziej ze mnie... I nigdy nie jest szczęśliwy, co tam szczęśliwy, on nie potrafi być nawet zadowolony... Bojąc się, że usłyszę jego głos, wyłączyłam nawet komórkę. Anka, co ja mam zrobić? – Z rozpaczą spojrzała na kuzynkę, ale w jej oczach nie było nadziei na jakąś cudowną radę, bo doskonale wiedziała, co musi zrobić. Anna wiedziała to również, więc tylko popatrzyła na nią ze współczuciem i powstrzymała się od słów. – I Emilka... Dopiero się otworzyła, nauczyła się śmiać i ponownie ufać innym, a zaraz znajdzie się z powrotem w towarzystwie obcego. Który w dodatku nie jest taki łatwy we współżyciu jak chociażby Ajron.

Na wspomnienie Ajrona, ciurkiem popłynęły nowe łzy i zmieszały się z poprzednimi, na policzkach, podbródku i dekolcie pierwszej lepszej wyciągniętej z szafki koszulki. Złapała za szklankę i jednym haustem wypiła koniak, którego nalała jej wciąż milcząca Anna.

– I Ajron... Jaka ja byłam głupia! Certowałam się, wstydziłam jak jakaś cholerna cnotka... Wzdychałam tylko i marzyłam, zamiast posłuchać ciebie i pozwolić sobie na to, czego pragnęłam... A teraz już dupa. Koniec. Mogę dalej tylko ślinić się do niego cichaczem, a na pokaz udawać, jaka jestem szczęśliwa z ukochanym małżonkiem. Aż się kiedyś w końcu porzygam z tego szczęścia...

Czerwonymi, pełnymi łez oczami spojrzała znów na Anię, która gdyby nie to, że za parę godzin miała służbę, też nie pogardziłaby koniakiem i to prosto z butelki.

– No to go nie przyjmuj...

– Sama nie wierzysz w to, co mówisz! Jak to nie przyjmuj? Przecież on jest dalej moim cholernym mężem, któremu przysięgałam, w zdrowiu i w cholernej chorobie... Poza tym, jak miałabym to niby wyjaśnić Dawidowi? Że mamusia nie chce tu tatusia, bo marzy o bzykaniu się w spokoju z kochasiem? Proszę cię! To oczywiste, że Jerzy musi tu przyjechać, a ja muszę się z tego cieszyć.

Z tej wielkiej radości zawyła jak zraniona wilczyca i wysmarkała się w następną rolkę papieru toaletowego, bo chusteczki już dawno się skończyły.

– Wiem, że to marne pocieszenie, ale masz jeszcze dziś i jutro...

– Fantastycznie! Naprawdę super! I co w związku z tym? Mam polecieć do Ajrona i zedrzeć mu koszulę z pleców, a później dać Jerzemu buziaczka na przywitanie?

– A czemu nie? – zdenerwowała się w końcu Anna. – A co ty jesteś dziecko gorszego Boga, że nie zasługujesz na chwilę zapomnienia? Skąd możesz wiedzieć, co Jureczek robił w swoim Przemyślu? I z kim? Dorosła jesteś, moja święta Marioleczko, i nikt nie może ci mówić, jak masz postąpić, ale rozwody są w tych czasach chlebem powszednim. I nie zamydlaj mi ani sobie oczu Dawidem. To już stary koń, który z pewnością wie, co to miłość albo namiętność, i potrafi rozróżnić je od zwykłego przyzwyczajenia.

Zdziwiona trochę wybuchem Anny Mariola wyciągnęła rękę i nalała sobie kolejną porcję alkoholu. Z namysłem podniosła szklankę do ust.

– Nie. Nie potrafię teraz logicznie myśleć. Nie wiem, co będzie za pół roku, ale na razie muszę przyjąć do wiadomości fakt, że sielanka się skończyła, i wziąć z życiem za bary. Dopóki Jerzy nie wyzdrowieje, będę przykładną żoną i skończę z Ajronem, choć tak naprawdę nie ma czego kończyć, bo nic się nie zaczęło...

Patrząc z powątpiewaniem, Anna zdecydowała się jednak przytaknąć dla świętego spokoju. Jej zdaniem zaczęło się już dawno temu i rokowało całkiem interesująco. Wystarczyło spojrzeć w przygaszone teraz oczy Marioli i porównać je z tym błyskiem chwilę wcześniej... Zrobiła kuzynce następnego drinka, na wszelki wypadek mocno rozcieńczając koniak wodą.

– Wiesz, Mari, co jest najlepsze na doła? Nowa fryzura i paznokcie. Dzwonię do Beti.

Beata nie mogła odmówić w aż tak awaryjnej sytuacji i robiąc skomplikowane roszady w swoim grafiku, umówiła przyjaciółki już za godzinę. Gdy Mariola piła kolejny koniak, Anna zadzwoniła jeszcze do Aleksandry, by podziękować jej za zajęcie się Emilką, i wkrótce obie, wystrojone w olbrzymie okulary przeciwsłoneczne, ruszyły do zakładu Beaty. Mariola czuła się wybitnie głupio, gdyż jak na złość tego dnia słońca było jak na lekarstwo, wolała jednak, aby ludzie myśleli o niej jako o ekscentryczce niż zaryczanej i zapuchniętej męczennicy.

—Ooo, kochana, aż takim cudotwórcą to ja nie jestem... – odezwała się na przywitanie Beti, gdy Mariola ściągnęła okulary i rzuciła na kosmetyczkę spojrzenie spod opuchniętych od płaczu powiek. Anka spiorunowała ją wzrokiem. – Ale na szczęście mam dobre kosmetyki – poprawiła się szybko dziewczyna. – Jezus Maria, Mari, ryczałaś, czy masz jakieś megauczulenie?

– Jedno i drugie – grobowym głosem odpowiedziała Mariola, siadając na fotelu wskazanym przez Beatę.

Namyśliwszy się dobrą chwilę, Beti postanowiła zacząć kurację od mocnej kawy. Wstawiła czajnik elektryczny i podała Annie zmywacz do paznokci.

– Tobie tylko przemaluję. Z nią będzie gorzej... – kiwnęła ręką na Mariolkę, która w odpowiedzi obojętnie wzruszyła ramionami.

Po zalaniu wrzątkiem trzech kubków kawy namoczyła w zimnej wodzie kilka papierowych ręczników i przyłożyła je do zapuchniętych oczu i policzków. Po chwili, kiwając powątpiewająco głową, wyjęła z torby swoje drugie śniadanie i rozbebeszyła kanapkę. Spomiędzy kawałków wędliny i zielonej sałaty wyjęła dwa plasterki ogórka i podłożyła dodatkowo pod ręcznik, w miejscu, gdzie normalny człowiek ma oczy, a trudna klientka – coś w rodzaju piłek pingpongowych. Zostawiwszy ją na razie w spokoju, usiadła przy Annie i wskazując na Mariolę, zrobiła pytającą minę.

– Syf, kiła i mogiła – odpowiedziała szeptem zapytana.

– Słyszałam – odezwał się ponury głos spod ręczników. – Możesz jej opowiedzieć, wszystko mi jedno...

– Uuu... – zamruczała Beti. – Alergia, syf, kiła, mogiła, a do tego jeszcze chandrzysko jak cholera...

– Dokładnie. A w skrócie: Jerzy. – Anka ze współczuciem popatrzyła w stronę kobiety z ręcznikiem na twarzy.

– Matko Boska, co z nim? Umarł? – przeraziła się Beata.

– Niestety nie... Gorzej. Przyjeżdża tu – odezwał się znów grobowy głos.

Anna znacząco postukała się dwoma palcami w szyję, posługując się niewerbalnym znakiem wszystkich alkoholików, aby dać znak, że Mariola nie całkiem panuje nad swoimi wypowiedziami. Beti, niebędąca w końcu abstynentką, ze zrozumieniem pokiwała głową i podeszła do Marioli. Ściągnęła jej ręczniki z twarzy i ogórki z oczu, po czym wyjąwszy dwie kostki lodu z zamrażarki, zaczęła okrężnym ruchem masować skronie i okolice oczu pacjentki.

– I dla niego chcesz się wypięknić, tak? – strzeliła jak kulą w płot.

Mariola zaśmiała się najpogardliwiej, jak tylko umiała i pozostawiła słowa przyjaciółki bez jednego nawet komentarza. Ania ostrożnie złapała kubek kawy, uważając, aby nie dotknąć go świeżo polakierowanym paznokciem.

– Wręcz przeciwnie. To właśnie przez niego tak wygląda. Choć jak mam być szczera, to nie tylko przez niego. Doktorek też ma w tym niemały udział.

Beata szeroko otworzyła oczy.

– Matko Boska! Co on ci zrobił?

– No właśnie o to chodzi, że nic. Nie zdążył. – Odpowiedzieć musiała ponownie Anka, bo Mariolka wciąż pustym spojrzeniem wgapiała się w sufit.

– Nic nie rozumiem. Możecie jaśniej, do cholery?

Nie wiadomo czemu zwróciła się w liczbie mnogiej do Anny, bo masowany obiekt nadal odmawiał udziału w dyskusji.

– Ja też do końca tego nie rozumiem – przyznała Anna. – Wczoraj spędzili razem popołudnie i wieczór. Było bosko i romantycznie, ale nasz doktorek chyba wyszedł z wprawy, bo nic u Mariolki nie wskórał i pojechał do domu bez oczekiwanej konsumpcji.

– Bzdury gadasz, Anka – ożywił się nagle obiekt dyskusji. – Owszem, było bosko i romantycznie i zapewniam was, że Ajron z żadnej wprawy nie wyszedł, choć nie wiem, o co wam chodzi. I żadnej konsumpcji nie oczekiwał. No, może oczekiwał, ale gdyby nie ten telefon, to z pewnością do konsumpcji by doszło i nie wiem, kto kogo by skonsumował z większym apetytem. Niestety poprosiłam go, głupia, żeby wyszedł i w pięć minut po tym, jak odjechał, gorzko tego żałowałam! I to też jest wina Jerzego! – Mariolka gotowa była sypać wszelkimi inwektywami, jakie przychodziły jej na myśl, ale nie zdążyła, bo nie dała jej na to szans Beata.

– Zabujałaś się w nim – stwierdziła krótko. – Co zresztą było oczywiste od samego początku.

– Nic nie było oczywiste – zaperzyła się Mariolka. – I wcale nie jestem zabujana. Po prostu go lubię. No dobrze, ciągnie mnie do niego i wyobrażam go sobie bez ciuchów, ale to nie znaczy, że go kocham. A zresztą sama już nie wiem... Może kocham...?

Beata pozwoliła jej pomyśleć i nie odzywała się podczas nakładania chłodzącej maseczki z morskich alg. Przykryła przyjaciółkę lekkim kocykiem i ponownie zajęła się Anią.

– Mari, ja cię doskonale rozumiem – odezwała się w końcu cicho wprost do paznokci policjantki. – To nie twoja wina. On po prostu taki jest. Jest jak tarantula, która czyha na ciebie w środku zastawionej sieci, a jak w nią wpadniesz, to nie masz najmniejszych szans ratunku. Albo jak kobra. Kiedy patrzy ci w oczy swoimi czarnymi oczyskami, nieruchomiejesz i nie masz szans ratunku. Albo TIR, przy którym ty jesteś tylko nędznym cinquecento. Po prostu nie masz szans. I tylko możesz się modlić, żeby na ciebie nie zastawiał, nie patrzył i nie rozjeżdżał. Wtedy może ci się uda. Tylko może. Mnie się nie udało. Chcesz, żebym opowiedziała ci, jak poznałam Arka?

Obie kobiety, zafascynowane pełnymi pasji słowami Beaty, kiwnęły głowami.

– Robiłam właśnie kawitację, gdy wszedł z jakąś panienką. Ona chciała umówić się na manicure, a on ją po prostu przyprowadził. Wyglądał jak Apollo, ale nie będę się rozdrabniać, bo przecież wiecie, jak on wygląda. No w każdym razie umówiłam babkę jak najszybciej i modliłam się, żeby przyszli znowu razem. Przyszła jednak sama. Przez całą godzinę, bo tyle trwała wizyta, mówiła tylko o nim: Arek to... Arek sro..., a ja słuchałam jak zaczarowana. Dowiedziałam się, że jest weterynarzem i pracuje społecznie w schronisku. Oczywiście polazłam tam przy pierwszej lepszej okazji, mając nadzieję, że go spotkam. Nie spotkałam, ale pracowała tam jakaś laska mniej więcej w moim wieku i na moje niby mimochodem zadane pytanie rozgadała się: Arek tamto... Arek sramto... Nawet mnie to rozbawiło w pierwszej chwili, ale później naszła mnie refleksja. Stwierdziłam, że sama zachowuję się tak samo jak te idiotki! Odpuściłam sobie... na jakiś czas.

W gabinecie było cicho jak makiem zasiał. Anna nie odrywała wzroku od ust pochylonej nad jej paznokciami Beaty, a Mariola w końcu zapomniała o sobie i z niecierpliwością oczekiwała dalszego ciągu opowieści.

– Któregoś dnia zobaczyłam go na ulicy. Szedł za rękę z jakąś kolejną panną, wpatrzoną w niego jak w obrazek, a ja wgapiałam się w nią, gotowa oddać wszystko, byle tylko znaleźć się na jej miejscu. Pomyślicie, że jestem walnięta, ale to prawda. Miałam dosłownie jakąś obsesję na jego punkcie. Znowu poszłam do schroniska i w końcu szczęście się do mnie uśmiechnęło. Akurat była jakaś akcja. Duży pies w typie owczarka zadławił się i Arek, nie bacząc na zęby czy drgawki psa, po prostu włożył mu rękę do gardła po sam łokieć i wyciągnął kość.

Mariola uśmiechnęła się z dumą. *Cały Ajron...* – pomyślała.

– Po czym myśląc chyba, że tam pracuję, podał mi psa i kazał odnieść do boksu. A zrobił to z taką czułością dla czworonoga, że poległam bez końca. Złożyłam papiery i zostałam wolontariuszką, żeby móc go widywać. Zresztą to był świetny pomysł i praca tam sprawiała mi i wciąż sprawia ogromną satysfakcję, mimo tego że Arek kompletnie nie zwracał na mnie uwagi.

Beti przerwała swą opowieść.

– Ile ty masz lat? Dwadzieścia sześć? – zapytała Anna.

– Dwadzieścia siedem.

– Dziewczyno, przecież doktorek jest od ciebie prawie dwa razy starszy.

– Nie przesadzaj. Marne piętnaście lat. No ale żeby nie przynudzać, w końcu udało mi się z nim umówić na kawę. Matko Boska, jak ja szalałam ze szczęścia! Nowa kiecka, szpile do nieba, malowałam się chyba z godzinę... a on nie przyszedł. Zapomniał.

– A to gnojek – mruknęła pod nosem Anna.

– Chciałam zrezygnować z pracy, tak mnie tym zranił, ale ostatecznie szkoda mi było fajnej roboty, więc zostałam. A on mnie nawet nie przeprosił. Po prostu całkiem wypadło mu z głowy nasze spotkanie, a ja zrozumiałam, że nie zamierza zarzucać na mnie sieci ani rozjeżdżać TIR-em. Ja go po prostu nie interesowałam.

Sama rzucałam mu się do stóp, a on mnie omijał jak małego psiaka. Z biegiem czasu przeszła mi namiętność, ale do tej pory nie wiem, jak bym zareagowała, gdyby los dał mi szansę. Ale nie dał. Dlatego równocześnie współczuję ci i zazdroszczę.

– Beti. Tak mi przykro – przytłumionym głosem odezwała się Mariola. – Musiałaś się czuć jak kupa gówna, gdy my żartowałyśmy sobie o nim albo jak gadałyśmy o tym moim z nim niby-romansie... – Przy określeniu „niby-romans" poczuła się trochę nie fair w stosunku do przyjaciółki, bo przecież aż taka niewinna przyjaźń to nie była... No, a przynajmniej mogła nie być, gdyby tylko wykazała więcej chęci i mniej zahamowań.

– Nie, Mari. Ja jestem książkowym przykładem platonicznej, beznadziejnej miłości. Gdy po kilku latach wspólnej pracy przyłapałam niechcący Arka w magazynie, nawet nie było mi za bardzo przykro. Wręcz żałowałam trochę tej dziewczyny, bo pewnie jej się wydawało, że zaraz ślub, dzieci i biały domek, ale ja go już poznałam aż za dobrze. Dlatego cię ostrzegałam. Bo czułam, że wpadniesz w tę jego sieć... A on wybiera z niej tylko te, które chce, pozostałe wywalając bez skrupułów do śmieci... To jaki kolor paznokci robimy? – zapytała Mariolkę, nagle zmieniając temat.

– Jak najczarniejszy – bez najmniejszego wahania odpowiedziała zapytana.

Emilka, która bez problemu mieściła się w foteliku samochodowym Michaliny, uśmiechnęła się wesoło do ciotki, gdy Piotrek zatrzymał się przy krawężniku.

– Wsiadaj prędko, tu nie można stać.

Mariola szybko wrzuciła zakupy na tylne siedzenie i zapięła pasy.

– Wszystko masz?

– To, jak zwykle, okaże się w domu – odpowiedziała.

Po szczerej rozmowie w gabinecie Beaty, ufryzowana i z pomalowanymi na czarno paznokciami, poszła jeszcze do marketu na zakupy. Z największą niechęcią kupiła kilka nowych szczoteczek do zębów, przybory do golenia i ulubioną wodę kolońską Jerzego. Dokupiła produktów żywnościowych dla ludzi i kilka opakowań otrębów dla zwierząt.

To nie wina Ajrona, że Beti się w nim zakochała – myślała, wkładając do koszyka pięć tubek pasty do zębów. – *No może i tak, ale nieświadoma. To, że matka natura obdarzyła go takimi genami, nie jest ani jego winą, ani zasługą. Ani to, że wszystkie baby chcą pożreć go żywcem...*

Zapłaciła za zakupy i ruszyła wolno, przyglądając się sobie w szybach sklepowych wystaw. *Czy Jerzy zauważy, że coś się zmieniło? Zarówno na zewnątrz, jak i w środku?* Uśmiechnęła się ze smutkiem. *Na pewno nie. Ale może to dobrze...?*

Na kolację zjadły gofry z dżemem śliwkowo-jabłkowym i bitą śmietaną. Mariola, pełna wyrzutów sumienia, że na cały dzień podrzuciła Emilkę Oli, postanowiła je uspokoić, rozpieszczając małą kalorycznym i niezdrowym, ale za to uwielbianym przez nią jedzeniem.

– Ciociu, czy ja jutro też mogę jechać do Hani? Byliśmy dziś z wujkiem Piotrkiem na basenie i Hania uczyła mnie nurkować. Ciocia Ola powiedziała, że jak się zgodzisz, to jutro też mogłybyśmy pójść. To co, ciociu? Mogę?

I tyle z wyrzutów sumienia – zaśmiała się do siebie w myślach. – *A ty, naiwna ciotko klotko, myślałaś, że dziecko poczuje się odrzucone...*

– Nie wiem jeszcze, rybko. Zadzwonię do cioci i wtedy ci powiem, dobrze?

Emilka skinęła głową i poszła powiedzieć zwierzakom „dobranoc".

Wieczorem Mariolka długo siedziała samotnie przy wyłączonym telewizorze. Z włączonym za to na maksa pesymizmem. Przypominała sobie dawne, monotonne życie w Przemyślu, wszystkie nudne wieczory z komputerem lub prasą, Jerzego wlepiającego wzrok w telewizor. Swoje nędzne rozrywki i żenujące pretensje do losu, który nie układał jej się tak, jak innym. Porównywała swoje relacje z Ajronem do wieloletniego współżycia z Jerzym i nie mogła temu drugiemu wstawić zbyt wielu plusów na wyimaginowanej tablicy. To prawda, pierwszych parę lat było niezłych. Jeszcze jako narzeczeni wyjeżdżali pod namiot albo na spontaniczne kilkudniowe wypady ze znajomymi Jurka ze studiów. Gdy Dawid był mały, chodzili wspólnie na spacery, do kina czy cyrku, ale gdy syn poszedł do gimnazjum i nie potrzebował już, aby rodzice organizowali mu czas i rozrywki, Jerzy tak jakby odetchnął z ulgą. Założył kapcie, usiadł w fotelu i włączył swój serial. I został tak do dziś. W kapciach, w fotelu i z Klossem. A ona chciała czasem zamienić kapcie na szpilki, fotel na taksówkę, a Klossa na wirowanie na parkiecie lub chociaż lampkę wina w jakiejś restauracji. Po kilku kłótniach i samotnych wyjściach zrezygnowała ze swoich „fanaberii". A po kilku latach zapomniała, że w ogóle takowe miała. Anna i Aleksandra jej o nich przypomniały. I Ajron. I dlatego właśnie tak bardzo bała się przyjazdu Jerzego. Bała się, że przeszłość znowu stanie się jej teraźniejszością. Przed pójściem spać włączyła telefon. *Boże, dopomóż* – szepnęła zgnębiona, patrząc na wyświetlacz...

Rozdział 21

—Ola, strasznie ci dziękuję, że zajęłaś się wczoraj Emilką.

– Przestań. To ja ci dziękuję, bo miałam święty spokój. Piotrek zabrał dziewczynki na basen, a później cały dzień razem się bawiły. Emilka ma bardzo dobry wpływ na Hankę i jest taka opiekuńcza dla Miśki. Zresztą umawiałyśmy się, że w każdej chwili dnia i nocy. Pamiętasz?

– Tak... Głupio mi prosić, ale czy dzisiaj też mogłaby do was przyjechać? Wieczorem przyjadą Dawid z Jerzym i wiesz, muszę trochę ogarnąć, uszykować żarcie i tak dalej... Obawiam się, że mogę nie być dla małej najmilszą towarzyszką....

– W każdej chwili dnia i nocy, powtarzam. – W słuchawce zaległa chwila ciszy. – A może chcesz zostawić ją u mnie na kilka dni? Dziewczynki się ucieszą, a ty będziesz mogła na spokojnie pogadać z Jerzym... Rozmawiałam z Anką. Nie martw się... Wszystko się jakoś pomału ułoży.

– Taa... Nie, dzięki, tylko na dziś wystarczy. Przywiozę ją po jedenastej. Pa.

Żegnała się właśnie z Emilką, która w biegu wysłała jej buziaka i pomknęła jak strzała do machającej już Hani, gdy usłyszała sygnał esemesa. „Będziemy koło dwudziestej" – przeczytała. Aleksandra spojrzała na nią pytająco.

– Od Dawida. Będą na kolację. – Mariola usiłowała się uśmiechnąć, ale wyszedł jej tylko grymas cierpiącego na ból zęba biedaka.

– Może jednak wejdziesz na chwilę, co? Spijemy kawę, pogadamy...

– Nie. Przepraszam cię, ale muszę przygotować się do ich powrotu.

– Przykro mi, że nie mogę ci pomóc, Mari. Serio.

– Przestań. Co tam, trochę posprzątać i ugotować...

Aleksandra popatrzyła na nią z wyrzutem w oczach.

– Nie o tym mówię i dobrze o tym wiesz. Po prostu postaraj się trochę bardziej niż poprzednio... A jak nie dasz rady, to będziemy martwić się dalej.

Jadąc powoli z powrotem, Mariola myślała o słowach szwagierki. *Postaraj się bardziej. Czyli co? To moja wina, że nam nie wyszło? Ja zawiniłam, że po miesiącu separacji nasz dystans, zamiast się zmniejszyć, jeszcze bardziej wzrósł? Że zamiast zatęsknić i marzyć o spotkaniu, wzdrygam się jak przed wizytą u dentysty?*

Spojrzała przez okno na umykające drzewa. Gdy jechała tędy w zeszłym roku z Piotrkiem, liście były złoto-czerwone. Teraz błyszczały jeszcze zielenią, ale już za chwilę czas zmieni ich kolory. *Podobno ludzie się nie zmieniają* – pomyślała – *czas jednak zmienił mnie, Dawida i Emilkę, może uda mu się również z Jerzym? Marne szanse...*

W domu była po dwunastej. Usiadła na tarasie i spojrzała na swoje gospodarstwo. *Nic nadzwyczajnego* – przemknęło jej przez głowę. – *Kawałek podwórka, obórka, sad z uginającymi się od owoców gałęziami drzew i zapuszczony ogród.* Ale w każdym miejscu widziała również coś innego. W tym kącie Boczek pobił się z Sabą, w sadzie, śmiesznie podskakując, Mandarynka wdrapywała się na pryzmę, przy stodole Emilka bawiła się z kotami, a przy furtce rozmawiała z Ajronem po powrocie z Wiatraków. Na ganku siedziała z dziewczynami, popijając kawę czy inne trunki, zaśmiewając się do łez i gadając o różnych rzeczach... O Ajronie na przykład... Westchnęła i spojrzała w kierunku drogi... *Jasna cholera... AJRON?*

Nie wiedząc, czy to jawa, czy też przywołała swymi myślami jakieś widmo, z niedowierzaniem patrzyła na zbliżającą się postać.

– Ajron?

– Tak. To ja! Tak się zmieniłem, że mnie nie poznajesz? A może wyrosły mi jakieś nietypowe części ciała? Na przykład rogi?

Sugeruje coś, czy jestem przewrażliwiona? – zadała sobie w myślach pytanie.

– Po prostu nie spodziewałam się ciebie. Nie miałeś być w pracy?

– Miałem, ale przełożyłem wszystkie wizyty na popołudnie.

– Aha...

Zaległa niepokojąca cisza. Ajron stał na podwórku, stukając kluczykami od samochodu w swoje udo. Patrzył na nią gniewnie, a czarne oczy miotały błyskawice. *Matko Boska* – spłoszyła się Mariolka. – *A temu co?* Stała niepewnie, nie wiedząc, czy zaproponować mu coś do picia, czy raczej zwiewać do domu i zamknąć drzwi na siedem spustów.

– Wejdź. Napijesz się soku albo kawy?

Mężczyzna energiczne wszedł na ganek, nie odrywając spojrzenia od jej oczu i usiadł na bujaku.

– Byłem tu wczoraj. Kilka razy. Nie odbierałaś moich telefonów.

Spojrzała na niego z lekkim wyrzutem sumienia.

– Przepraszam. Cały dzień byłam w Choszcznie, u Anny... a później u Beti... Wyłączyłam komórkę.

Dlaczego ja mu się tłumaczę? – zapytała ze zdziwieniem samą siebie. – *I czemu tak mnie cieszy to, że mu się tłumaczę?*

– Nie mogłaś oddzwonić wieczorem?

– Gdy włączyłam telefon, było późno, na pewno już spałeś.

– Głupio sobie żartujesz czy udajesz?

– Co?!

– Jeśli myślisz, że mogłem spać ostatniej nocy, to znaczy, że w ogóle mnie nie znasz!

– No... faktycznie nie wyglądasz za dobrze... – Uśmiechając się niepewnie, spróbowała idiotycznym żartem rozładować napięcie. Idiotycznym, bo Ajron wyglądał bardzo dobrze.

Czarne oczy rzucały ognie, białe zęby błyskały spomiędzy bladych ust, a cień prawie granatowego zarostu na nieogolonym podbródku nadawał mu wygląd barbarzyńcy. Testosteron buzował z każdej części jego ciała i gęstą chmurą opadał na spłoszoną coraz bardziej Mariolę. Spłoszoną, a mimo to czującą, jak ten testosteron podnosi temperaturę jej ciała, przyspiesza bicie serca i osłabia gwałtownie siłę nóg. Mężczyzna wstał z fotela tak energicznie, że mebel potoczył się po podłodze, po czym podszedł do Marioli. Kobieta cofała się, aż ściana za plecami uniemożliwiła jej dalszą ucieczkę. Stanął tak blisko, że widziała drgający gwałtownie mięsień na jego szczęce. Oparł się rękoma o ścianę, zamykając swą ofiarę w klatce umięśnionych ramion.

– Myślisz, że mógłbym zmrużyć oko, wiedząc, że leżysz w innych niż moje ramionach? Że całują cię inne niż moje usta? Że drżysz i wijesz się pod innym ciałem? Myślisz, że możesz mnie uwodzić swoim wzrokiem, koszulkami opinającymi piersi i długimi nogami w krótkich szortach, a później powiedzieć: „Spadaj na drzewo, jutro będzie mój mąż"?

Mariola nie wiedziała, co się z nią dzieje. Była przerażona, nie znała takiego Ajrona, a jednak ten nieznajomy wzbudzał w niej takie emocje, o których nie wiedziała, że jest zdolna poczuć.

– Ajron... co ty mówisz?... Przecież my nic...

– Nic?! – Testosteron już nie buchał. Zmienił się w jakąś supernową i ogarnął cały świat. – Uważasz, że rozpalanie mnie do białości i umykanie to nic? Że przesuwanie mnie na drugie i trzecie miejsce, zwodzenie przyspieszonym oddechem, rumieńcem na twarzy i prośbą w spojrzeniu to nic? Mówiłem ci, że jestem cierpliwy, że mogę czekać... Ale, do cholery, w uczciwej grze. Nie w takiej, gdzie jeden walczy i daje z siebie wszystko, a drugi przychodzi i bierze!

– Ajron! Opanuj się. Mówisz o moim mężu, który ma więcej praw niż ty. Jest moim mężem, rozumiesz to? Czy nam się to podoba, czy nie. On nie musi walczyć. On już mnie po prostu ma. Poza tym przepraszam cię. Nie wiedziałam... nie sądziłam...

– Nie bądź dzieckiem, Mariola. Wiedziałaś i sądziłaś. I chciałaś. Marzyłaś o mnie nocami, budziłaś się spocona i wilgotna i krzyczałaś być może, zaspokajając się samotnie i marząc, że to mój kutas.

Tego było już za dużo. Zbyt wiele emocji, zbyt wiele słów i oskarżeń. Najgorsze, że wszystkie były prawdziwe. Że mężczyzna tak łatwo ją rozgryzł i rzucił jej uczuciami prosto w twarz. Wyrwała się z jego objęć i pobiegła przed siebie. W pełnym pędzie kopnęła skrzypiącą przeraźliwie furtkę i pobiegła jak najdalej od niego, w kierunku lasu, nie myśląc, czując tylko palący ból i wstyd.

Wzburzona stanęła na skraju łąki. Tuż obok rosły pierwsze drzewa, słychać było plusk Drawy opływającej licznie leżące tu kamienie. *Zachowuję się jak spłoszona nastolatka* – pomyślała gniewnie. – *Wróć tam i powiedz zarozumiałemu Ajronkowi, żeby się walił*. Jednak stała tylko i czuła, jak do jej oczu napływają łzy. Mijały minuty, a Mariola zatraciła poczucie czasu, przestrzeni i realizmu. Nie widziała spadających z drzew liści, nie czuła wiatru na swych zapłakanych policzkach, nie słyszała odgłosów wydawanych przez pierwsze odlatujące na południe żurawie... Jakiś szósty zmysł kazał jej się odwrócić i wpadła wprost w ramiona Arka. Nie namyślając się, wtuliła się w nie, jakby tego właśnie miejsca szukała całe życie. Ajron wpił się w jej usta, a niemająca najmniejszych szans obrony, kierowana wolą wypływającą z jej podświadomości Mariola z całą gwałtownością oddała pocałunek i spaliła się w wulkanach jego oczu. Położył ją na trawie i niecierpliwymi rękami rozpinał guziki bluzki, wciąż nie odrywając głodnych warg od jej ust. Z trzaskiem pękło ramiączko błękitnego stanika, a ręce i usta namiętnego mężczyzny nie nadążały z ukojeniem słodkiego, nieznośnego bólu... Jej ciało dryfowało w nieważkości, a w ślad za palcami Ajrona po brzuchu rozlewały się strumienie gorącej lawy, które rozpalał jeszcze bardziej swoimi ustami.

– Nie! – gwałtownie podniosła się z trawy, zasłaniając rękoma odsłonięte piersi.

– Dlaczego nie? – zachrypniętym z pożądania głosem spytał Ajron.

– Nie wiem. Ale wiem, że żałowalibyśmy tego. Wieczorem będzie tu Jerzy. Jak mogłabym spojrzeć mu w oczy? Jak mogłabym spojrzeć w oczy sobie samej?

Ajron obiema rękami objął jej twarz i błękitne źródełka zatonęły w czarnych wzburzonych oceanach.

– Czy to ważne? Czy ważne jest, co będzie jutro... wieczorem... za chwilę...? Wiem, co ważne jest dla nas teraz. Wiem, że pragniesz mnie tak samo, jak ja ciebie. Wiem, że cała drżysz, i jestem szczęśliwy, że to ja jestem tego powodem. Wiem, że moje serce wali jak szalone i chciałbym, żeby twoje biło w takim samym tempie...

Pojedyncza łza spłynęła wolno po jej policzku.

– Nie. Masz rację. Chciałam i marzyłam, ale jestem tchórzem. Małomiasteczkową dziewczyną, której być może wpojono zbyt wiele zasad. I za bardzo cię lubię, aby jednym spontanicznym czynem zepsuć naszą przyjaźń. Za bardzo zależy mi na tobie, aby się ciebie wyrzec, a gdybyśmy kochali się ze sobą, nie potrafiłabym już przestać za tobą tęsknić. Chciałbyś, żebym wodziła za tobą oczami albo wzdychała cierpiętniczo za każdym razem, gdy się spotkamy? Ty mnie nie kochasz, a ja nie kocham jeszcze ciebie. Spróbujmy zapomnieć o naszej szalonej żądzy i żyć po prostu dalej. Tak musi być, taka jest moja decyzja. Wybacz mi, jeśli myślałeś inaczej, jeśli niechcący dawałam ci złe sygnały. Odepchnijmy od siebie to niepotrzebne uczucie...

Ajron długo milczał, wpatrując się w oczy Marioli. Tak długo, że dziewczyna zaczęła się obawiać o to, co może od niego usłyszeć. W końcu mężczyzna podniósł się z ziemi i ze smutnym uśmiechem podał jej rękę.

– Chodź, wracamy, moja ty rozsądna, silna kobietko. Ale uwierz mi, że nigdy nie uda mi się zapomnieć o tym, co było, i nigdy nie przestanę marzyć o tym, co mogłoby być. I uważam, że żadne uczucie, mniej lub bardziej czyste, nie jest niepotrzebne. Skoro się pojawia, to widocznie tak miało być. Najgorsze, co może być, to nie czuć...

P atrzyła z przyklejonym do twarzy uśmiechem na wysiadających z samochodu mężczyzn. Dawid otworzył bagażnik i wyciągał z niego kolejną torbę. Podeszła, aby pomóc wysiąść Jerzemu.

– Witaj. – Przyklejony uśmiech parzył ją w usta.

– Witaj. – Ton Jerzego był niepewny, a głos zmęczony.

Z pomocą Marioli wysiadł z samochodu, podpierając się ręką i sięgając na tylne siedzenie po kule. Złapała go z jednej strony, a z drugiej podszedł opalony, choć również zmęczony Dawid.

– Przestańcie się trząść nade mną. To tylko skręcenie, zresztą prawie zagojone. Poradzę sobie – szorstkim głosem podziękował im Jerzy.

Mariola zacisnęła zęby, ale uśmiech jakimś cudem nie zszedł jej z twarzy.

– Daj spokój. Przecież od tego się mamy, żeby sobie wzajemnie pomagać.

Doprowadzili Jerzego do domu, odganiając podskakującego radośnie dookoła pana psa.

– A Zuzanna? – zapytała Mariola syna.

– Zuzkę wysadziliśmy w Choszcznie. Jej ojciec już tam był, więc transfer odbył się z auta do auta.

Na wspomnienie Ajrona poczuła nagłą suchość w ustach.

Do Dawida podbiegła w podskokach Emilka i rzuciła mu się na szyję.

– Cześć, mała! – Dawid zakręcił nią kilka razy, aż zapiszczała z radości. Ponad głową dziecka uśmiechnął się z uznaniem do matki, po czym postawił zarumienioną małą na podłodze. – Mam dla ciebie tysiąc prezentów. Ode mnie i Zuzy. Idziemy pooglądać? – zadał retoryczne pytanie, gdyż podniecone dziecko już ciągnęło go za rękę po schodach. Wchodząc za nią do góry, odwrócił się jeszcze i podniósł do góry kciuk. Mariola została sama z mężem... i ciszą. Jerzy odłożył kule i usiadł przy stole.

– Jak się czujesz? I co się w ogóle stało?

– Głupi wypadek. Wyszedłem wyrzucić śmieci i jakiś pies zabiegł mi drogę. Przewróciłem się tak fatalnie, że skręciłem nogę w kostce. Myślałem, że to nic takiego, ale na drugi dzień noga spuchła jak bania i nie mogłem na niej ustać. A czuję się nie najgorzej. W Poznaniu wziąłem tabletkę, bo już nie dawałem rady z bólu, i spałem prawie do samego Choszczna. – Jerzy upił łyk herbaty, którą postawiła przed nim Mariola. – Naprawdę, niepotrzebny cały ten cyrk. Poradziłbym sobie sam, ale wiesz, jaki jest Dawid. Przyjechał do domu i jak zobaczył, że mam nogę w gipsie, w szynie właściwie, to się uparł, że mam z nim wrócić i koniec gadki. Przepraszam cię za kłopot. – Mimo pokornych, zdawałoby się, słów hardo podniósł głowę i popatrzył na żonę.

– I bardzo dobrze zrobił – odpowiedziała pewnym głosem Mariola, choć jej prawdziwe myśli brzmiały zgoła inaczej. I aby jeszcze bardziej się pogrążyć, dodała: – Żaden kłopot. Przecież to jest również twój dom.

Zamknęła na chwilę oczy. *Boże, widzisz i nie grzmisz... Kiedy nauczyłam się tak kłamać?*

Uspokojony Jerzy zajął się jedzeniem kolacji. Chwilę później na dół zeszli również pozostali głodni i nagle liczni domownicy. Emilka wymachiwała nową ciupagą tak energicznie, że zrzuciła ze stołu talerz, który z brzękiem rozbił się na kawałki. Zamarła i z przerażeniem spojrzała na obcego mężczyznę. Mariola zamarła również, widząc w jej oczach lęk, którego miała nadzieję nigdy więcej nie oglądać. Jerzy odłożył kromkę chleba i spojrzał na dziewczynkę, która w odpowiedzi skuliła się jeszcze bardziej. Przez chwilę, która Marioli wydawała się wiecznością, mężczyzna i dziecko patrzyli sobie w oczy. Jeden z namysłem, drugie z narastającą paniką. Chwilę później Jerzy szturchnął celowo łokciem swój talerz, który solidarnie z poprzednim rozbił się w drobny mak. Mariola nie wierzyła własnym oczom. A zszokowała się jeszcze bardziej, gdy Jerzy się odezwał.

— Co tam talerze, najważniejsze, że jesteśmy już wszyscy razem, prawda? Emilko, dużo słyszałem o tobie od Dawida. On cię bardzo lubi, wiesz? A ja mam nadzieję, że ty polubisz mnie... choć jestem taki niezgrabny...

M imo późnej już pory siedzieli na sofie, popijając sok lekko wzmocniony żubrówką. We włączonym telewizorze leciał jakiś film. Nie... nie „Stawka większa niż życie". Właściwie nie wiadomo co, bo żadne z nich nie patrzyło w ekran. Jerzy ułożył wygodnie nogę na podsuniętej mu przez żonę pufie i patrzył przed siebie z lekkim skrępowaniem. Mariola upiła odrobinę drinka.

— Dziękuję ci za ten numer z talerzem. Dobry był...

Oboje uśmiechnęli się na wspomnienie miny Emilki. Zdumiona mała najpierw z niedowierzaniem wpatrywała się w dziwnego pana, a za chwilę w jej oczach rozbłysły iskierki, a kąciki ust powędrowały do góry.

– Nie myślałaś chyba, że skrzyczę to biedne dziecko? – z urazą w głosie zapytał Jerzy.

– Oczywiście, że nie. Ale nie spodziewałam się, że tak szybko przełamiesz lody. To dziecko wiele przeszło...

– Wiem. Dawid mi dużo o niej mówił... W ogóle dużo rozmawialiśmy, jak ta dziewczyna szła już spać... Właściwie nie pamiętam, kiedy tak szczerze rozmawiałem z własnym synem... – Nerwowo zastukał kostkami lodu o ścianki kieliszka, wciąż nie patrząc na żonę. – Bardzo tęskniłem. Nawet nie zdawałem sobie sprawy, że można aż tak tęsknić. Siedziałem przed telewizorem albo komputerem i myślałem o tobie. Co robisz, jak jesteś ubrana, co szykujesz na obiad. Wyobrażałem sobie, że jestem tu z wami i rozmawiamy albo gdzieś idziemy...

– To dlaczego nie przyjechałeś wcześniej? Dlaczego musiałeś aż skręcić nogę, żeby się tu zjawić?

– To przez tę cholerną dumę. Wiesz, ile razy byłem już spakowany i ile razy rozpakowywałem się z powrotem? Ile razy siedziałem w samochodzie i wysiadałem z niego? To była jakaś męka. Wyobrażałem sobie twój triumfujący uśmiech, pogardę w oczach Anny, ciche szepty za plecami i tchórzyłem. Wiem, durny jestem. Gdybym obejrzał to w jakimś filmie, to pomyślałbym, że ten facet to jakaś straszna ciota. Najgorsze jest, że ta ciota to właśnie ja.

– Przestań, proszę. To nieprawda. Jesteś po prostu wrażliwy, może czasami aż za bardzo...

– Wiem, wiem. Wrażliwy na swoim punkcie. Ale jakoś niewrażliwy, jeśli chodzi o ciebie – zaśmiał się gorzko. – Mariola, ja naprawdę wiele myślałem i doszedłem do wielu wniosków. Niepochlebnych dla siebie. Wybacz mi, proszę. Naprawdę wierzę, że potrafię się zmienić. Daj mi jeszcze jedną szansę, a obiecuję, że nigdy już nie będziesz musiała się za mnie wstydzić... – Z wysiłkiem przysunął się do żony i położył ręce na jej ramionach. Z lekkim smutkiem spojrzał jej w oczy. – Mariola, ja wciąż bardzo cię kocham.

Podobne wyznanie nie mogło przejść jej przez usta, więc tylko uścisnęła jego dłoń. Jerzy przysunął się jeszcze bliżej i patrząc pytająco, zniżył usta do jej ust...

– Emilka...

– Śpi słodko...

– Dawid...

– Padł jak kawka po przejechaniu tylu kilometrów...

Wszystkie wymówki się skończyły. Jerzy pocałował ją z ogniem, zrzucił ręką poduszki i położył na sofie, nakrywając swoim ciałem.

– Twoja noga... – spróbowała ostatniej deski ratunku.

– Do tego, co chcę zrobić, nie będzie mi potrzebna – szepnął.

Nie, nie, nie, odejdź... – szeptała w myślach podniecona mimo woli Mariola. Zacisnęła powieki, ale dalej widziała czarne oczy wpatrzone w nią z wielkim głodem. *Odejdź, proszę...* Jednak jej zmysły oszalały i mimo, że leżała na miękkiej sofie we własnym salonie, czuła kłujące źdźbła, woń skoszonej świeżo trawy i słyszała szmer płynącej rzeki. Jerzy odkrywał zapomniane już prawie rejony jej ciała, a Mariola roztapiała się w innych męskich ramionach. W kulminacyjnym momencie z całych sił zacisnęła zęby, aby nie wydarł jej się cisnący na usta głośny krzyk: *Ajron! Ajron! Ajron...*

Rozdział 22

—Nieważne, że siedział w piżamie, zarośnięty i z nogą w gipsie. Ale w oczach miał taką pustkę i smutek, że się przeraziłem. – Mariola doiła Cytrynę, a Dawid stał obok, przyglądając się zwierzętom. – W lodówce tylko światło i zimno. Śmieci wywalały się z wiadra, a zlew wypełniony szklankami po piwie i Bóg wie jeszcze czym. Gdy weszliśmy z Zuzką do domu, popatrzył na mnie tak, jakby mnie nie poznawał. Co prawda zaraz się uśmiechnął, ale ten pierwszy moment był makabryczny. Od razu wiedziałem, że nie ma co siedzieć, tylko zabierać ojca i przyjeżdżać tutaj. Dzwoniłem, ale nie odbierałaś. – Popatrzył na matkę z pytaniem w oczach.

– Taa... Byłam z Emilką na łące i zapomniałam wziąć telefonu. – Na wspomnienie owej łąki poczuła dreszcz i nagły smutek. – Dopiero wieczorem spojrzałam w komórkę...

– No w każdym razie dałem mu dzień na oswojenie się z myślą, spakowałem manele i o świcie wyruszyliśmy do domu. – Wzruszył ją tym „domem". – Oczywiście marudził, że to bez sensu, że ty może sobie nie życzysz, że mieliście odpocząć od siebie czy jakoś tak, ale nie słuchałem. – Spojrzał z uwagą na matkę. – Dobrze zrobiłem... nie?

– Pewnie, że tak.

– Już dwa tygodnie tak siedział z tą nogą – uspokojony Dawid kontynuował opowiadanie. – Sąsiadka z dołu robiła mu zakupy i czasem coś tam pomogła. A on, zamiast zadzwonić, siedział sam i czekał Bóg wie na co. Całe szczęście, że pojechaliśmy w góry, bo chyba zgniłby w tym Przemyślu... Wyrzucam sobie tylko, że od razu nie zajechałem do niego... Gdyby tylko coś powiedział...

– Skąd mogłeś wiedzieć. Znasz ojca, nie jest zbyt wylewny i nie lubi być od kogoś zależny. Zrobiłeś wszystko tak, jak trzeba.

Skończyła dojenie, podniosła wiaderko i ruszyła do domu. Dawid wypuścił zwierzęta na wolność, nabijając się z tuszy Boczka.

– Mamo, czym ty go karmisz? Łatwiej go przeskoczyć niż obejść...

Idąc do kuchni, myślała o Jerzym. *Cały on. Nie wtrącać się do nikogo, z nikim nie spoufalać, a jak przyszło co do czego, nie miał mu kto podać pomocnej ręki. Nie miał do kogo zadzwonić w nagłej potrzebie. Jakże musiało mu doskwierać dobre serce Małeckiej... Jaki musiał czuć się tym upokorzony, szczególnie że kilka miesięcy wcześniej skłócił się strasznie z Małeckim o jakąś bzdurę...* Dolała połowę mleka do kwaśniejącego w kance półproduktu na twaróg, a resztę wniosła do domu i nastawiła ekspres. Z łazienki dobiegał szum wody, świadczący o tym, że Jerzy już wstał i bierze prysznic. Nie zdziwił się nawet specjalnie, że pościeliła mu na noc sofę. *Pewnie myślał, że to z troski o nogę, którą musiałby forsować, wchodząc na piętro* – pomyślała ironicznie.

Po niespodziewanym zakończeniu wieczoru poszła do swojej sypialni i płakała cicho w poduszkę. Zaspokojona, to prawda, ale nie przez tego mężczyznę, o którym marzyła. Miała poza tym irracjonalne wrażenie, że w pewien sposób zdradziła Jerzego, kochając się z nim, podczas gdy w myślach widziała tylko Ajrona, oraz że zdradziła Ajrona, kochając się z Jerzym. *Nie histeryzuj* – upomniała się w myślach i nalała do spodka trochę mleka oczekującym już na nie kociakom. Emilka również już nie spała i z ciekawością, ale też z lekką niepewnością przyglądała się Marioli.

– Ten pan będzie tu mieszkał?

– Tak, kochanie. To jest mój mąż, tatuś Dawida.

– A jak wyzdrowieje, to też?

Sama chciałabym wiedzieć – pomyślała.

– Nie wiem, ale na razie będzie mieszkał z nami i na pewno bardzo się polubicie.

Emilka bez słowa popatrzyła w stronę drzwi łazienki, po czym z lekką niechęcią skinęła główką.

– Może tak... On nie jest podobny do mojego tatusia... Mój nie tłucze talerzy...

Wiem, skarbie, on tłucze ciebie i twoją matkę – zasmuciła się w myślach Mariola, a głośno powiedziała:

– A właśnie! Czy ty wiesz, że już za parę dni twoja mama wyjdzie ze szpitala i zamieszka z nami?

– Wiem, ciociu. Wczoraj rozmawiałam z nią przez telefon i mi mówiła. – Buźka Emilki rozbłysnęła jak słoneczko, a w oczach ukazały się dwie łezki. – Nie mogę się doczekać... Ale gdzie będzie spała?

– Tym się nie martw. Na pewno znajdziemy jakieś rozwiązanie. A teraz siadaj i zajadaj.

Postawiła przed małą kanapki z sałatą i jajkami na twardo, a dziecko zajęło się jedzeniem. Drugi, wypełniony po brzegi talerz czekał na Jerzego i Dawida. Sama wypiła tylko filiżankę kawy z mlekiem, czując, że każdy kęs stanąłby jej w gardle. Z łazienki wyszedł Jerzy i pomagając sobie kulą, podszedł do stołu.

– Naprawdę niepotrzebnie robisz sobie kłopot – powiedział, patrząc na uszykowane śniadanie.

– Daj spokój. Przecież i tak gotuję, co za różnica włożyć do garnka kilka jajek więcej.

Usiadł i z kanapką w ręku rozejrzał się po domu.

– Zrobiło się tu tak jakoś... swojsko.

Czyli niby jak? Co ci się znowu nie podoba? – najeżyła się Mariola w myślach, podążając za jego wzrokiem. No faktycznie, muzeum to nie było. Na środku pokoju stała rozpakowana tylko w połowie walizka, w kącie walały się jakieś pluszaki, a na krześle wisiała jej oborowa koszula. Podłoga w kuchni zachlapana była rozlanym przez Bolka lub jego siostrę mlekiem, a w zlewie stały szklanki po wczorajszych drinkach.

Trzasnęły drzwi i wszedł Dawid. Rzucił się na kanapki i pożarł śniadanie w ekspresowym tempie.

– Potrzebujecie mnie do czegoś? – zapytał rodziców. – Bo jak nie, to idę do Robaczka, coś tam ode mnie chce.

– Wrzuć tylko swoje pranie do kosza i idź – zdążyła krzyknąć za nim Mariola.

Emilka z kotami poszła na dwór, a Jerzy przekuśtykał na sofę.

– Nie przejmuj się mną – powiedział, biorąc do ręki pilota od telewizora.

A to ci peszek – zaśmiała się wrednie do siebie. – *Nie ma kanału z Klossem!*

Jerzy skakał bezmyślnie po programach.

– Mariola... nie znasz tu czasem jakiegoś lekarza? Za dwa dni miałem się zgłosić do chirurga.

Matko jedyna, czy ja nie znam jakiegoś lekarza... – Mariola zadziwiła się przewrotnością losu.

– Znam, całkiem dobrze...

– To jeśli byś mogła...

– Tyle tylko, że to weterynarz...

Szok i niedowierzanie walczyły ze sobą w oczach zbaraniałego mężczyzny.

– Jaja sobie robisz? Ma mnie badać weterynarz?!

– Nie mówiłam, że ma cię badać. Pytałeś, czy znam jakiegoś lekarza.

Jerzy patrzył na nią ze zdziwieniem, grubą krechą wymalowanym na całej twarzy.

– Książkę telefoniczną masz pod tym małym stolikiem – powiedziała jeszcze, wychodząc z domu.

Poszła do sadu, ogarnięta nieopanowanym wręcz chichotem. Przykucnęła w krzakach porzeczek, bojąc się, żeby nikt jej nie wypatrzył, i śmiała się histerycznie aż do pierwszych łez. *Matko jedyna... on mnie pyta, czy znam jakiegoś lekarza... Owszem, kochanie, znam... i z przyjemnością pozwalam, żeby mnie badał. Przedwczoraj obściskaliśmy się na sofie, na której właśnie siedzisz, a wczoraj całowaliśmy jak szaleni, zdzierając z siebie ubrania... Chcesz go poznać?*

Siedziała w krzakach, aż duszący ją płacz przeszedł w łzy ściekające wolno po policzkach. *Ja tu zwariuję, nie dam rady...*

Poszła na łąkę pod pretekstem nazbierania rumianku na zimowe herbaty. Nogi same zaniosły ją na skraj łąki, gdzie była wczoraj. Trawa jeszcze nie podniosła się do końca i Mariola położyła się w miejscu, gdzie ich ciała przygniotły ziemię.

– Ajron – szepnęła, zamykając oczy.

Przypominała sobie ze szczegółami ich wzajemne pieszczoty. Zacisnęła zęby na wspomnienie żaru rozlewającego się w brzuchu i urywanego oddechu mężczyzny całującego jej szyję, umiejętnie rozpalającego każde miejsce, którego dotknął. Wspominała napięcie swojego ciała i palącą niecierpliwość, z jaką pragnęła zaspokojenia. Łzy, których miała, jak się okazało, nieskończony zapas, znów płynęły, mocząc zgniecioną trawę, w której szukała jego zapachu. Wyciągnęła telefon. Odszukała kontakt i długo wpatrywała się w imię widniejące na wyświetlaczu. Przycisnęła zieloną słuchawkę...

—Nie dam rady... to ponad moje siły... Od rana zachowuję się jak niespełna rozumu. Na zmianę śmieję się i płaczę. Jerzy irytuje mnie, choć sama nie wiem czym, bo zachowuje się poprawnie i nawiązał nawet kontakt z Emilką. Jeszcze trochę i przyjadą po mnie z kaftanem bez rękawów...

– Przyjechać do ciebie? Matko jedyna, Mari, gdzie ty jesteś? – W głosie Anny brzmiało zaniepokojenie i współczucie.

– Nie. Nie przyjeżdżaj. A jestem na łące... Ajron tu wczoraj był i...

– Matko jedyna!? – W głosie Anny zabrzmiało pytanie.

– Nie... Prawie... Ale wieczorem, jak... no wiesz... to przeżyłam to z nim, a nie z Jerzym...

– No i dobrze.

– No nie wiem, czuję się nie w porządku... bo wcześniej szczerze rozmawialiśmy...

– Puknij się w łeb. Na pewno nie chcesz, żebym przyjechała? Powiedz tylko słowo...

– Nie... Będzie krępująco. Muszę sama się z tym uporać, choć, na Boga, naprawdę nie wiem jak...

– Czas, Mari. Daj sobie trochę czasu.

– OK. Dzięki... Trochę mi pomogło. Pa.

– Pa. Dzwoń w każdej chwili.

*N*a rozterki duszy najlepsza jest ciężka robota – powiedziała sobie, wracając do domu. Przebrała się w oborowe ciuchy i machając w zapamiętaniu widłami, wyrzucała gnój z obory.

To na ciebie, za to, że tu przyjechałeś i zburzyłeś mój spokój...

Z rozmachem rzuciła porcję obornika na zapełniającą się szybko taczkę.

To na ciebie, że się pojawiłeś i namieszałeś mi w głowie.

Kolejna porcja spadła na wyimaginowaną głowę Ajrona.

To na ciebie, że jesteś taką idiotką, że najpierw uciekasz, a później żałujesz...

Tym razem porcja była wyjątkowo spora.

Za to, że jesteś takim dupkiem, z którym muszę się męczyć.

Rozpoczęła kolejną wyliczankę.

Za to, że patrzyłeś na mnie tymi czarnymi oczami i uśmiechałeś się cholernymi dołeczkami.

Za twoje konie i złote rybki...

Za zaklinacza i egzorcystę...

Zabrakło jej materiału do rzucania, przesunęła się więc do boksu Boczka.

Za brak snu i marzenia na jawie...

Za gładkie słówka i podstępne czyny...

Pot ściekał jej po plecach, ale nie zwalniała tempa. Skupiła się na własnej osobie.

Za to, że dyszałaś do niego jak suka w rui...

– Mamo! Przecież sam bym to zrobił...

Za to, że całowałaś go jak stuknięta i pozwalałaś, żeby cię całował...

Że dałaś mu się podejść jak te wszystkie panny, o których mówiła Beti...

Za ślub, dzieci i biały domek...

Za to, że wkurzasz się na Jerzego nie wiadomo o co...

– MAAMOOO!!!

Nagły hałas wyrwał ją z letargu. Wyprostowała z jękiem plecy i rozejrzała się dookoła nieprzytomnym jeszcze trochę spojrzeniem. Najbliżej był Dawid, wołał coś do niej. Obok stała wypełniona po brzegi obornikiem taczka, a dookoła niej w promieniu co najmniej dwóch metrów symetrycznie piętrzyły się śmierdzące kupki. Jerzy stał bez ruchu na tarasie. Z otwartymi ustami patrzył na nią z podziwem, a Emilka zastygła, trzymając w rączce małe grabki. Mariola zamrugała oczami.

– Co tak stoicie?

Wszyscy poruszyli się nagle, jakby coś obudziło ich ze snu, i odezwali równocześnie...

– Mamo! Wołałem do ciebie kilka razy. Najpierw, że sam to zrobię, później, że taczka już pełna...

– Ciociu, chciałam ci pomóc, ale ty chyba ogłuchłaś...

– Mariola! Ja zaczynam się ciebie bać...

Spocona i zasapana spojrzała na swoją rodzinę.

– Nie wiem, o co wam chodzi – odezwała się kłamliwie i poszła pod prysznic.

ROZDZIAŁ 23

—To już zostało postanowione, pani Marysiu. Za trzy dni przyjeżdżamy po panią z Emilką i zamieszka pani w „Rapsodii". Przez ten czas mój brat ogarnie wasz dom, tak żeby można było w nim normalnie funkcjonować. Ponad miesiąc była pani w szpitalu, nie wolno się pani forsować. Musi pani o siebie zadbać, żeby później dbać o córkę.

Siedziały na niewygodnych szpitalnych krzesłach i rozmawiały z drobną mamą Emilki. To znaczy Anna rozmawiała, a Mariola w odpowiednich momentach potakiwała głową.

– Ja nie mam jak się wam odwdzięczyć... – Po umęczonej twarzy kobiety spłynęła pojedyncza łza. – Nie wiem, co by się z nami stało, gdyby nie panie. Ale ja nie mogę tak wykorzystywać waszej dobroci. Pojedziemy prosto do domu. Już i tak zrobiła pani zbyt wiele... – Pani Maria spojrzała na Mariolę. – Emilka dzwoni do mnie codziennie. Znam panią i Dawida z jej opowiadań – uśmiechnęła się. – Równie dobrze znam Boczka, Bolka i Tolę oraz kozy. Naprawdę jest tam szczęśliwa. – Uśmiech zniknął równie nagle, jak się pojawił. – Obawiam się, że dużo bardziej niż we własnym domu...

– Tym proszę się na razie nie martwić. Z tego, co wiem, za kilkanaście dni odbędzie się rozprawa i będzie pani musiała zeznawać. Proszę powiedzieć wszystko, a mąż pójdzie za kratki i nie będzie musiała się pani więcej bać. Bo chyba nie bierzemy pod uwagę opcji, że pani mu wybaczy i wszystko zacznie się od nowa? W takim wypadku od razu występujemy o odebranie wam praw rodzicielskich i nie oddamy dziecka.

Mariola popatrzyła na policjantkę z przerażeniem. *Co ona gada?* – zapytała się w myślach, lecz posłusznie, według wcześniejszej umowy, kiwnęła z przekonaniem głową.

– Proszę to przemyśleć. Przyjdę do pani jutro.

Kobiety pożegnały się i wyszły z sali.

– Anka! Przegięłaś chyba trochę z tym odbieraniem praw, nie sądzisz? – zapytała zszokowana Mariola, gdy tylko oddaliły się na bezpieczną odległość.

– No pewnie, że przegięłam – potwierdziła z zupełnym spokojem Anna. – Ale musiałam tak zrobić. Ona jest typową ofiarą przemocy domowej. Nie będzie chciała zeznawać przeciw mężulkowi. Będzie się łudzić, że on się zmieni, bo się wystraszył, albo uwierzy w jego przeprosiny i wielką miłość... Widziałam już ten schemat setki razy. A oni bardzo rzadko się zmieniają. Jeśli nie nigdy... I za jakiś czas znów jest tragedia. Nie oddam Emilki temu typowi. Nawet jeśli musiałabym złamać wszelkie przepisy świata.

– Co do tego zgadzam się z tobą w stu procentach.

– No właśnie. Dlatego musimy trochę postraszyć tę biedną kobietę, dla jej własnego dobra. I dla dobra naszej małej.

W domu Ania przebrała się z munduru w domową kieckę i rozlała w kufle piwo. Marioli bezalkoholowe, bo czekała ją droga powrotna, a sobie porządnego carlsberga.

– No a jak tam u ciebie? Trochę lepiej?

– Sama nie wiem. Niby tak, ale takie jakieś sztuczne wszystko. Chodzimy koło siebie jak pies z kotem. Niby grzecznie i kulturalnie, ale właśnie to jest dziwne. Rozumiesz: dziękuję, ależ proszę, nie ma za co i tak dalej w tym stylu. Wersal normalnie.

– Lepsze to niż rzucanie mięsem. Albo obornikiem...

– Ha, ha, ha. Przestań się nabijać, bo pożałuję, że ci o tym opowiedziałam.

– Nie sap. A jak Ajronek? Odezwał się?

– Nie, ale minęły dopiero trzy dni. Chyba mi jeszcze nie wybaczył. Albo chce dać czas na uporządkowanie wszystkiego w głowie.

– Ja obstawiam raczej, że obraził się za kosza.

Mariola piła piwo, zastanawiając się nad słowami Anny. *Obraził się?... Nie. Obrazić mógłby się Jerzy. Ajron po prostu odpuścił.* Powinna się ucieszyć z takiego obrotu spraw, jej duma jednak trochę cierpiała.

– A jak Emilka?

– No powiem ci, że lepiej, niż myślałam. Rozmawiają. Ona opowiada mu o kotkach, a on o Sabie, jak była mała, albo jakieś historie z czasów, jak Dawid był w Emilki wieku. Najgorsze jest, jak mała mówi mu o Ajronie.

– Super! Opowiadaj. – Anna z ciekawością nastawiła uszu.

– No, że wujek Arek dał jej kotki, że namówił ciocię do zabrania ze schroniska Boczka, że był z nami na pikniku i takie tam. Jerzy durny nie jest i zdaje chyba sobie sprawę, że ten wujek Arek coś za często kręcił się koło cioci.

– I bardzo dobrze! – Żądna sensacji Anka rozczarowała się trochę. – Niech nie myśli, że czekałaś tu na niego ubrana w habit, pieląc ogródek i zerkając co rusz na drogę.

– Na pewno tak nie myśli – zaśmiała się Mariola. – Ogród to akurat pięta achillesowa mojego gospodarstwa. *A na drogę zerkałam co rusz, ale w oczekiwaniu na kogoś innego* – dodała w myślach.

– A na drogę zerkałaś, czekając na Ajronka. – Anna powtórzyła na głos myśli kuzynki. Popijały przez chwilę w milczeniu, zastanawiając się nad tym samym. – Przeszło ci?

– Nie wiem. Teraz wydaje mi się, że tak, ale co będzie, jak się spotkamy? – I znów telepatycznie obie naraz przypomniały sobie wyznanie Beaty. – Wiesz, do jakiego wniosku doszłam? Że wiem, dlaczego my wszystkie padamy przed nim na kolana. On jest takim facetem z marzeń. Jakby ci to powiedzieć... – Szukając słów i porządkując galopujące w głowie myśli, Mariola wzięła kolejny łyk piwa. – Jak powiesz Ajronowi słowo „serce", to on widzi uczucie, czerwone róże i kolację przy świecach... Jak powiesz to samo Jerzemu, on szuka waleriany. Jak Ajron ma na myśli seks, to mówi, że chce z tobą oglądać zachód słońca, a Jerzy mówi: „Chodź, bzykniemy się". Dlatego żaden facet nie ma szansy wyjść obronną ręką, jeśli obok stoi taki Ajron. On jest tak jakby wymyślony... nie ma takich facetów... on... ma po prostu za dużo kobiecych pierwiastków w sobie czy jak... i dlatego wydaje się nam taki atrakcyjny i podniecający.

Anna na wszelki wypadek sprawdziła, czy nie pomyliła butelek.

– Bredzisz, Mari. Jest wręcz odwrotnie. Gdy opowiadał ci o zachodach słońca, to go wyśmiałaś. Gdy głaskał cię po rączkach, rozpływałaś się w zachwycie, ale go olałaś. Ale gdy wpadł jak buhaj buzujący samczym testosteronem, przygniatając cię do ściany, to nie miałaś sił mu odmówić i gdyby chciał, wziąłby cię natychmiast, a tobie by się to podobało. On jest dokładnie takim samym facetem jak każdy inny, tylko potrafi ubrać maskę, w jakiej chciałaby go widzieć każda kolejna potencjalna zdobycz. Ty jesteś romantyczka, to i on uderza w ten ton. I to czyni z niego taki ewenement. Maska. Czy nie lepiej mieć do czynienia z kimś prawdziwym? Może nie aż tak podniecającym, ale po którym wiesz, czego się spodziewać? Kimś, kto mówi, że chce jeść, gdy jest głodny, i pić, gdy jest spragniony? Kto mówiąc „dupa", ma na myśli tylko i wyłącznie to? Chciałabyś przez całe życie analizować każde słowo swojego faceta i zastanawiać się, co poeta miał na myśli?

Po godzinie Anna odprowadziła Mariolę do samochodu, po czym patrząc, jak odjeżdża, wyciągnęła telefon i zadzwoniła do Aleksandry, a jej podstępny uśmieszek nie wróżył niczego dobrego...

Mariola wracała do domu, a w jej głowie szalała burza myśli. *Sugeruje, że Ajron jest fałszywy? Że jest jak kameleon zmieniający kolor skóry według potrzeb?* Nie mogła w to uwierzyć, ale przecież nie znali się aż tak długo, żeby zjeść chociażby miskę soli, a co dopiero beczkę. A ze słów Beti wynikał podobny jak ten wysnuty przez Annę wniosek. Jej myśli skierowały się ku Jerzemu. *Czyli według niej w Jerzym również tkwi taki testosteronowy Ajronek? To musi być baaardzo głęboko ukryty...*

W „Rapsodii" zastała nieoczekiwaną scenkę. Jerzy siedział na bujaku, pod którym leżała Saba, zbijał coś z desek, a u jego stóp siedziała podniecona Emilka i instruowała go.

– Powinien być jeszcze daszek, bo jakby padał deszcz, to zmoknie. I może zrobi pan więcej tych przegródek, bo jakby chciała zaprosić do siebie koleżanki, to nie miałyby gdzie usiąść...

– Dobra. To idź poszukać jeszcze kilku desek.

Emilka zerwała się i machając na przywitanie Marioli, pobiegła do piwnicy. Jerzy podniósł głowę znad swojej roboty.

– Cześć.

– Cześć. Co robicie?

Mężczyzna z lekkim zawstydzeniem pochylił głowę i podniósł do góry niezgrabną drewnianą skrzynkę.

– Tylko się nie śmiej, ale to ma być domek dla wiewiórki. Emilka opowiadała mi, że na podwórko często zachodzi jakaś wiewiórka z lasu i tak sobie wymyśliliśmy, że fajnie by było, jakby miała tu domek, do którego mała podrzucałaby smakołyki. Wiem, że nie mam talentu w tej dziedzinie, ale tak się zapaliła do tego pomysłu, że od razu poprzynosiła mi materiał i zagnała do roboty. I siedzę tak od dwóch godzin, biedząc się, aby sprostać oczekiwaniom tej małej terrorystki...

– Zadzwoń do Piotrka, coś ci podpowie.

– Przestań! Pomyśli, że głupiej budki nie umiem sklecić.

– Przecież nie umiesz...

Zostawiła męża i poszła do kuchni wypakować zakupy zrobione przy okazji pobytu w mieście. *To kolejny jego problem* – pomyślała. – *Żeby nie daj Bóg nikt nie pomyślał, że z czymś sobie nie radzi, czegoś nie umie. Przecież to taki straszny wstyd poprosić kogoś o pomoc...* Nie była w stanie tego zrozumieć, przypominając sobie swoje częste wizyty u pani Robaczkowej albo telefony do Aleksandry...

Klepała kotlety na obiad, gdy jak burza do salonu wpadła Emilka, złapała zeszyt leżący na stoliku i wypadła z powrotem. Zerknęła przez okno. Jerzy siedział z telefonem przy uchu i zapamiętale pisał coś na kartce. Uśmiechnęła się pod nosem. *Może i Ajronka w nim obudzę?*

P odczas obiadu i całej pozostałej części dnia savoir vivre kwitł w pełnej okazałości.

– Bardzo dobry obiad. Dziękuję...

– Ta kawa smakuje naprawdę wyśmienicie...

– Nie, dam radę... nie rób sobie kłopotu...

– Przepraszam...

– Proszę....

Pod koniec dnia Mariolę bolały zęby od nadmiaru słodyczy, a mięśnie twarzy od przyklejonego cały czas sztucznego uśmiechu. *Muszę coś z tym zrobić, bo w końcu wybuchnę* – pomyślała w desperacji.

Gdy nadszedł wieczór, ubrana w kusą koszulkę kręciła się zalotnie po domu. Jerzy siedział i oglądał jakiś film, Emilka dawno już spała, a Dawid siedział pewnie przy komputerze w swoim pokoju.

– Zrobić ci coś do picia? – zapytała, wyciągając z zamrażarki lód.

– Nie, dziękuję.

Znowu Wersal, cholera jasna – pomyślała. Uszykowała drinka i usiadła obok męża, zakładając nogę na nogę. Machając stopą z pomalowanymi na czarno paznokciami, zastanawiała się nad kolejnym krokiem.

– Dobry film?

– Taki sobie. Możemy włączyć coś innego, jeśli chcesz.

Mózg sobie włącz – pomyślała niecierpliwie.

– Nie, oglądaj sobie...

Przeciągnęła się prowokująco i niby niechcący otarła o niego, odkładając na stolik pustą szklankę. Jerzy sapnął cicho i odsunął się odrobinę.

Ratunku! Mam się rozebrać i odwalić taniec go-go czy jak? – jej myśli były coraz bardziej zdesperowane. Rozłożyła ramiona na oparciu sofy, o milimetr tylko od karku Jerzego i z udawanym zaciekawieniem zapatrzyła się w ekran.

– Którzy to ci dobrzy, a którzy źli?

Jerzy szybko obrzucił ją spojrzeniem i wstał gwałtownie, lekko tracąc równowagę na osłabionej nodze.

– Muszę iść do łazienki, przepraszam.

Matko Boska, przecież nie pójdę za nim – Mariolka naprawdę traciła cierpliwość. Po dłuższej chwili wrócił i usiadł jak najdalej od niej. Jej emocje zaczęły się zmieniać. Zamiast go rozpalić, postanowiła zdenerwować, aby obudzić jakiekolwiek uczucie w tym kawale nieczułego i niedomyślnego drewna.

– Na pewno nie chcesz drinka? Arkowi zazwyczaj bardzo smakuje...

– A wiesz co, zrób – w głosie Jerzego zadźwięczały stalowe nutki gniewu.

No, zaraz się zacznie awantura – pomyślała.

– Wódka stoi w barku a sok w lodówce. Jak będziesz robił, zrób mi też jeszcze jednego. Dwie kostki lodu poproszę.

Rozsiadła się wygodnie i zapatrzyła w telewizor, w którym źli strzelali do dobrych albo odwrotnie. Jerzy przez moment siedział jak zdębiały, po chwili jednak wstał i ruszył do kuchni. Wrócił, niosąc dwie szklanki, wyraźnie różniące się kolorem. Jej napój był słomkowy, a szklanka mężczyzny ledwie zabarwiona sokiem. Podał żonie drinka i wciąż w milczeniu wypił ze swojej szklanki potężny haust.

– Nie wiem, jak możesz ciągle oglądać te wojenne filmy. Arek woli przyrodnicze...

Chyba przegięłam – pomyślała chwilę później, patrząc na pobladłą twarz Jerzego i zaciśnięte wściekle zęby.

– Proszę cię bardzo. Jeśli wolisz, włączymy Animal Planet. – Gwałtownym ruchem podał jej pilota.

– Myślałam raczej o Darling...

Jerzy wyglądał, jakby tylko sekunda dzieliła go od wybuchu. Blada przed chwilą twarz poczerwieniała, a szare oczy nabrały barwy lodowatego morza. Mięśnie na jego szyi zmieniły się w grube węzły, a zaciśnięte pięści uwypukliły żyły na przedramionach. Mariolka nagle zwątpiła w słuszność swych poczynań i ze strachem przełknęła ślinę. *Matko Boska! Zaraz mi przyleje...*

Jerzy jednak odetchnął kilka razy głęboko, złapał kulę i wyszedł bez słowa z pokoju. Po chwili dobiegły ją odgłosy szlifowania papierem ściernym i jakieś ciche postukiwania. Mariola posiedziała jeszcze trochę, wyzywając się od idiotek, i poszła na górę. Myjąc zęby i analizując ich wzajemne zachowanie, poczuła nagłą satysfakcję. Jeszcze rok temu nie zdecydowałaby się na taką gierkę. Nawet nie wpadłoby jej to do głowy. A Jerzy zrobiłby tak straszną awanturę, że wszyscy sąsiedzi mieliby niezły ubaw, po czym obraziłby się na kilka ładnych dni...

Gdy przykrywała się kołdrą, przypomniała sobie jego zmienioną emocjami twarz i zupełnie nieoczekiwanie poczuła w dole brzucha gwałtowny taniec motyli. *Ta Anka to jednak tak całkiem durna nie jest* – pomyślała ostatnim przebłyskiem świadomości...

Rozdział 24

– Ciociu! Ciociu! Mamy jakieś orzechy? Popatrz tylko, jaki piękny jest ten domek!

Mariolę obudziły hałasy na podwórku i wciąż jeszcze zaspana wyjrzała przez okno.

Emilka podskakiwała z radości, gdy Dawid wieszał dzieło Jerzego na rosnącej tuż przy płocie brzozie. Dumny twórca stał obok i uśmiechał się do dziecka.

– Wujku, tak ci dziękuję!

Mała rzuciła się nowemu wujkowi na szyję, omal go nie przewracając, a wujek objął ją niezgrabnie i podniósł głowę, spoglądając prosto na Mariolę. W jego oczach duma i radość z biegiem każdej kolejnej sekundy zamieniała się w gniew i obrazę. *Witaj, nowy dniu* – westchnęła Mariola i poszła pod prysznic. Po chwili krzątała się w kuchni, szykując śniadanie. *Jak dobrze, że Dawid jest już w domu* – pomyślała, krojąc chleb i spoglądając na pełną kankę mleka. Nie pamiętała, kiedy ostatnio zdarzyło jej się tak długo pospać. Poranne obowiązki zganiały ją z łóżka już o siódmej.

Ziewała właśnie szeroko, gdy do kuchni wkroczył Jerzy. Podszedł do ekspresu i nalał dwie filiżanki kawy, po czym do obu dolał sporą ilość świeżego i, o zgrozo, nieprzegotowanego jeszcze mleka. Usiadł na krześle i przyglądał się Marioli krojącej na plastry pomidory.

– Nie starczy już tych kanapek? Armia wojska by się najadła.

Spojrzała na niego spod zmrużonych powiek.

– Chyba że jeszcze kogoś oczekujemy na śniadaniu?

– Kogo masz na myśli? – zapytała, przełykając ślinę i szykując się na walkę.

– Nie wiem. A ty kogo masz na myśli? – Przez chwilę mierzyli się gniewnym wzrokiem. Jerzy pierwszy opuścił głowę. – Przepraszam... ale przez pół nocy nie spałem i myślałem o tym... – Zmełł w ustach przekleństwo.

Mariola poczuła wstyd na wspomnienie swego wczorajszego zachowania.

– To ja cię przepraszam. Celowo się z tobą drażniłam.

Podniósł na nią pełne nadziei oczy.

– To znaczy, że to nieprawda?

Przez chwilę zastanawiała się, co odpowiedzieć.

– Rzeczywiście, zaprzyjaźniłam się z Arkiem. Właściwie to tylko odnowiliśmy znajomość, bo znamy się z liceum. Często tu bywał...

– Ale wy nie...?

No właściwie nie – pomyślała – *choć tyci, tyci zaledwie brakowało. Ale nie muszę chyba tak dokładnie wszystkiego opowiadać?*

– Nie – odpowiedziała zdecydowanie. Pewność w jej głosie była bardzo na wyrost, jednak Jerzy odetchnął z wielką ulgą.

– Właściwie to nie miałbym prawa się na ciebie wściekać. Należało mi się... Zostawiłem cię w końcu jak jakiś palant...

– Nie rozmawiajmy już o tym – ucięła temat Mariola. – Oddzielmy to, co było, i zacznijmy od nowa, OK?

Jerzy skwapliwie przytaknął głową, bojąc się chyba na równi z Mariolką dalszej rozmowy na ten temat. Przez chwilę jedli w milczeniu.

– Anna dzwoniła, jak spałaś.

– Co chciała?

– Nie wiem. Prosiła, żebyś oddzwoniła.

Skinieniem głowy potwierdziła, że usłyszała słowa męża, i wyszła na taras zawołać na śniadanie resztę domowników. Po zjedzonym posiłku wszyscy zabrali się za swoje zajęcia. Emilka poszła na dwór, zabierając koty i torebkę fistaszków, Dawid do siebie, Jerzy przed telewizor, a Mariola podniosła wiklinowy kosz i poszła do sadu. Zbierając jabłka i śliwki, przypomniała sobie o Annie.

– Hejka. Dzwoniłaś?

– Hej. Słuchaj, dzwoniła wczoraj Olka i mówiła, że otwierają jakąś nową pizzerię. Pizza pięćdziesiąt procent gratis i cola do bólu. Może zrobimy sobie babski wieczór? Co ty na to?

– No nie wiem...

– Daj spokój. Tylko gary, kozy i faceci. Zrób sobie chwilę przerwy. O siedemnastej pod domem Olki. Pa.

Cała Anka – uśmiechnęła się Mariola i wróciła do owoców.

Jerzy oderwał się od telewizora na dźwięk otwieranych kopnięciem drzwi od tarasu. Niezgrabnie dokuśtykał do Marioli dźwigającej pełen kosz.

– Szlag mnie kiedyś trafi przez tę nogę – patrzył z frustracją na żonę stawiającą z wysiłkiem swój ciężar na kuchennym blacie. – Czuję się jak piąte koło u wozu.

– Daj spokój. Radziłam sobie wcześniej, poradzę sobie i teraz.

Jerzy popatrzył na nią z rozgoryczeniem.

– To też mi się należało... ale jeśli pokażesz mi jak, to mogę posmażyć dżemy czy co tam masz w planach.

Mariola zrobiła zdziwioną minę. *Jerzy garnący się do pomocy? Ósmy cud świata!... Pewnie dlatego, że Klossa w telewizji nie może znaleźć...*

– Miałam w planach sok i przecier z jabłek. Oraz kompot ze śliwek.

– No to dawaj. Co mam robić?

Oniemiała myła śliwki, zerkając na męża siedzącego na kuchennym taborecie i cierpliwie obierającego jabłka. Widok zgoła niecodzienny, ale jakże miły dla oka... Drobny szczegół, polegający na tym, że we wiadrze z odpadami było zdecydowanie więcej owoców niż w tym z przeznaczonymi na mus, postanowiła pominąć milczeniem. *Najwyżej kozy dostaną wieczorem mniej siana* – pomyślała. Włożyła śliwki do słoików i zasypała cukrem. Po chwili wahania wzięła nożyk, usiadła na drugim taborecie i dołączyła do Jerzego, który drgnął, a po chwili włożył palec do ust.

– Nie martw się, mamy kupę plastrów – westchnęła, podnosząc się, ale mąż złapał ją za rękę.

– Nie umrę od tego. We dwójkę pójdzie nam szybciej.

Przepłukał dłoń pod wodą z kranu i nie bacząc na zraniony palec, wrócił do roboty. *Nie do wiary! Gdzie podział się mój mąż, który umierał, gdy gorączka na termometrze podskakiwała do trzydziestu siedmiu stopni?* – Mariolka dziwiła się coraz bardziej. – *Nieważne, niech zostanie tam, gdzie jest...*

– Po południu jadę do Anki i Oli. Idziemy na pizzę, masz coś przeciwko? – wypuściła badającą sondę, wrzucając umyte jabłka do rondla.

– A co miałbym mieć? Pokaż mi tylko, jak się nastawia sokownik, to z reszty jabłek zrobię sok. I co zrobić Emilce na kolację, bo pewnie wrócisz późno.

Niech zostanie tam, gdzie jest, i nigdy nie wraca... Całkowicie zszokowana wyjęła z szafki sokownik i zajęła się tłumaczeniem jego obsługi zafascynowanemu działaniem tego skomplikowanego sprzętu kuchennego Jerzemu.

Anna krążyła, szukając miejsca do zaparkowania, a Mariola ze zdziwieniem przysłuchiwała się trajkoczącej Aleksandrze.

– No bo wiecie, ja tak właściwie nie lubię jeść na mieście. Nigdy nie wiesz, co ci podadzą. Jak sama ugotujesz, to wiesz, co jest w środku, a w restauracji to pełna niespodzianka. Zamiast fileta z piersi możesz dostać zdechłą kurę, a w mielonym z pewnością masz jakieś pazury i grzebienie. Albo raczysz się resztkami z całego tygodnia...

Anna znalazła w końcu wolne miejsce i dziewczyny wyszły z auta, zaparkowanego szczęśliwie zaledwie parę kroków od gwarnej i zapełnionej pizzerii.

– Albo taka pizza. W domu zrobisz na cieście z pełnoziarnistej mąki, dodasz przecier z własnych pomidorów, a tutaj to na pewno jakiś ketchup z konserwantami i po dacie ważności...

– Olka, zamknij się w końcu! – Anka rzuciła bratowej spojrzenie pełne złości.

– Nie wiadomo, czy będzie wolne miejsce. Patrzcie, jaki tłum... – Marioli coraz mniej podobał się pomysł przyjaciółek.

Otworzyła drzwi i weszły do pełnego gwaru pomieszczenia. *No, zapach jest całkiem, całkiem...* – pomyślała, rozglądając się ciekawie dookoła. Wszystkie stoliki były zajęte przez jedzących, gadających i śmiejących się konsumentów. Właśnie rozległ się jakiś głośny, choć miły dla ucha śmiech...

Anna i Aleksandra spojrzały ze strachem na siebie, a później na pobladłą nagle Mariolę. Kobieta przełknęła ślinę, zmierzyła dwie konspiratorki morderczym spojrzeniem i zasyczała wściekłym szeptem.

– Przysięgam, że jak tylko stąd wyjdziemy, to was zabiję... – zagroziła, po czym nie czekając na towarzyszące jej kobiety, z uśmiechem na siłę przyklejonym do twarzy ruszyła w kierunku stolika, za którym siedziały znajome osoby.

– Czy wyście oszalały?! Stare baby! W podchody jakieś wam się zachciało bawić jak harcerzykom w podstawówce! – Gdy trzy godziny później Anna wysadziła je na podjeździe pod domem brata, Mariola wybuchła jak fajerwerk, choć w samochodzie siedziała jak trusia, nie racząc nawet odpowiadać na zagadywanie przyjaciółek. – Co wy tak w ogóle chciałyście osiągnąć? Myślałyście, że rzucę się w ramiona Ajrona czy że zmienię Beacie cień na soczystą śliwkę?! I która to tak w ogóle wymyśliła?

Bezbłędnie zwróciła się w stronę kuzynki. Obie kobiety stały z opuszczonymi głowami i nic nie można było odczytać z ich twarzy. Mariolka stała wściekła, z obiema rękami założonymi na biodra, po to chyba, by nie walnąć żadnej z nich, i dyszała ciężko ze śmiercią w oczach. Obie winowajczynie milcząc, spojrzały na siebie... Pierwsza zaczęła chichotać Aleksandra. Już po sekundzie zawtórowała jej Anna. Śmiały się jak głupie, a Mariola nie dowierzała własnym oczom.

– Mari... – Olka nie mgła wydobyć z siebie głosu. – Gdybyś ujrzała swoją minę, jak zobaczyłaś Ajrona flirtującego z Beatą...

– A jakbyś ujrzała jego minę, gdy on zobaczył ciebie... – Anka jak niespełna rozumu tarzała się po podjeździe.

Mariola naprawdę nie widziała nic śmiesznego w żenującym postępowaniu swoich – podobno najlepszych – przyjaciółek. Nie rozumiała również, co je tak rozbawiło. Czyżby aż tak bardzo śmieszne było, gdy stanęła z otwartymi ustami i z niedowierzaniem w oczach patrzyła, jak

Ajron zjada kęs pizzy prosto z rąk Beti? Czy może rozbawił je tak nagły atak kaszlu speszonego mężczyzny, który zobaczywszy ją w drzwiach, zakrztusił się ową pizzą i gdyby nie porządny cios w plecy wymierzony mu przez Beti, być może nie byłby w stanie przeżyć tego spotkania? Głupie baby śmiały się tak przeraźliwie, że w domu obok podniosła się roleta i jakiś ciekawski sąsiad z pewnością dzwonił już po policję. Mariola popatrzyła na nie z niesmakiem.

– Dobra. Śmiejcie się do usranej śmierci. Ja jadę. Cześć.

– Mari, przestań... – jakimś cudem opanowała się Aleksandra.

– Chodź. Wypijemy herbaty i wszystko ci opowiemy...

Mariolka opierała się jeszcze chwilę dla zasady, ale ciekawość zwyciężyła i pozwoliła poważnej już szwagierce i wciąż chichoczącej głupio kuzynce zaciągnąć się do domu Aleksandry.

Jeszcze obrażona popijała malinową herbatę i słuchała słów Oli. Anka siedziała obok i dopowiadała to, o czym zapomniała Aleksandra.

– No więc zadzwoniła do mnie i powiedziała, że jesteś strasznie przybita. Według niej jeszcze ci Ajronek nie przeszedł, a wręcz go gloryfikujesz, mimo że Anka powiedziała ci, co o nim myśli. I mówiła, że z Jerzym zaczyna ci się powoli układać, ale wciąż myślisz o doktorku i patrzysz na wszystkich facetów przez jego pryzmat.

– A sama powiedziałaś, że żaden facet nie ma przy Ajronie szans – dodała Anna, kiwając gwałtownie głową.

– No i wiedziałyśmy przecież, że Beti się w nim podkochuje, więc wymyśliłyśmy, że upieczemy dwie pieczenie przy jednym ogniu. Jak ślepej kurze ziarno trafiła się nam ta knajpa. Ja zadzwoniłam do Beti i ją zaprosiłam pod pretekstem jakiejś ważnej sprawy, a Anka do doktorka i umówiłyśmy się z nimi na szesnastą.

– W jakiej ważnej sprawie? – zapytała Mariola, chcąc mieć pełną jasność sytuacji.

– No, nad tym się nie zastanawiałyśmy, bo i tak miałyśmy w planach dopiero po jakiejś godzince zjawić się tam razem z tobą. Puściłam doktorkowi esemesa, że trochę się spóźnię, Olka zrobiła to samo z Beti i liczyłyśmy na to, że się domyślą i usiądą razem. W końcu zna ją ze schroniska, nie? Nawet jeśli Ajronek okazałby się wybitnie tępy, to liczyłyśmy na Beti – odpowiedziała obszernie na pytanie Anka.

– No i się nie zawiodłyśmy – podjęła opowieść Aleksandra. – Beti spotkała się z Ajronem i usiedli wspólnie, żeby zająć nam miejsca. Nie wiem, czy się domyślili naszej intrygi, ale sądząc po obrazku, nawet jeśli, to za bardzo im to nie przeszkadzało.

– No dobra. Ale gdzie tu rozwiązanie moich rzekomych problemów? – Mariolka dalej się boczyła.

– Mari, jaka ty tępa jesteś! – zdenerwowała się Anna. – Przecież to oczywiste. Zobaczyłabyś, jak łatwo doktorek przeskakuje z kwiatka na kwiatek i może otworzyłabyś w końcu te swoje błękitne, zamglone ostatnio oczęta.

No, owszem, otworzyłam – pomyślała zgnębiona kobieta. – *I myślałam, że szlag mnie jasny trafi na miejscu...*

– Ale skoro macie takie złe zdanie o Ajronie, to nie wstyd wam wydawać na pastwę takiego potwora naszą wspólną ulubioną kosmetyczkę? – z zemsty postanowiła zabić przyjaciółki wyrzutami sumienia.

– No wiesz... nie wyglądało, żeby była specjalnie nieszczęśliwa...

Ta Anka naprawdę jest niebezpieczna – doszła do wniosku Mariola w drodze powrotnej do domu. – *Nie przewidziała tylko jednego – że mój mózg na widok Ajrona pracuje na zwolnionych obrotach i że zaproszę go do domu...*

Rozdział 25

Od samego rana chodziła jak po roztłuczonym szkle. Na śniadanie posoliła Jerzemu kawę, zamiast siana posypała kozom otrębów i mało brakowało, a wzięłaby się za dojenie Boczka. *Może jednak nie przyjedzie...?* – zastanawiała się, choć nie wiedziała, jaką odpowiedź wolałaby usłyszeć na zadane samej sobie pytanie. *Powiedzieć Jerzemu czy nie?* – katowała się wciąż od nowa tymi samymi myślami. Na wszelki wypadek ubrała się staranniej niż zwykle i podmalowała oczy, wyrzucając sobie obłudę i próżność. Na obiad zrobiła pierogi z mięsem, aby starym, sprawdzonym sposobem zająć ręce, nie zajmując głowy. *Chyba jednak nie przyjedzie...* – stwierdziła, nie wiadomo z ulgą czy rozczarowaniem, wkładając naczynia do zmywarki. Na znajomy odgłos dużego dieslowskiego silnika trzymany w ręku garnek upadł i narobił rabanu. Jerzy, od rana obserwujący dziwne zachowanie żony, podszedł do niej, czując, że coś się święci.

– Gości mamy – powiedział, zerkając pytająco na roztrzęsioną Mariolę.

Kobieta nie odpowiedziała, wpatrując się w wysiadającą z samochodu parę. Rozległ się tupot adidasów i z pięterka zbiegł Dawid.

– Czemu mi nie powiedziałaś, że Zuza tu dziś będzie? – Z wyrzutem popatrzył na matkę.

Pewnie nie zdążył wylać na siebie reszki perfum – domyśliła się kobieta. Pocahontatus wyglądał... no cóż, jak to on. Zuzanna nałożyła na siebie kwiecistą sukienkę i wyglądała równie zachwycająco jak ojciec. Oboje stanęli przy furtce. Dawid wybiegł witać gości, a tuż za nim ruszył Jerzy. Mariola wytarła mokre ręce w papierowy ręcznik i na miękkich nogach poszła za nimi. Obie pary stały naprzeciw siebie. Dawid uśmiechał się do Zuzanny, która odpowiadała mu tym samym. Jerzy przybrał pozycję bojowego koguta i patrzył spode łba na równie nastroszonego Ajrona. Zuzka oderwała wzrok od Dawida i wyciągnęła rękę do Jerzego.

– Dzień dobry, panie Jurku. Świetnie pan wygląda, widać, że pobyt na wsi bardzo panu służy.

Z wyraźnym zaciekawieniem wodziła wzrokiem od jednego koguta do drugiego, po czym z pełnym politowania ruchem głowy wzięła Dawida za rękę i młodzi poszli do góry. Mariola z wysiłkiem przełknęła ślinę.

– Jerzy, pozwól, że ci przedstawię Arka, mojego kolegę ze szkoły. Arku, to mój mąż, Jerzy.

Była naprawdę dumna ze swojego głosu, a najbardziej z tego, że w ogóle wydostał się z zaciśniętej krtani. Panowie jeszcze kilka sekund mierzyli się wzrokiem niczym byk z torreadorem, po czym Jerzy wyciągnął rękę.

– Miło nam pana gościć w naszym domu – odezwał się nieco patetycznie, po czym położył władczo rękę na ramieniu Marioli – choć przyznam, że jest to dla nas lekka niespodzianka.

Ajron błysnął zębami w uśmiechu.

– Czyżby? Mariola, czemu nie powiedziałaś mężowi o naszym wczorajszym spotkaniu i twoim zaproszeniu? Doprawdy, czuję się teraz trochę niezręcznie...

Doskonale wpasował się w styl wypowiedzi Jerzego. Ręka na ramieniu zwiększyła swój ciężar.

– Ależ niepotrzebnie. Koledzy mojej żony są moimi kolegami.

– To bardzo się cieszę, bo przyznam szczerze, że brakowało mi wizyt w „Rapsodii".

Matko Boska! Zwariuję! – Mariola ze zdumieniem przysłuchiwała się rozmowie rodem ze średniowiecznych romansów.

– Dobra. Przestańcie już bredzić i wchodźcie na taras. Ajron? Sok czy kawa?

– Jak zwykle poproszę kawę. Wiesz jaką...

Jerzy zgrzytnął zębami i zrobił zapraszający ruch ręką. *Pewnie wyobraził sobie, że zaprasza go na szafot* – przemknęło Marioli przez myśl. Z kolejną dawką zdumienia patrzyła na obu mężczyzn. Jak jeden mąż weszli na taras i obaj skierowali się prosto do bujaka, z każdym krokiem przyspieszając tempa. *Naprawdę zwariuję. Co ma w sobie ten fotel? Chyba go wywalę...*

Ajron postanowił ulec panu domu. Czy to kierując się widokiem jego niesprawnej wciąż nogi, czy też po prostu z kurtuazji, zadowolił się rattanowym krzesłem, a Jerzy z dumnym uśmiechem zdobywcy zajął fotel. *Nie do wiary.* Mariola poszła do kuchni. Wstawiła czajnik i wzięła do rąk kawę dla Ajrona. *Czy dodatkowa porcja kofeiny to na pewno dobry pomysł?* – zastanowiła się całkiem na poważnie. Zalała jednak kawę i uszykowała dwie ekspresówki dla siebie i Jerzego. Cichaczem zerknęła przez okno. Na tarasie panowała całkowita cisza. Jerzy siedział sztywno na bujaku, w odróżnieniu od rozwalonego swobodnie na krześle Ajrona. Szukała gwałtownie neutralnego tematu do rozmowy, gdy sytuację uratowała Emilka.

– Wujku, wujku! Czemu tak dawno cię tu nie było! Kiedyś przyjeżdżałeś przecież prawie codziennie...

No i tyle z ratunku. Dzięki, mała – skrzywiła się Mariolka. Wyszła na taras, niosąc tacę z filiżankami. Ajron przytulał Emilkę siedzącą mu na kolanach, a Jerzy wyglądał, jakby zamiast kawy wolał porządnego kielicha czystej wódki.

– Witaj, moja cudowna owieczko! Nie przyjeżdżałem, bo miałem bardzo dużo pracy. Ale tak się za tobą stęskniłem, że rzuciłem dziś wszystko i jestem.

– A za ciocią też? – zapytała mała zdrajczyni. Ajron uśmiechnął się jeszcze szerzej.

– No pewnie, że za ciocią też.

– A widziałeś, jaki domek dla wiewiórki zrobił dla mnie wujek Jurek? O tam, na drzewie. Widzisz?

– Cudowny – potwierdził Ajron, nawet nie odwracając głowy w tamtym kierunku. – Ale musisz uważać na dzikie wiewiórki, owieczko. Mogą być wściekłe. – Jerzy gwałtownie odstawił trzymaną w ręku filiżankę. – A pokazywałaś wujkowi Jurkowi kotki, które ode mnie dostałaś?

– Pokazywała – zamiast dziecka odpowiedział Jerzy. – Ostatnio jeden z nich narobił mi do buta.

– No patrz... Mówiłem ci, owieczko, że z każdym tygodniem będą coraz mądrzejsze...

Ledwie się powstrzymując, Mariola z całych sił zacisnęła usta, aby pusty, nerwowy chichot nie rozdrażnił męża jeszcze bardziej.

– Nie jestem weterynarzem, ale nawet ja wiem, że od kocich odchodów można zarazić się toksoplazmozą – Jerzy użył najbardziej pogardliwego tonu głosu, na jaki tylko było go stać.

– Ale ja jestem i zadbałem o to, żeby koty były zdrowe. A ty zadbałeś o wiewiórki?

– Jestem informatykiem. O zwierzęta martwisz się podobno ty?

– To może zajmij się chociaż Internetem. Chodzi tak wolno, że szukając czegoś, Mariola musiała dzwonić po pomoc do przyjaciół.

– Zajmę się, nie twój problem. To mój dom i mój Internet.

Mariola z rosnącą fascynacją przyglądała się obu mężczyznom. Jak na meczu tenisowym jej głowa obracała się od jednej twarzy do drugiej. Nie poznawała ani wrażliwego Ajrona, ani zamkniętego w sobie Jerzego.

– To super. Będę spokojniejszy, wiedząc, że w końcu nie mieszka tu sama z dziećmi.

– Możesz być. Teraz poradzimy sobie bez pomocy... przyjaciół. – Jerzy prychnął kpiąco.

– Teraz... A wcześniej szanowny małżonek nie martwił się o żonę?

– Co masz na myśli?

– Na przykład to, że musiałem wykonywać za ciebie... hmmm... mężowską robotę.

Jerzy z wściekłością wstał z bujaka. Ajron również się wyprostował i pochylił w przód swe wysokie ciało.

– Czyli?

– Rąbanie na przykład... drewna.

– Ajron! – Mariola również wstała z krzesła. – Przecież nikt cię nie prosił!

– Ale moje sumienie mi kazało, Marioleczko. Nie mogłem pozwolić, żebyś robiła to sama – powiedział dwuznacznie, kładąc zdecydowany nacisk na słowo „to".

– Podejrzewam, że sam chętnie byś się tu wprowadził, co? – Jerzy opadł ciężko na fotel.

– A żebyś wiedział, ale bez takiego sublokatora.

– Ale wujku, gdzie byś wtedy spał? – wtrąciła się zaaferowana rozmową dorosłych Emilka. – Ciocia, Dawid i ja śpimy na górze, wujek na dole, a jutro przyjeżdża jeszcze tutaj moja mamusia...

Uśmiech Ajrona rozlał się po jego twarzy niczym gęsty syrop malinowy po karmelowym budyniu. Spojrzał na bladego ze złości Jerzego, po czym odwrócił się do Marioli, a syrop wręcz wyciekł i zalał taras.

– Dość tego. – Mariola straciła cierpliwość. – Emilko, biegnij zobaczyć, czy koty czegoś nie potrzebują – zerknęła szybko na Jerzego. – Albo czy wiewiórka ma pełną miseczkę.

Mała z niechęcią opuściła fascynującą grupkę dorosłych i poszła wypełnić polecenia ciotki.

– Czy wyście zwariowali? Jak dwa koguty na jednym podwórku. Albo mali chłopcy bijący się o zabawkę w piaskownicy! Opanujcie się, do cholery!

Ajron spojrzał spod byka na Jerzego.

– Kalek nie biję...

– Nawet z nogą w gipsie dałbym ci radę – odszczeknął Jerzy.

– Nie do wiary... Wrócę, jak się opanujecie.

Trzęsąc się ze złości, zabrała swoją kawę i poszła do salonu. *Nie do wiary...* Popijając kawę, analizowała zachowanie mężczyzn. *Nie do wiary...* Przy każdym kolejnym łyku coraz bardziej chciało jej się śmiać. *Nie do wiary...* Kończąc kawę, śmiała się cicho, przypominając sobie co trafniejsze riposty Ajrona i nieustępliwość Jerzego. *Nie do wiary... Im obu chyba na mnie naprawdę zależy...* Nie wiedząc, co począć z taką konkluzją, poszła do kuchni i znów zerknęła na taras.

– Przeszło wam?

Mężczyźni siedzieli spokojnie i sączyli kawę.

– Czy co nam przeszło, kochanie? – zapytał głupio Jerzy.

– No, wasze palmy...

– Jakie palmy? Co ty bredzisz, Marioleczko? Normalna wymiana zdań. Jak to między mężczyznami. – Ajron bezczelnie do niej mrugnął, po czym zwrócił się do Jerzego: – Kiedy tę nogę złamałeś?

– Skręciłem tylko. Ale naderwało się jakieś ścięgno i kazali nosić łuskę.

– Pewnie achilles – musiał błysnąć swą wiedzą doktorek. – To kiedy?

– Z miesiąc temu.

– Mogę ci przynieść dobrą maść. Kostki mają to do siebie, że długo jeszcze puchną po zagojeniu. Więc jeśli chcesz, to nie ma sprawy.

– Dzięki. Jakby co, to dam znać.

– A swoją drogą, to pierwszy raz spotkaliśmy się też przy rozwalonej nodze, pamiętasz, Mariola?

Kobieta odetchnęła z ulgą, widząc, że sytuacja zaczyna wracać do normy.

– Na nodze Mandarynki nie ma już nawet śladu. – Wzrokiem podziękowała Ajronowi za zmianę tonu rozmowy. – I z twoją będzie tak samo – uśmiechnęła się do męża.

– Taaa – prychnął Jerzy. – Szczególnie jeśli będzie nas leczył ten sam lekarz...

Goście odjechali późnym wieczorem. Ogarniając kuchnię, Mariola przygotowywała się psychicznie na grad pytań i oskarżeń, jakie niewątpliwie sypną się z ust Jerzego. Ten jednak, o dziwo, wracając z łazienki, nie powiedział ani słowa. Szła już na górę, gdy zatrzymał ją na chwilę.

– O której jedziesz jutro po matkę Emilki?

– Umówiłam się z Anną na dziesiątą.

– Zabiorę się z tobą i pójdę do chirurga. Mam nadzieję, że ściągną mi w końcu to gówno z nogi, przez które nie mogę ci w niczym pomóc.

– Spoko.

Pocałowała go na dobranoc w policzek i ruszyła w stronę sypialni.

– I mam już dość tego spania na dole... – dotarł do niej jeszcze głos męża.

Leżąc w łóżku, myślała o ostatnich słowach Ajrona. Zuzanna żegnała się jeszcze z Dawidem, a Jerzy poszedł już do domu. Stali przy samochodzie oświetleni tylko blaskiem księżyca i licznych gwiazd.

– Układa ci się z nim?

– Jeszcze nie wiem, ale wszystko jest na dobrej drodze.

– Ale śpicie osobno...

– Ajron! Opanuj się! Ma nogę w gipsie, jak ma wejść na górę?

Pochylił głowę i znowu czarne oczy zmieniły się w bezdenne studnie, a niski głos obudził uśpione emocje.

– Mnie by nie powstrzymał cały gipsowy pancerz...

Mariola zdusiła motyle i wszelkie inne owady, które mogłyby ponownie namieszać jej w sercu. Wzięła w swe ręce dłonie mężczyzny.

– Nie zaczynaj znów, proszę. Nie każ mi szarpać się ze sobą. Dałam mu szansę. Z całej siły pragnę, żeby nam się udało. Nie utrudniaj mi tego...

Ajron spoważniał i pocałował każdą jej rękę osobno.

– Obiecuję... Choć nawet nie wiesz, ile ode mnie wymagasz.

Rozległy się głosy i już po chwili Zuzanna zakładała słuchawki na uszy i zapinała pasy, a Ajron odpalał silnik. Mariola stała obok i nie wiedziała, czy chce jej się śmiać, czy płakać. Odjechali i już miała przejść przez furtkę, gdy zapaliły się wsteczne światła i Ajron zawrócił auto. Zatrzymał się obok niej i uchylił okno. Mariola zatrzymała się z drżeniem serca.

– Ale przyznaj, że gdybyśmy mieli choć trochę więcej czasu, jeszcze chociaż jeden dzień, wszystko mogłoby się potoczyć inaczej, prawda? – W cichym głosie Ajrona brzmiała gorąca i rozpaczliwa prośba o potwierdzenie.

Mariola z nagłym wysiłkiem i smutkiem zamknęła oczy. *Bądź twarda... bądź twarda...*

– Mamy mnóstwo czasu, Ajron. I mam nadzieję, że będziemy spędzać go ze sobą jako najlepsi przyjaciele.

W aucie zaległa cisza.

– Przyjaźń... to najgorsze, co facet może usłyszeć od kobiety...

Na zakończenie posłał jej jeszcze jeden uśmiech i odjechał, nie zatrzymując się już więcej. Mariola stała w mroku nocy, patrząc za odjeżdżającym samochodem aż do chwili, gdy jej oczy wypełniły się łzami, a chłód wypełnił ciało. Wbrew niemu, niechętnie stawiając kroki, wróciła do męża.

Rozdział 26

Oba auta zaparkowały obok siebie na podwórku przed domem. Z golfa wysiadła Mariola poprzedzana przez podskakującą niecierpliwie Emilkę i Jerzy, jeszcze o kuli, ale już bez gipsowej szyny. Z niebieskiej corsy wysiadła nieśmiało drobna niewysoka kobieta i ledwie zdążyła postawić nogi na ziemi, a już na jej szyi zawisła szczęśliwa córka. Od strony kierowcy wysiadła Anna w służbowym ubraniu.

– Kochanie, musisz jeszcze uważać na mamusię – zwróciła się do dziecka. – Co prawda lekarze mówią, że wszystko już się zagoiło, ale jest jeszcze słabiutka, a z ciebie zrobił się niezły Boczuś – uśmiechnęła się do małej, aby załagodzić napomnienie i zwróciła się w stronę kobiety: – Pani Marysiu, my zajmiemy się bagażem, a pani niech idzie z Emilką do waszego tymczasowego pokoju. Na pewno macie sobie wiele do powiedzenia. Brat mówił, że za dwa dni możecie wprowadzać się do własnego, odnowionego domu.

Pani Maria uśmiechnęła się nieśmiało do otaczających ją ludzi, po czym z Emilką niepuszczającą jej ręki poszły w kierunku domu.

– Zobaczysz, mamusiu, jaki mam piękny pokój...
I Fafik tam na nas czeka... A później pokażę ci Boczka
i kozy... Teraz się gdzieś pasą...

Kobieta szła nieśpiesznie, rozglądając się dookoła,
a Emilka trajkotała nieprzerwanie, chcąc pokazać ma-
mie wszystko naraz.

– A tam karmimy z wujkiem wiewiórki, widzisz?...
A na tej łące to kotki lubią się bawić...

Matka z córką zniknęły w domu. Anna popatrzyła na
Mariolę ze łzami w oczach, a Mariola odpowiedziała kuzynce uśmiechem, ocierając policzek. Nawet Jerzy zastygł bez ruchu i coś na kształt wzruszenia malowało się
na jego twarzy.

– Zajebiście, nie? – Anna otrząsnęła się pierwsza
i otworzyła swój bagażnik. Ze środka wyjęła małą tanią
walizkę. Jerzy wyciągnął ręce, ale policjantka była szyb-
sza. – Dobra, dobra. Nie kozacz. Odrzucisz kulę, a wtedy
rzeczy do noszenia będziesz miał aż nadto. Możesz zacząć od Mariolki...

Jerzy wzruszył ramionami i poszedł w ślad za gościem.

– Anka! – odezwała się z wyrzutem Mariola. – Nie
musisz tak na niego naskakiwać.

– Ale o co ci chodzi? – Anna przybrała minę niewiniąt-
ka, ale nie wytrzymała z nią długo i już po chwili wyszło
szydło z worka. – Niech nie myśli, że wszyscy wybaczą
mu tak łatwo jak ty. – Obrzuciła wzrokiem kuzynkę. – Jak
tam? Dostosował się już do wiejskiego życia?

Tym razem to Mariola wzruszyła ramionami i poszła
za mężem. Anna uczyniła ruch, jakby chciała popukać się
w głowę, ale w związku z tym, że i tak nikt nie zobaczyłby

tego gestu zrezygnowała, podniosła torbę i ruszyła za wszystkimi. Mariolka już krzątała się w kuchni, a Jerzy wypakowywał z torby zakupy.

– Ludzie, dajcie jeść i pić!

– Możesz pić na służbie? – Jerzy popatrzył na nią krzywo.

– No wiesz, szwagier. Niby nie, ale czasem z takimi typami ma się do czynienia, że musi się człowiek napić.

Szwagier wyjątkowo energicznie postawił na blacie dużą torbę cukru i popatrzył na żonę.

– Mariola, daj Annie coś słodkiego do picia, bo gorycz się z niej wylewa. – Popatrzył wymownie na dziesięciokilową torbę. – Może zabraknąć...

– Ho, ho, ho. Jureczek usiłuje być zabawny...

Mariola z taką energią włożyła łyżeczkę do herbaty, że połowa płynu wyleciała z kubka.

– No nie wytrzymam. Teraz ty? Wczoraj naskakiwał na niego Ajron, a dzisiaj muszę wysłuchiwać kolejnej kłótni?

Anna szeroko otworzyła oczy, ale opanowała się i nie dała po sobie nic poznać.

– Mari, nie nudź. Przecież my się tylko droczymy, nie, Jurek?

– Taaa... kto się lubi, ten się czubi – odpowiedział, po czym zrobił minę całkowicie zaprzeczającą własnym słowom.

Mariolka westchnęła tylko i usiadła przy stole.

– Jak myślicie, długo będą tam rozmawiać?

– No wiesz... ponad miesiąc się nie widziały. Mają o czym pogadać. – Anka rzuciła okiem na Jerzego i spojrzała z powrotem na Mariolę. – Choć znam takich, co po miesiącu rozłąki i tak nie mają nic mądrego do powiedzenia.

– Lepiej nic nie mówić, niż kłapać ozorem jak... hmmm... pies.

Mariola postanowiła przyjąć taktykę głuchej i kompletnie ignorowała dobiegające do niej słowa.

– Może trzeba jej tam walizkę zanieść, co?

– A wiesz, Mari, że pies to zawsze pozna złego człowieka i nie chce mieć z nim nic do czynienia? A właśnie... Saba to jak długo już z tobą mieszka?

– Słyszałem od Emilki, że Anna to się świetnie z Zarazą dogaduje...

– Ciekawe, o czym rozmawiają, nie? – Mariolka twardo trzymała się swojej roli.

Anna z nieprzeniknioną miną zamieszała swoją herbatę.

– Mari, nie masz trochę miodu? Szkoda, że trutnie miodu nie produkują... A właśnie, Jureczku, jak ci się mieszka w twoim nowym ulu... o przepraszam, domu?

– Świetnie. – Jerzy postanowił się poddać, tym bardziej że i tak nie miał szans w starciu z ostrym językiem Anny. Zabrał swój kubek i poszedł do salonu.

Mariola wymownie przewróciła oczami, patrząc na złośliwą policjantkę.

– Ajron tu był? – bezgłośnie wyartykułowała nic nierobiąca sobie z z min kuzynki Anna, po czym złapała ją za rękę i siłą wyciągnęła z domu. – Jakim cudem on się tu znalazł? – Jej twarz była jednym wielkim znakiem zapytania. Zaciągnęła opierającą się Mariolę aż do sadu, aby do żadnych niepowołanych uszu nie dotarły ich słowa.

– Normalnie. Zaprosiłam go.

– Matko jedyna! Kiedy? Przecież Olka pilnowała cię niczym Cerber.

– Jak już się rozjeżdżaliśmy...

– Opowiadaj.

Mariola sama nie wiedziała, jak ma wspominać ten wieczór. Niby było fajnie, pizza całkiem nie najgorsza mimo tego, że z białej mąki i z szynką niewiadomego pochodzenia. Niby śmiali się wesoło i chóralnie i ogólnie rzecz biorąc dobrze czuli w swoim towarzystwie, ale jakiś cień napięcia krążył nad ich stolikiem. Cały czas łapała kątem oka spojrzenia przyjaciółek. Anki oczekujące, Aleksandry badawcze, a Beti wyraźnie zastraszone. Tylko Ajron wydawał się swobodny i zabawiał swe babskie towarzystwo bez najmniejszego skrępowania. Po tym oczywiście, jak przeszedł mu szok spowodowany jej widokiem. Jemu też zapewne zawdzięczały czułą obsługę miłych kelnerek. Nie wiedziała tylko, czy zetknięcia ich ud pod stołem były przypadkowe, czy całkowicie zamierzone.

– No i chyba właśnie te dotknięcia tak zlasowały mi mózg, że zaprosiłam go z Zuzanną do „Rapsodii" – zakończyła opowiadanie Mariola.

Anna zaśmiała się z podziwem i satysfakcją.

– Mówiłam jej, że tak łatwo to nie pójdzie...

Mariola zatrzymała się w pół kroku.

– Zaraz, zaraz... komu i o czym mówiłaś?

Anna z lekkim poczuciem winy schyliła głowę.

– Bo widzisz, Mari... Tylko się nie wściekaj... ale trochę cię nabujałyśmy...

– Co? W czym mnie nabujałyście?

Przyłapana na gorącym uczynku pani policjant podniosła z ziemi przejrzałą już papierówkę i zaczęła obracać ją w dłoni.

– Bo tak naprawdę, to ja zadzwoniłam do Olki z całkiem innym planem...

– Czyli?

– No wiesz... faktycznie byłaś przybita, jak ode mnie wtedy wyjeżdżałaś, i ja zaplanowałam, żeby to ciebie spiknąć z doktorkiem w tej pizzerii, a nie Beatę. Pomyślałam: są dwie opcje. Albo się w końcu prześpicie i przejdą wam te emocje, bo wiesz jak to jest z zakazanym owocem, albo natchniona moimi słowami przekonasz się, że mam rację i zedrzesz mu maskę z twarzy. Przyznam się zresztą bez bicia, że byłam za opcją numer jeden... – Mariola patrzyła na Annę z niedowierzaniem. – Ale jak wyjawiłam swój plan Olce, to ta zaczęła kombinować... Wiesz, jaka ona jest... Matka Polka cholerna. „Przecież Mari ma męża, zaczął się zmieniać, trzeba dać mu szansę...” i tak dalej. No i tak mnie zamotała, że pozwoliłam jej zadzwonić do Beti zamiast do ciebie.

– Anka! Wiedząc, że Jerzy przyjechał pełen dobrych chęci, że w końcu przegryzłam się jakoś i postanowiłam spróbować jeszcze raz, chciałaś mnie rzucić do łóżka Ajronowi? Jak ja mam takich przyjaciół, to po cholerę mi wrogowie?

Niepokorna policjantka hardo podniosła głowę.

– Przestań być taka święta, Mari. A kto mówił o wzajemnej konsumpcji i zdzieraniu ciuchów?

– Przecież ja byłam wtedy nawalona! Zresztą to ty mnie spiłaś.

– No właśnie. A jak człowiek nawalony, to szczery – złapała Mariolę mocno za ręce. – Popatrz mi prosto w oczy i powiedz, że niczego nie żałujesz!

Mariola bardzo chciała to powiedzieć. Kilka razy otwierała i zamykała usta. W końcu pochyliła głowę.

– Sama widzisz – w głosie Anny nie było satysfakcji, a wręcz przeciwnie. Patrzyła na przyjaciółkę z prawdziwym smutkiem. Mariola z westchnieniem podniosła głowę.

– Tak czy siak, nie ma już co debatować. Wczoraj pożegnaliśmy się na dobre. – Na wspomnienie tego pożegnania pozwoliła sobie na jedną, malutką, ostatnią łzę. – A teraz naprawdę jest już tylko Jerzy. I chcę, żeby tak było. Więc proszę cię tak samo, jak poprosiłam wczoraj Ajrona, nie utrudniaj mi... – A już, broń Boże, nie pomagaj... – dodała jeszcze, zanim weszły z powrotem do domu po pełnej namysłu i ciszy drodze z sadu.

–Starczy im chyba już tego gadania – zarządziła Anna. Podniosła walizkę i ruszyła po schodach do góry. Zapukała do drzwi kubusiowego pokoju, które otworzyły się prawie natychmiast. – Przyniosłam walizkę – zagaiła, stawiając torbę na progu – i chciałabym jeszcze z panią porozmawiać przed moim odjazdem. Zapraszam na dół.

Mariola, a nawet Jerzy patrzyli z podziwem na kuzynkę. Zniknęła zwariowana Anna, a pojawiła się kompetentna pani policjant.

– Za tydzień o godzinie jedenastej przyjadę po panią. Adres znam. I proszę się naprawdę zastanowić nad naszą rozmową w samochodzie. Mam nadzieję, że podejmie pani właściwą dla siebie, a przede wszystkim dla Emilki decyzję. Do widzenia – powiedziała, po czym zwróciła się do Mężyków: – Dzięki za herbatę i ciekawą rozmowę. Jerzy, odprowadzisz mnie do samochodu?

Mariola zastygła w zdumieniu, a minę Jerzego mógłby oddać jedynie mistrz Picasso. Anna złapała szwagra pod mankiet i wyprowadziła z salonu, nie zaszczycając kuzynki ani jednym spojrzeniem. Kobieta szybko otrząsnęła się z zaskoczenia i zaproponowała pani Marii coś do picia i jedzenia.

Cały dzień Emilka oprowadzała matkę po gospodarstwie. Przedstawiła jej Boczka, który natychmiast włożył swój łakomy ryj do profilaktycznie zapełnionej przez Emilkę kawałkiem cukinii kieszeni w spodniach Marii. Przeszukiwana kobieta śmiała się długo z jego zabawnych pochrząkiwań. Poszły razem na łąkę, a wieczorem mała gospodyni nabijała się serdecznie z próbującej wydoić Cytrynę matki. Po dniu pełnym emocji tuż po dwudziestej Emilka padła jak kawka, szczęśliwa w ramionach najbliższej jej osoby, śpiewającej cicho kołysanki.

Wieczorem Mariola zaproponowała Marii wypicie symbolicznego bruderszafta. Na jednym kieliszku się jednak nie skończyło. Później wypiły jeszcze toast za zdrowie Emilki i za w końcu odzyskane zdrowie jej mamy. Marii nie wypadało nie zaproponować toastu za zdrowie gospodyni, no a gospodarz też mógłby poczuć się urażony, gdyby o nim zapomniały, więc po godzinie obie panie były w najlepszej komitywie.

– Bo widzisz, ja pokochałam twoją Emilkę jak własne dziecko. Nie wiem, jak tam u was wcześniej było i czemu ty nie pogoniłaś tego typa dawno temu. Nie będę wnikać, ale jeśli ktoś jeszcze kiedyś rękę na nią podniesie, to wyrwę mu nogi przy samej dupie.

Jerzy z lekkim zaskoczeniem przyglądał się swojej łagodnej zazwyczaj żonie.

– Ty, Mariola, nie przeżyłaś tego co ja i w życiu ci tego nie życzę.

Maria piła bardzo rzadko, a przez ostatni miesiąc żyła w abstynencji całkowitej, więc nic dziwnego, że styl jej wypowiedzi był nieco mętny, tym bardziej że różano-czeremchowa nalewka okazała się wysokoprocentowa.

– My też się na początku kochaliśmy. I świata poza sobą nie widzieliśmy, jak ty i Jerzy. Wam to jednak, mimo tylu lat nie przeszło, co widać gołym okiem, a Krzyśkowi minęło, jak tylko w ciążę zaszłam. „Życie mi zmarnowałaś, spać nie mogę przez tego bachora..." I z tej swojej niedoli pił pod sklepem z innymi takimi jak on. A jak już nie miał za co pić, to mnie z tego stresu lał. Pal licho, że mnie. Ale jak dziecko zaczął katować...

Mariola objęła jej smukłe ramiona.

– Przestań już wspominać, Marysiu. Nie trzeba. Po co masz się zamartwiać przeszłością. Co było, to było... Teraz trzeba robić wszystko, żeby każdy kolejny dzień wspominać z uśmiechem.

Zarówno Maria, jak i przysłuchujący się Jerzy zgodnie potaknęli głowami.

– Dlatego słuchaj Anki i rób, co ci mówi. Nie znam lepszego człowieka niż ona.

I znów obie głowy pochyliły się rytmicznie w przód i tył. Uwadze Marioli, mającej, szczególnie przez ostatnie pół roku, większe niż Maria doświadczenie w degustacji napojów wyskokowych, nie umknęło owo niespodziewane potaknięcie Jurka. *Co ta Anka mu nagadała?* – zastanowiła się niespokojnie.

Kobiety porozmawiały jeszcze trochę prosto od serca i zmęczona Maria poszła się położyć na dostawionym w dziecięcym pokoju łóżku polowym. Poddając się leciutkiemu szumkowi w głowie, Mariola postanowiła posprzątać następnego dnia i tuż po Marysi również zaczęła zbierać się na górę. Rozścielając łóżko, usłyszała delikatny brzęk naczyń, świadczący o tym, że Jerzy wstawia kieliszki do zmywarki, a chwilę później poskrzypywanie schodów. Usiadła gwałtownie, gdy usłyszała ciche pukanie do drzwi. Jerzy w samych bokserkach wszedł do sypialni i pewnym, choć lekko utykającym krokiem zmierzał do łóżka. Odsunął kołdrę i położył się obok. Popatrzył na nią zdziwiony.

– Co tak siedzisz?

Mariola nie wiedziała, co odpowiedzieć na tę niespodziewaną, choć niby w końcu normalną sytuację.

– No chyba moje miejsce jest obok ciebie – nie zapytał, tylko stwierdził, po czym nie zwracając już na żonę uwagi, położył się tyłem, szykując do snu.

Żadnych pytań o pozwolenie? Żadnych „proszę" ani „dziękuję"? O co chodzi? Nie mając innego wyjścia, lekko zażenowana Mariolka położyła się na boku i zgasiła nocną

lampkę. Chwilę później poczuła ugięcie materaca i męskie ramię objęło jej talię. Po chwili ciepły oddech owiał
jej kark, a w uchu rozległ się cichy szept.

– Ta Anka to faktycznie nie jest taka zła... Pokazać ci,
co mi poradziła?

Rozdział 27

Dwa dni minęły, jak z bicza strzelił. Po obiedzie, na który nasmażyła olbrzymie fury uwielbianych przez Emilkę placków ziemniaczanych, z całej siły powstrzymując się od płaczu, stała na drodze i machała ręką odjeżdżającej na tylnym siedzeniu jej golfa dziewczynce. Za kierownicą siedział Dawid, który podjął się zadania przekraczającego możliwości Marioli, a fakt, że z Zuchowa blisko było do Wiatraków, z pewnością miał coś wspólnego z poświęceniem młodego Mężyka.

Wspólnie z Marią spakowały rzeczy dziewczynki, których nazbierało się całkiem sporo podczas jej pobytu w „Rapsodii". Znosząc torbę i patrząc na Emilkę targającą po schodach Fafika, Mariolka wiedziała, że nie da rady ani prowadzić auta, ani nie płakać całą drogę. Jerzy usiadł obok kierowcy, a Emilka i Maria zajęły tylne siedzenia. Jerzy martwił się trochę o zostającą samą w domu żonę, ale Mariola czuła, że samotność dobrze jej zrobi, a dwóm kobietkom przyda się każda pomoc w ponownym zadomowianiu się we własnym mieszkaniu. Pełnymi łez oczami spojrzała na osamotnionego równie jak ona Bolka i pozwoliła łzom popłynąć na wspomnienie słów dziecka.

– Ciociu, niech Bolek zostanie z tobą, żeby nie było ci smutno. Tola zamieszka ze mną, a on z tobą. A że są przecież rodzeństwem, to muszą się odwiedzać. Więc ja będę przywoziła do niego Tolę, a ty do mnie Bolka. I my też będziemy się wtedy mogły spotykać.

Jak ja wytrzymam bez tych jej mądrości... Mariola wytarła oczy i pogłaskała Bolka, który – egoista cholerny – zamruczał głośno i nie wydawał się wcale zmartwiony tym, że cała miska zostaje do jego wyłącznej dyspozycji. Zostawiwszy nieczułego kocura, poszła do opustoszałego pokoju, w którym Kubuś Puchatek, równie niewzruszony jak Bolek, uśmiechał się do niej ze ściany. Położyła się na łóżku i przykryła błękitną kołderką.

Obudziło ją dopiero trzaśnięcie drzwiami. Z opuchniętymi od płaczu powiekami zeszła do kuchni. Jerzy obrzucił ją zmartwionym spojrzeniem i podszedł, aby pocieszyć.

– Nie martw się, Mariola. Przecież wiedzieliśmy, że w końcu mała odejdzie. A żebyś ją słyszała podczas drogi... Taka była szczęśliwa, świergotała jak skowroneczek. – Nagły szloch żony powiedział mu, że o kobiecej wrażliwości nie ma jednak bladego pojęcia. – No wiadomo przecież, że będzie za tobą tęsknić... – Objął ją ramieniem, nie wiedząc, w jaki sposób może pocieszyć zdruzgotaną kobietę. Przytulił mocno, nie zwracając uwagi na moczące jego koszulę łzy. – Ale chatę to im Piotrek odszykował eleganckо. Ogrodzenie nowe, pokoje odmalowane, a w jednym z nich Ola machnęła identycznego Kubusia jak tutaj...

Poszukując na siłę zajęcia dla rąk i mózgu, poszła na łąkę nazbierać pachnących traw i ziół. Z części planowała zrobić bukiety do wazonów, a część wysuszyć i wyprodukować własne potpourri, podejrzane u Beaty, którego oszałamiający zapach chciała przenieść do domu. Zbierała różne nieznane jej z nazwy rośliny, kierując się własnym nosem i gustem. *Mam nadzieję, że nie zbieram żadnych muchomorków* – pomyślała, przypominając sobie instrukcje Beti.

– Nazbieraj różnych pachnących choboci. Kwiatów, owoców, listków, co ci tam w ręce wpadnie, a później połącz z egzotycznymi przyprawami. Ja do moich dodałam goździki, gałkę muszkatołową i imbir, ale możesz dać cynamon czy ususzoną cytrynę albo pomarańczę. Jak wysuszysz, tylko nie pokrusz ich za bardzo, dodaj sporo olejku eterycznego i całą mieszankę zamknij szczelnie w słoiku. Co jakiś czas zamieszaj i po sześciu tygodniach masz gotowe potpourri jako dodatek do różnych dekoracji albo po prostu jako naturalny odświeżacz powietrza. Tylko trucizn jakichś nie nazbieraj...

Chodząc w kółko i wąchając, zastanawiała się odruchowo, czy ten zapach podobałby się Emilce, a gdy miała wątpliwości, bez zastanowienia wyrzucała roślinę i szukała nowych. Krzaki dzikiej róży i czeremchy rosnące pod lasem pozbyły się już strojnych kwiatów i wabiły ptaki niezliczonymi czerwonymi owocami. *Trzeba będzie ich też nazbierać* – pomyślała zachłannie. – *Skoro nalewka z kwiatów wyszła tak dobra, to z owoców na pewno nie będzie gorsza...*

Po półtorej godziny z torbą pełną polnych i leśnych skarbów wróciła do domu. Jerzy uruchomił sokownik i namiętnie wyciskał z jabłek wszystkie soki. Ujrzawszy ją, zerknął niepewnie, ale widząc, że humor ma trochę lepszy, odetchnął z ulgą. Wysypała chobocie do skrzynki i wyniosła na taras, aby sierpniowe słonko zrobiło coś pożytecznego, zamiast świecić bezsensownie w ten pozbawiony radości dzień. Usiadła na bujaku, patrząc pusto przed siebie.

– Chcesz soku? – Jerzy pojawił się obok niej z dwiema szklankami. – Świeżutki, jeszcze pół godziny temu wisiał na drzewie.

Z obojętnością wzięła napój i upiła odrobinę.

– A Dawid gdzie?

– Zawiozłem go do Zuzanny.

– Ajron był? – zadała pytanie niezbyt ciekawa odpowiedzi, tak tylko, aby coś powiedzieć, ale Jerzy nastroszył się lekko.

– Nie. W pracy.

– Aha.

Na tarasie ciszę przerywały tylko brzęczące muchy i osy, które w sierpniu były prawdziwym utrapieniem.

– Ten Ajron chyba coś do ciebie ma – odezwał się w końcu Jerzy, przysuwając sobie krzesło i siadając obok Marioli.

– To znaczy?

– No wiesz. Tak na mnie naskoczył ostatnio...

– Anka też.

– No niby tak, ale ten doktorek martwi mnie bardziej...

– To niech cię nie martwi.

Jerzy postanowił nie drążyć tematu, widząc, że Mariolkę byle co może dziś wyprowadzić z równowagi.

Popił soku i myślał nad tematem, który oderwie myśli żony od wspomnień.

– Piotrek chce mi dać robotę.

– Jaką robotę?

– Nic skomplikowanego. Pytał, czy założę i poprowadzę stronę internetową jego firmy budowlanej.

– I co powiedziałeś?

– Zgodziłem się oczywiście. Żaden problem. Tym bardziej że kasa z poprzedniego zlecenia pomału się kończy i trzeba zarabiać na życie. Orientowałem się wstępnie w Choszcznie i zapotrzebowanie na informatyków jest całkiem spore.

Mariola zerknęła na niego, aby upewnić się, że dobrze rozumie jego intencje.

– A twoja praca w Przemyślu?

Jerzy próbował odgadnąć, czy Mariola chce, aby ich życie toczyło się wspólnie, ramię w ramię, czy może czeka z niecierpliwością, aż zabierze stąd swoją osobę.

– No wiesz... Wszytko jest kwestią otwartą...

Znów głośno zabrzęczała osa usiłująca dostać się do którejś ze szklanek.

– Nie pomagasz mi...

Mariola podniosła na niego oczy.

– Jerzy, ja nie mogę ci pomóc. Nie chcę usłyszeć za jakiś czas, że tak się dla mnie poświęciłeś... Że zamieszkałeś na wsi zabitej dechami, że zamiast stukać w klawisze, musisz rąbać drzewo, a pantofle zamienić na gumiaki. Ja się stąd nie wyprowadzę. Tu jest mój dom, tu mam przyjaciół i tu jestem szczęśliwa. – *No może niekoniecznie dzisiaj* – dodała w myślach. – Twój przyjazd był niespodziewany. Przyznam się, że nie byłam w skowronkach, gdy zadzwonił Dawid z tą informacją. A nawet przeciwnie, byłam wściekła i nie chciałam cię w „Rapsodii". Myślę teraz, że to ze strachu. Bałam się, że znów wszystko będzie tak jak kiedyś. Że ty ponownie będziesz zgorzkniałym fanem Klossa, a ja zmienię się z powrotem w tamtą nudną, nieszczęśliwą Mariolę – kontynuowała, wiedząc, że kiedyś i tak musieliby przeprowadzić tę rozmowę. – Rzeczywiście z Ajronem łączyło mnie coś więcej niż przyjaźń. Nie miłość, ale jakieś takie szalone zauroczenie... Nic nie zaszło, ale gdybyś nie przyjechał, to pewnie sprawy potoczyłyby się... no wiesz... Ale wyjaśniliśmy sobie wszystko, więc nie musisz się martwić. – Spojrzała na słuchającego ją uważnie męża. – Nie mam jednak zamiaru zrywać znajomości z nim. Ani z nikim innym. W każdej chwili mój dom jest dla nich otwarty. W każdej chwili dnia i nocy. Dla Ajrona, Anny, Olki i wszystkich, którzy będą chcieli tu przebywać. Rozumiesz to? Nie mam zamiaru zmieniać mojego życia tylko dlatego, że ty wolisz inaczej.

Jerzy zamyślił się głęboko nad jej słowami. Do osy dołączyło kilka koleżanek, ale dla rozmawiających ludzi nie miało to najmniejszego znaczenia. Zapomniane szklanki z jabłkowym sokiem stawały się śmiertelną pułapką dla owadów, a oni rozważali o tym, jak ominąć pułapki, które zastawiło na nich życie.

– Nie mogę się nam nadziwić – odezwał się w końcu mężczyzna. – Ty jesteś tak skomplikowaną kobietą, a masz taki prosty sposób na życie. Kochać i przyjmować wszystko, jakie jest. A ja jestem taki prosty, a wszystko komplikuję. Wszędzie szukam problemów, we wszystkim wietrzę jakiś spisek albo interes. Nikomu nie wierzę ani nie ufam. – Tym razem Mariola zamieniła się w słuch i patrzyła z uwagą na robiącego rachunek sumienia męża. – Ale sam zaczynam widzieć, że nie tędy droga. Widzę, jak tutaj rozkwitłaś, czuję, jak ja sam się zmieniam z każdym kolejnym dniem. Przez ostatnie lata siedzieliśmy na wielkiej tykającej bombie, która kiedyś w końcu i tak by wybuchła. Cieszę się, że wybuchając, nie zniszczyła całego naszego życia, a tylko rozwaliła otoczkę, która i tak była zgniła. Nie mam ci za złe doktorka, wręcz przeciwnie, cieszę się, że pomógł ci w chwili, kiedy ja zawiodłem. Miał w stu procentach rację, kiedy mówił, że jestem dupkiem. Byłem dupkiem, ale nie chcę już nim być. Nie powiem ci teraz, czy zamieszkam tu na stałe, choć wydaje mi się, że największą głupotą, jaką mógłbym zrobić, byłby powrót do Przemyśla. Jednak, aby całkowicie bez wahania podjąć tę decyzję, potrzebuję jeszcze trochę czasu. Jestem szczęśliwy tutaj z tobą, ale muszę mieć pewność, że ty jesteś równie szczęśliwa ze mną. Dlatego na razie po prostu pobądźmy ze sobą. Postaram się udowodnić ci, że naprawdę się zmieniłem i że nie musisz się obawiać o powtórkę z przeszłości. A wtedy zastanowimy się, co dalej. W każdej chwili można sprzedać mieszkanie i zmienić pracę...

Wzruszona Mariola kiwnęła głową, po czym czując, że Jerzy chce pobyć sam, zabrała szklanki pełne os i cicho poszła do domu.

Późnym wieczorem, po telefonie od syna, Jerzy pojechał do Choszczna. Wrócili po dwudziestej drugiej i mężczyzna, ku niezmiernemu zdumieniu Mariolki, wręczył jej olbrzymi bukiet czerwonych róż. Bez słowa podał go kobiecie i z zadowolonym uśmiechem obserwował, jak wtula ona spłonioną twarz w pachnące kwiaty. Dawid również uśmiechnął się do rodziców.

– Czyli rozumiem, że nie macie nic przeciwko temu, że od października przenoszę papiery do Poznania?

—Wyobrażacie sobie, że ten gnój dostał tylko zawiasy!? – Wszyscy siedzieli na tarasie, a Anna prawie eksplodowała, opowiadając o zakończonym właśnie procesie. – Zawiasy i, kurwa, pouczenie! Ja chyba nie wytrzymam, wezmę gnata, zaciągnę typa do ciemnego lasu i tak go poucze, że własnych jaj będzie po krzakach szukał! Nasz wymiar sprawiedliwości to jest żart jakiś cholerny! A biedna Maryśka stała tylko z trzęsącymi się rękami i jedno wielkie gówno mogła zrobić. A przecież powiedziała wszystko! I o tym, jak chlał, i jak bił ją czym popadnie, i jak znęcał się nad Emilką... A szanowny pan sędzia tylko pokręcił główką i pogroził paluszkiem! Sam pewnie w domu żonę leje...

Aleksandra siedziała z przerażeniem w oczach, myśląc zarówno o Emilce, którą roztrzęsiona Maria zabrała od nich zaraz po rozprawie, jak i o słowach Piotrka, który odwożąc je obie do domu, nasłuchał się o różnych sprawkach mężusia. Nie mogła uwierzyć, gdy Piotr powtórzył jej to, co mówiła Maria, a podejrzewała, że co drastyczniejsze momenty i tak zachował dla siebie. Piotr, Jerzy i Dawid słuchali z zaciśniętymi zębami, w pełni popierając plany nieobliczalnej policjantki.

– Mogę pożyczyć auto od doktorka i podwieźć was do tego lasu, żeby po samochodzie cię nie zidentyfikowali – całkiem na poważnie zwrócił się Dawid do Anny.

– Dałam Marii nasze wszystkie możliwe numery telefonów i kazałam natychmiast dzwonić, gdyby co.

Wszyscy jak jeden mąż pokiwali z akceptacją głowami.

– Dzwoniłem do niej, prawie natychmiast jak wyjechałem z Zuchowa – zmartwionym głosem odezwał się Piotrek. – Powiedziała, że wszystko spokojnie. Siedzi i myśli.

– Ale o czym, kurwa! Czym najlepiej im znowu przywalić? – Anka nadal buzowała wściekłością i nienawiścią.

Mariola, równie niespokojna o los Emilki, jak i Marii, z którą zaprzyjaźniła się w ciągu tych kilku zaledwie dni, położyła swą dłoń na ramieniu kuzynki.

– Aniu, uspokój się. Na razie nic nie możemy zrobić. Może faktycznie czegoś nauczyła go ta cała sytuacja. Może pomyśli pięć razy, zanim zachce mu się znowu wyżywać na rodzinie.

Anka spojrzała na nią smutno.

– Taa, a za szóstym razem tak trzepnie naszą małą, że tym razem ona znajdzie się w szpitalu. Mari, oni się nie zmieniają. Pamiętasz? Już ci to kiedyś mówiłam...

Przez tydzień nie rozstawała się z telefonem. Z komórką w zasięgu wzroku jadła, doiła Cytrynę, kąpała się i zbierała jabłka. Na każdy dźwięk dzwonka podskakiwała ze strachem, ale to zawsze dzwonił ktoś z rodziny z uspokajającymi wiadomościami. Sama rozmawiała kilka razy z Marią, która wzruszona troską, naśmiewała się lekko z ich nadgorliwości. Emilka też była spokojna i w długich rozmowach opowiadała jej o psocącej Toli.

Mariolka wyczytała w Internecie, który po staraniach Jerzego w końcu funkcjonował jak należy, że właśnie teraz jest najlepszy czas na zbiór owoców dzikiej róży, które po zimnych już nocach miały najwięcej słodkich soków, i wybrała się na brzeg lasu. Miała już dobry kilogram owoców, gdy zadzwonił telefon. Odebrała z uśmiechem, myśląc, że Jerzy znowu nie może czegoś znaleźć w coraz bardziej zagraconej kuchni.

– Na pewno w czwartej szufladzie... – zaśmiała się do słuchawki.

– Ciociu... Ciociu, mamusia...

Telefon wypadł jej z ręki i w panice poszukiwała go w kolczastych krzewach. Czuła, jak jej serce przestaje bić, a w gardle rośnie ogromna, zimna gula. Strach i ból w głosie jej małej odebrały jej wszelki rozsądek. *Matko jedyna, zanim dobiegnę do domu, minie z pięć minut...* Szybko wybrała numer Jerzego.

– Jerzy... Emilka... – tylko tyle udało jej się wykrztusić, gdy biegła co tchu w kierunku domu.

Dobiegłszy do gospodarstwa, ujrzała tylko kurz na drodze pozostawiony przez jadący z wielką prędkością samochód Jerzego. Wpadła do domu i szukała w ogromnym przerażeniu kluczyków do golfa. Zanim zobaczyła je, leżące spokojnie w tym samym co zwykle miejscu, minęło dobrych dziesięć minut. Wsiadła do samochodu

i z piskiem opon ruszyła za autem męża. *Matko jedyna...*
Matko jedyna... Prowadząc z zawrotną szybkością, jedną
ręką trzymała kierownicę, a drugą usiłowała znaleźć po
omacku telefon. Zdjęła na chwilę nogę z gazu i szybko
odnalazła numer do Anny. *Jasna cholera!* Piotrek również
nie odpowiadał. *Boże, przecież ja nie wiem, jak się jedzie do
tego cholernego Zuchowa...* Wyszukała numer Ajrona. Odezwał się po trzecim dzwonku.

– Cześć, kochana, zatęskniłaś?

– Ajron, jedź natychmiast do Choszczna. Wiesz, gdzie
mieszka Emilka? – Szloch dusił jej gardło. – Coś się tam
dzieje.

Ajron nie potrzebował więcej słów. Zapewniwszy ją,
że już wsiada w samochód i czeka pod fontanną, rozłą-
czył się szybko. *Matko jedyna... Jak długo jeszcze będę się tam
wlec!?* Drogę, która zwykle zajmowała jej piętnaście minut, pokonała w dziesięć. Jeep Arka był już na miejscu.

– Matko Boska! Mariola, jak ty wyglądasz! – przeraził
się Ajron. – Cud, że się nie zabiłaś, prowadząc w takim
stanie. Wsiadaj, opowiesz mi po drodze.

Zostawiła swój samochód, nie patrząc na znaki zaka-
zów, i wpadła obok mężczyzny, już odpalającego silnik.
Podczas drogi urywanymi zdaniami naświetliła mu sytuację, a w miarę słuchania Ajron coraz mocniej zaciskał
zęby i coraz silniej wciskał pedał gazu. Mimo ogromne-
go pośpiechu i tak przyjechali za późno. Na podwórku
przed małym, starym domkiem migotały koguty policyj-
nego radiowozu, a na ulicy stał sznur aut. Nie bacząc na
powstrzymującego ją Arka, Mariola wyskoczyła z samochodu i rzuciła się w kierunku znajomej grupy osób. Gdy

ujrzała całą i zdrową Emilkę, ogromna ulga omal nie powaliła jej na kolana.

Maria czuła się trochę zakłopotana, gdyż w jej niewielkiej kuchni ledwo pomieścili się wszyscy obrońcy. Wciąż poprawiając poszarpane ubrania, uśmiechała się nieśmiało i nie zwracając uwagi na powiększający się przy lewym oku krwiak, starała się ugościć nowych przyjaciół. Mariola kończyła bandażować rękę Jerzego, co chwila podnosząc na niego wzrok, w którym oprócz dumy widniało coś jeszcze. Może nie miłość, ale z pewnością wzrok ten nie był Jerzemu niemiły. Ajron zerkał na nich i uśmiechał się, nie tak szeroko jak zwykle, ale widać było, że zaakceptował sytuację i życzy obojgu jak najlepiej. Dawid z dumą zerkał na ojca, a Anka, nie zważając na syki rannego, co i rusz z całej siły waliła go po ramieniu, chwaląc się, że tylko ona sama zrobiłaby to lepiej.

– Tata złamał chyba wszystkie możliwe przepisy – Dawid po raz kolejny opowiadał akcję, gdyż nie wszyscy zainteresowani pojawili się w tym samym czasie. Ale po jego minie widać było, że z chęcią opowie jeszcze raz. – Gnał jak szalony i tylko modliłem się, żeby jakieś gliny nam się nie napatoczyły. – Puścił do Anny oko, a ona uśmiechnęła się potakująco. – Po drodze zadzwoniłem do Anny i Piotra. – Oboje z potwierdzeniem pokiwali głowami. – Jak wpadliśmy na podwórko, to akurat przez drzwi wylatywał jakiś taboret. Facet darł się jak opętany, ale tak bełkotał, że nie można było zrozumieć słów.

Zobaczyliśmy Emilkę schowaną w ogrodzie i tata kazał mi iść do niej, a sam wpadł jak burza do domu. Upewniłem się, że z małą okej, i wpadłem za nim, ale niestety całą akcję przegapiłem. Już było po ptokach. Gość leżał u stóp ojca, rozłożony jak ta lala, z krwawiącym nosem i pięknie rosnącym limem, a tata przepraszał panią Marię, że zabrudził krwią podłogę. Bredził coś, że powinien faceta wytargać na podwórko i tam mu dopiero przyłożyć, ale nie dał rady się powstrzymać.

W tym momencie wszyscy panowie jednomyślnie stwierdzili, że brak opanowania Jerzego jest jak najbardziej zrozumiały, a kobiety postanowiły wybaczyć zniszczenie podłogi bez najmniejszych nawet oporów. Maria, która na szczęście nie zdążyła za bardzo oberwać, zmyła krew, zanim radiowozem pojawiła się na miejscu druga w kolejności Anna, która skuła bydlaka bynajmniej nie bez przyjemności, po czym jej koledzy po fachu zabrali go w siną dal. Piotrek, dysponujący tylko wolnym rodzinnym samochodem, gdyż mercedesa oddał akurat do jakiegoś przeglądu, nadjechał dopiero w momencie, gdy policyjna suka wyjeżdżała z wioski, więc z czystym sumieniem mógł zadzwonić do czekającej w napięciu Oli, że sytuacja jest opanowana i żadnej z kobiet nie grozi niebezpieczeństwo. Wszyscy rozgadali się naraz i tylko małżeństwo Mężyków nie potrzebowało żadnych słów. Siedzieli obok siebie i wydawało się, że najchętniej znaleźliby się w pomieszczeniu, gdzie troje to już tłum nie do zniesienia.

Rozdział 28

J erzy kończył naprawiać tylną furtkę, gdy nagle niebo zaciągnęło się czarnymi chmurami. Zbliżała się typowa dla tej pory roku gwałtowna wczesnowrześniowa burza. Kozy z własnej woli wytruchtały z warzywniaka, kierując się prosto do swoich boksów. Boczek postanowił być twardy i dalej gnębił pieczarki przy pryzmie nawozu.

– Jerzy, dawaj do domu. Skończysz jutro, zaraz będzie pompa.

Mężczyzna machnął uspokajająco ręką, nie przerywając roboty. Ten cholerny skobel ciągle nie chciał wchodzić na swoje miejsce. *Nie to nie* – pomyślała Mariola – *z cukru nie jest*. Zapeklowała mięso na jutrzejszą żegnającą lato imprezę i włożyła je do lodówki. Nastawiła wodę na herbatę, gdyż powietrze mocno się ochłodziło i odruchowo ustawiła na stole cztery szklanki. Po chwili z westchnieniem dwie schowała z powrotem do kredensu. Dawid wyjechał z Zuzanną do Poznania szukać stancji, w której zamieszka od października, a Emilka już od dwóch tygodni z nimi nie mieszkała. Mariolka często łapała się na wypatrywaniu jej sylwetki na podwórku lub wsłuchiwała się w otaczające odgłosy, starając się wyłowić z gwaru jej srebrzysty śmiech. *O matko, jak ja za nią tęsknię!* – odruchowo pogłaskała Bolka ocierającego się o jej bose łydki. Wiedziała, że ta tęsknota jest bezzasadna, gdyż od początku wiadomo było, że Emilka nie zamieszka w „Rapsodii" na zawsze, ale co innego rozum, a co innego serce, które rozsądek miało za nic. Teoretycznie nie powinna również martwić się o dziewuszkę, gdyż po nauczce, jaką dał tatuśkowi Jerzy, nie nachodził on już swoich byłych worków treningowych, a mecenas Franas pilotował sprawę rozwodu i walczył o wydanie zakazu zbliżania się zwyrodnialca do wkrótce na szczęście byłej rodziny.

Już jutro ją przytulę! Przyjedzie razem z Marią i wszystkimi ludźmi, których tu poznałam i pokochałam całym sercem – pomyślała nieco patetycznie Mariola. Podskoczyła na dźwięk pioruna, który walnął gdzieś niedaleko. Spojrzała przez okno – Jerzy wciąż biedził się z furtką, jakby była to jakaś ogromna plama na honorze, którą trzeba natychmiast zmyć. Uśmiechnęła się pod nosem z lekkim rozbawieniem na wspomnienie cichej rywalizacji męża z Ajronem, stwierdziła jednak, że każdy bodziec uaktywniający Jerzego jest wskazany. A przy okazji skrzypiąca i niedomykająca się od zawsze furtka w końcu zacznie spełniać swoją funkcję. Pierwsze grube krople deszczu uderzyły o parapet. Dwa oddechy później nie było widać świata zza ściany wody, strugami lejącej się z nieba. Jerzy, gubiąc po drodze narzędzia, na wyścigi z Boczkiem pędził pod dach, kulejąc jeszcze nieznacznie, co perfidnie wykorzystywał mający przewagę na swych czterech krótkich nóżkach prosiak, co krok zabiegający mężczyźnie drogę.

– Jasna cholera z tą świnią! – Jerzy wpadł do kuchni mokry od stóp do głów. – Gdyby nie on, zdążyłbym przed deszczem.

– Z pewnością – dla świętego spokoju zgodziła się Mariola, podając mężowi suche ręczniki. Jerzy spojrzał na nią spod byka.

– No, ale grunt, że zrobiłem. Doktorek nie musi już przywozić tych swoich amerykańskich kluczy.

– Naprawdę, kochanie, jestem z ciebie dumna – pochwaliła go Mariola. – W zaledwie dwa tygodnie poradziłeś sobie z tym herkulesowym zadaniem. I nie martw się, proszę, tą szafką w łazience. Ajron mówił, że powiesi ją jutro, jak przyjedzie na grilla.

Mając dziwne wrażenie, że żona robi z niego lekkiego durnia, wytarł włosy i podniósł do ust kubek z ciepłą herbatą.

– Mamy jeszcze ten sok malinowy? Zmarzłem jak pies. W przyszłym roku musimy zrobić więcej, w piwnicy zostały już tylko dwa słoiczki, a na przeziębienie byłby jak znalazł.

Mariola wlała resztkę soku do kubków.

– Zrobimy. I malinowych, i porzeczkowych, i jakich tylko nam się będzie chciało.

Skrzywił się lekko i pomasował bolącą nogę. Mariola sięgnęła do apteczki i wyciągnęła przeciwbólowy żel, który kilka dni temu przyniósł dla Jerzego Ajron. Mężczyzna skwapliwie skorzystał i nacierając opuchniętą kostkę, przyznał obiektywnie:

– Niezbyt podoba mi się myśl, że leczy mnie weterynarz, ale ten żel naprawdę przynosi ulgę.

Skończył szybko herbatę i poszedł rozgrzać się pod prysznic. Słuchając szumu wody, Mariola pozwoliła sobie na triumfujący uśmiech. *Skoro Jerzy planuje już, co będzie w przyszłym roku, to chyba na dobre wybił sobie z głowy plany powrotu do Przemyśla.* Rozłożyła się na sofie, przykrywając stopy polarowym kocem, i włączyła telewizor. Jednym okiem oglądała jakiś program rozrywkowy, a drugim spoglądała przez okno na wciąż padający deszcz, delektując się ciszą i słodkim nieróbstwem. Nie nasłuchała się owej ciszy za wiele, gdyż w pięć minut po ucichnięciu prysznica rozległ się przeraźliwy warkot wiertarki, co wbrew pozorom, zamiast grymasu irytacji wywołało na jej ustach kolejny triumfalny uśmiech.

Musiała przysnąć na chwilę, ukołysana monotonnymi, choć nie tak w końcu cichymi odgłosami, bo ocknęła się, gdy wykąpany i pachnący Jerzy usiadł na brzegu sofy, unosząc jej nagie stopy i kładąc je sobie na kolana. Podał żonie szklankę własnoręcznie zrobionego soku jabłkowego z odrobiną kupionej w sklepie żubrówki.

– Wyszedł mi ten sok, nie?

– Jest pyszny – sennym głosem potwierdziła Mariola, z przyjemnością popijając drinka.

Ciepłymi rękami Jerzy masował jej stopy, okrężnym, wolnym ruchem przesuwając łaskoczące palce w kierunku kolan. Dotarł do wrażliwego miejsca pod nimi i zabawiał się nieśpiesznie, drażniąc i głaszcząc pod wszelkimi możliwymi kątami. Mariola westchnęła przeciągle, czując, jak błogość rozlewa się po całym jej ciele. Senność i ociężałość zniknęły bez śladu, zmieniając się w zgoła przeciwny stan ducha. Zadowolony mężczyzna śmielej przesuwał swe ręce coraz wyżej, z uwagą śledząc reakcję żony. A reakcja żony przechodziła jego najskrytsze marzenia. Oddech kobiety stał się szybszy i głębszy, ciało wyginało się w kierunku delikatnie kontynuujących swą wędrówkę gorących rąk. Z pasją przyciągnęła mężczyznę do siebie, szukając gorączkowo jego warg.

—Smutna jakaś jesteś – pół pytając, pół stwierdzając, odezwał się Jerzy.

Leżeli na rozłożonej sofie. W tle trzaskał cicho ogień w rozpalonym przez Jurka kominku. Mariola leżała wygodnie z głową opartą na jego piersi. Czuła, jak mąż delikatnie wplata palce w jej włosy i z czułością głaszcze po odkrytych ramionach.

– Myślę o Emilce. Chyba to, że jutro ją zobaczę, tak mnie jakoś nastroiło. Pokochałam tę małą jak własne dziecko. Gdy przypomnę sobie dzień, gdy Anna przywiozła ją do „Rapsodii", i porównam tego nieszczęśliwego kurczaczka z małym czarcikiem, który pojechał do domu, to czuję, że decyzja o zaproszeniu jej tutaj była najlepszą rzeczą, jaką zrobiłam w całym swoim życiu.

Jerzy długo milczał. Podniósł się na łokciu i spojrzał żonie prosto w oczy.

– Wiem, o czym mówisz. Nigdy nie czułem większej satysfakcji niż wtedy, gdy ten gad czołgał się u moich stóp z krwawiącym nosem. Posłuchaj mnie, kochanie. Sam jestem w szoku, że to mówię, ale dlaczego nie mielibyśmy tego powtórzyć? Mamy duży dom, a ty masz wielkie serce. Mnóstwo jest Emilek, którym możemy pomóc, które możemy pokochać i dać im chociaż chwilowo dom i opiekę. Anna nam pomoże. I mecenas Franas.

Mariolka z niedowierzaniem spojrzała na męża.

– Mówisz serio? Naprawdę chciałbyś, aby po naszym domu pałętały się wszelakie komisje i kuratorzy, aby przesłuchiwali nas psycholodzy, pedagodzy i inni tego typu? Zniósłbyś to, że budzą cię w środku nocy, przynosząc jakieś biedne dziecko, które płacze, jest wystraszone, być może agresywne...?

– Nie chciałbym. – Mariola opuściła głowę. – Ale jestem w stanie to znieść. Jestem w stanie znieść chwilowe niedogodności przykrych wizyt, bo rozumiem, że takie są wymogi. Jestem w stanie znieść dużo więcej, aby przeżyć takie chwile, jak wtedy gdy Emilka nazwała mnie pierwszy raz wujkiem, a jej oczy rozbłysły na widok domku dla wiewiórki, czy gdy schowała się za mną w strachu przed ojcem, co było dla mnie absolutnym dowodem jej zaufania. I co spowodowało, że zrobiłbym wszystko, aby jej nie zawieść. Jestem w stanie znieść jeszcze więcej, aby widzieć ten błysk w twoich oczach i miłość, z jaką patrzyłaś na mnie, wtedy w Zuchowie, opatrując moją zakrwawioną rękę. No i tego, co było później, też nie wspominam najgorzej. – Uśmiechnął się do żony, a już chwilę potem zacisnął usta i spojrzał z nagłym zdecydowaniem. – Mariolka, przestań gadać. Po prostu to zróbmy!

I zrobili, pod wpływem nagłych emocji. Może niedokładnie to, co miał na myśli Jerzy, ale mężczyźnie nie przyszło nawet do głowy, aby oponować. Podłoga nie była tak wygodna jak miękka sofa, ale nie zwrócili uwagi na ten drobny szczegół i podczas gdy ogień w kominku przygasał, w ich ciałach płonął coraz goręcej.

W środku nocy siedzieli przy kuchennym stole i przekrzykiwali się wzajemnie, podekscytowani jak dzieci.

– Dawid może się przenieść do garderoby, niepotrzebny ci cały pokój na tych parę szmatek. Zamówimy wielką szafę do korytarza i zmieścimy tam wszystko bez problemu. A w pokoju nad garażem zmieszczą się dwa łóżka i jeszcze pozostanie mnóstwo miejsca.

– Trzeba będzie poprosić Olkę o następny zaczarowany pokoik.

– Anka zawsze wie co i jak, więc pustostanu mieć nie będziemy.

– Proszę cię! Mówisz dzieciach, a nie o rzeczach. – Jerzy szybko uciszył żonę pocałunkiem i planował dalej: – Trzeba by zwierzyniec powiększyć. Mówiłaś, że Emilka najszybciej lgnęła właśnie do zwierząt.

– Mamy już dwa opracowane patenty. Pies na pocieszenie, Boczek na rozbawienie...

– Opracujemy jeszcze nie jeden. Króliki albo gołębie... Chłopcy wolą gołębie...

– I jakieś dobre żarcie musi być. Kury na jajka, może jakiś inny drób...

– I warzywa swoje. Trzeba się będzie za ogród zabrać przyszłą wiosną...

– I słoików jak najwięcej naprodukować jeszcze w tym roku...

– I auto większe kupić...

Na razie postanowili nie wtajemniczać nikogo w swoje plany. Zdecydowali się przemyśleć to jeszcze bez emocji. Zastanowić się sto razy, czy na pewno podołają fizycznie i psychicznie, bo mimo chwilowej euforii zdawali sobie doskonale sprawę, że nie jest to decyzja, którą można podjąć w przysłowiowe pięć minut. Musieli być pewni na milion procent, że są w stanie pokochać nie tylko te tak słodkie jak Emilka dzieci, ale również te, które na krzywdę im wyrządzoną odpowiadały agresją, niechęcią albo i nienawiścią do świata dorosłych. Które otoczyły murem wyimaginowany własny świat, uciekając przed rzeczami, jakich Mariola i Jerzy nie potrafili sobie nawet wyobrazić.

„Rapsodia" znów była pełna ludzi. W dziecięcym pokoju zainstalowały się wycałowana serdecznie przez Mariolę i pozostałe ciocie Emilka z Hanią, sypialnię oddano do dyspozycji Marii, a w pokoju Dawida zorganizował sobie legowisko Ajron. Anna z Beatą rozłożyły w sadzie namiot, uważając, aby znalazł się on w przeciwnym krańcu niż malownicza, choć woniejąca lekko pieczarkodajna góra. Piotr i Aleksandra namawiali dziewczyny, aby spały razem z nimi w dwupokojowej przyczepie kempingowej, ale przyjaciółki zgodnie odmówiły, nie chcąc odbierać małżonkom prywatności.

– Nasz dom jest zdecydowanie za mały – zaśmiał się Jerzy, podchodząc do stojącej na tarasie Marioli. – Jesteś tu pół roku, a już nie możesz pomieścić gości. Jak nic Piotrek będzie musiał dobudować jeszcze jedno piętro, jeśli w takim tempie zacznie przybywać nam przyjaciół, tym bardziej że ma przybyć również domowników. – Mariola zerknęła na niego z uwagą. – Nie! Nie patrz na mnie spod byka, kochanie. Sam się temu dziwię, ale naprawdę sprawia mi radość ten szum i gwar dookoła nas.

Dał jej żartobliwego pstryczka w ucho i poszedł do Piotrka, który miał jakieś problemy z podłączeniem prądu do przyczepy. *Coś w tym jest* – pomyślała wesoło Mariolka, ogarniając wzrokiem obejście. Praktyczne harcerki okopywały swój namiot dziecięcymi łopatkami, klnąc ile wlezie na wyginający się, niezbyt odpowiedni sprzęt okopowy. Wszyscy trzej panowie gmerali przy przyczepie, a Aleksandra walczyła w kuchni z Miśką.

– Nie, kochanie, nie możesz tam pójść.

– Misia chce! – darła się wniebogłosy dwulatka.

– Ale Hania i Emilka są starsze, dawno się nie widziały i muszą porozmawiać o różnych sekretach w samotności.

– Misia do Aji i Milki!

– A może pójdziesz zobaczyć, co robi Boczek?

– Boci tylko je!

– To do Mandarynki.

– Ynka tes je!

– Matko Boska, zwariuję zaraz z tobą, a idź gdzie chcesz! – Zdesperowana matka Polka puściła swe stanowcze dziecko, które natychmiast podreptało schodami do góry.

Mariolka uśmiechnęła się pod nosem, wiedząc z doświadczenia, co będzie dalej.

– Maaamoooo! Weź ją stąd! Czy to moje dziecko, czy twoje? – rozległ się przez okno krzyk, któremu towarzyszył wściekły wrzask odpędzanej Michaliny.

Mariolka, tłumiąc śmiech z powodu dziwnego wrażenia déjà vu, zlitowała się nad szwagierką.

– Wezmę Miśkę na spacer na łąkę, kończ sobie spokojnie te arcydzieła kulinarne. Chodź, mała, pójdziemy poszukać kwiatków – zwróciła się do naburmuszonego dziecka, które nie mając innego wyjścia, podało łaskawie rączkę ciotce i pozwoliło się wyprowadzić nieskrzypiącą w końcu tylną furtką, za którą rozciągała się łąka pełna wczesnojesiennych kwiatów. Idąc wolnym krokiem, Mariola ponownie zachwyciła się otoczeniem, w którym się znalazły. Nawłoć i masa złocieni zdominowały całe połacie terenu, żółcąc się jak okiem sięgnąć, a w złote morze szerokimi klinami wcinały się białe rumianki i krwawniki. Gdzieniegdzie czerwieniło się jeszcze kilka maków lub błękitnym okiem spoglądał chaber. Na skraju pyszniły się białe dzwonki powojów i sterczały wysokie kwiatostany polnej babki. Mariola zerwała kilka łodyżek tasznika, zwanego przez nich w dzieciństwie „chlebkiem" i tak samo jak przed laty bezmyślnie obgryzała małe, podobne w kształcie do serc, listeczki. Michalinka jak natchniona wyrywała garściami całe pęki kwiatów.

– Małe rączki...

Wzięła od zachłannego bąka wiecheć polnych kwiatów i odrzucając z bukietu trawę i śmieci szła wolno, rozmyślając o zmianach, które zaszły w jej życiu. *Pół roku, no może ciut więcej, a nie poznaję samej siebie. Nie poznaję mojego męża ani syna... Jaka ty byłaś mądra, ciociu... Skąd wiedziałaś, że tak bardzo potrzebuję twojego domu, twojego sadu i twojej kozy...? Jak mogłaś wiedzieć, że jestem nieszczęśliwa, skoro ja sama o tym nie wiedziałam?* Doszły do krańca łąki i powitały je pierwsze leśne drzewa i szum rzeki. Z pewnym rozrzewnieniem stanęła w miejscu, gdzie, zdawałoby się ledwie wczoraj, z taką pasją całował ją Ajron. *Dzięki, ciociu, że mnie powstrzymałaś, znowu lepiej ode mnie wiedziałaś, co jest słuszne.* Odebrała od Misi kolejną porcję badyli i obie ruszyły w powrotną drogę.

Olbrzymi bukiet polnych kwiatów musiał zejść z piedestału, gdyż na całkiem niemałym przecież stole nie dałoby się już wcisnąć nawet słonego paluszka. We wszystkich miskach i salaterkach, jakie posiadała Mariola, pyszniły się artystycznie przyozdobione sałatki. Mizeria ze świeżym koprem, pomidory z czosnkiem i szczypiorkiem, poszatkowana z marchewką i cebulą kapusta i królująca w największej misie rukola z kozim serem, która stała się sztandarową przystawką Aleksandry i która pierwsza znikała w brzuchach zgłodniałych biesiadników, niemogących doczekać się bardziej treściwego jadła. Przy ruszcie Jerzy obracał i polewał piwem niezliczoną ilość kurczaków, kaszanek, kotletów z karkówki i innych części kuzynów Boczusia, który to z pełnym nadziei kwikiem czekał cierpliwie, aż ktoś nieuważnie upuści listek rukoli lub innego przysmaku.

– Spadaj stąd, żarłoku – pogoniła go Mariola.

– Popatrz tylko na niego. Pamiętasz, jak wyglądał, gdy przyniósł go do schroniska Maciek? – Beata popatrzyła na Ajrona.

– Skóra i kość, a na Mariolki wikcie jaki wypasł się z niego gość – średnio udanie zrymował Ajron.

– Nie tylko Boczek. Wszystko na wikcie naszej perfekcyjnej pani domu nabrało blasku. Popatrzcie dookoła siebie – powiedziała Anna.

– Piotrek, pamiętasz, jak ten dom wyglądał w zeszłym roku jesienią, po śmierci Frani? Puste pokoje, zarośnięty sad i rozwalające się budynki gospodarcze. Smutno, cicho i do dupy. Nie chciało się tu przyjeżdżać, bo zamiast się ładować, to akumulatory same się rozładowywały. Ile ja łez wylałam na tym podwórku...

– Pamiętam... Jak wróciłem do domu po zabezpieczeniu „Rapsodii” przed pożarem, rabusiami i innymi potencjalnymi nieszczęściami, to uwaliłem się jak żbik... A moja mądra żona nie tylko mnie nie zwymyślała, ale otworzyła kolejne piwo, kiedy sam już nie dawałem rady. – Piotr objął siedzącą obok Aleksandrę, która trzymała na kolanach usypiającą Michalinę, i pocałował żonę w policzek.

– Nie fantazjuj – zaśmiała się Ola. – Owszem, nie wydarłam się na ciebie, ale to otwieranie piwa to już musiało ci się przyśnić.

– Ja tam nie mam porównania, bo nie znałam wcześniej tego miejsca, ale widzę, jak zmieniło się moje dziecko. Jak z zastraszonego i nerwowego chuderlaka przeobraziła się w radosną, pełną życia dziewczynkę. Mariola... nigdy w życiu ci się nie odwdzięczę. Gdyby nie ty...gdyby nie wy wszyscy... – Mama Emilki spojrzała po kolei na wszystkie otaczające ją twarze, a łzy jak grochy pociekły jej po policzkach.

– Maryśka, mówiłam ci już ze sto razy, że to Emilka uratowała mnie, a nie ja ją. Więc przestań już beczeć albo zaraz zaczniemy wszyscy! – Mariola potrząsnęła ramionami Marii, ale jej samej oczy błyszczały, jakby cebula z sałatek nagle się uaktywniła i chciała pokazać swą pełną, piekącą moc.

– Właśnie – poparła szwagierkę Aleksandra.

– Widocznie tak miało być i już. Najważniejsze, że wszystko dobrze się skończyło, a nasze córki pokochały się niczym Ania i Diana.

– CO? – wielkim głosem odezwał się Piotrek i spojrzał ze zdziwieniem, ale i ciekawością na Annę. – Chcesz mi powiedzieć, droga siostrzyczko, że zamiast szwagra będę miał szwagierkę?

Wszyscy panowie, jak jeden pobudzony jakimś tajemniczym bodźcem mąż, spojrzeli na policjantkę. Jerzy odwrócił się od grilla i z podniesionym widelcem zastygł bez ruchu.

– Co?

Anna miała minę, jakby nagle znalazła się w innej bajce.

– Siostra, wiesz, że cię kocham i akceptuję wszystko, co zrobisz. Każdy może zmienić swoje poglądy, a ty przecież nie jesteś krową.

– CO?

Bajka Anny stawała się coraz bardziej dziwaczna. Ola zerknęła na swojego męża, aby upewnić się, czy nie żartuje, ale ujrzawszy poważną minę, otworzyła szeroko oczy, po czym wybuchnęła śmiechem.

– O matko! Nie wytrzymam...! Piotrek, jaki ty jesteś duuurnyyy! – Oddała ostrożnie Miśkę siedzącej z drugiej strony Marii i odsunąwszy się trochę, zaczęła ryczeć ze śmiechu niczym zraniona bawolica. Po chwili przyłączyły się do niej pozostałe kobiety, panowie natomiast patrzyli na nie również bawolim, nic nierozumiejącym wzrokiem. Po dobrej chwili, gdy odzyskały już jako taką zdolność mowy, Mariola postanowiła oświecić ciemne, męskie umysły.

– Ania i Diana... książka... film chociaż, nic wam to nie mówi?

Panowie nie wykazali jakichkolwiek oznak wracającej inteligencji, nadal naśladując przyciężkawe zwierzęta.

– „Ania z Zielonego Wzgórza", książka taka. Lektura chyba nawet... Klasyka dziecięcej prozy.

Panowie wzruszyli ramionami, trochę rozczarowani spudłowanym strzałem Piotrka. Jerzy odwrócił się z powrotem do grilla, prędko łapiąc butelkę z wodą, gdyż ogień łapczywie pożerał skrzydełka, Piotrek zaś i Ajron z nieco głupimi minami zabrali się energicznie za kontynuowanie przerwanej czynności ruszania ustami.

—Anka, mam wyrzuty sumienia. Wszyscy wyspali się jak ta lala, tylko ty i Beti gnieździłyście się w namiocie.

Przecież cały dół był jeszcze wolny. My kimnęliśmy się na sofie, a miejsca na materace było jeszcze na podłodze aż nadto.

– To się zdziwisz, Mari, bo ja wyspałam się chyba najlepiej z was wszystkich – roześmiała się Ania. – Ledwo zdążyłam przymknąć oko, gdy Beti cichutko jak wąż wyśliznęła się z pieleszy i wypadła w ciemną noc. Wróciła dopiero nad ranem. Domyślam się nawet, kto jeszcze tej nocy nie spał...

– No nie gadaj! Też mi się zdawało, że słyszałam skrzypienie schodów, ale spałam już prawie i myślałam, że to może dzieci albo Jerzy.

Kuzynka zmierzyła ją czujnym, policyjnym spojrzeniem.

– Nie masz z tym problemu?

– Najmniejszego – bez wahania odpowiedziała Mariola.

Całe, choć w różnym stanie zdrowia, towarzystwo zwinęło się tuż po śniadaniu. Emilka długo nie mogła rozstać się z Hanią i dopiero po tysiącu obietnic, że przyjedzie niebawem jedna do drugiej, Annie udało się zapakować do corsy Marię i jej córkę. Piotr i Aleksandra odjechali z dziećmi chwilę później, a Mariola długo machała na pożegnanie przyklejającej zadarty nosek do szyby Michalince. Ajron i Beata nie spieszyli się tak bardzo. Wspólnie z Mężykami wypili kawę na tarasie, śmiejąc się i wspominając co pikantniejsze momenty wczorajszego dnia, te najbardziej pikantne zostawiając jednakże tylko dla siebie, jak z rozbawieniem pomyślała Mariola. *Ciekawe, czy zabrał ją do naszego miejsca* – zastanowiła się przez chwilę, ale stwierdziła, że właściwie nie ma nic przeciwko temu, i przytuliła się do Jerzego, który przyjął to z szerokim uśmiechem, obejmując żonę ramieniem. Godzinę później goście wsiedli do swoich aut i w „Rapsodii" zaległa błoga cisza.

Jerzy zabrał filiżanki, aby wstawić je do zapakowanej po brzegi zmywarki, a Mariola podeszła do płotu i oparła się o niego, patrząc w horyzont. Po niedawnym deszczu łąkowy ogród pachniał oszałamiająco. Gdzieś w oddali Zaraza przywoływała Mandarynkę do porządku, z sadu dobiegało ciche, pełne zadowolenia chrumkanie Boczka, a z Robaczkowego podwórza zabrzmiało pianie koguta dumnego z którejś ze swych licznych żon...

– Pięknie tu... – odezwał się za plecami Marioli Jerzy. Długo stali przytuleni do siebie, patrząc na otaczającą ich dom łąkę i las. Zerwał się lekki, ciepły wiatr.

– Słyszysz?

Odezwał się cichym głosem mężczyzna.

– Sonaty, walce i rapsodie... Tylko tych marszy jakoś nie mogę się dosłuchać...

Gdy objęci wracali do domu, daleko w lesie rozległo się rytmiczne stukanie dzięcioła.

KONIEC

Od autorki

Droga Czytelniczko,

Jeśli dotrwałaś aż do tej pory i czytasz niniejsze słowa, to już jest to dla mnie ogromny sukces. Jeśli uśmiechnęłaś się, chociaż półgębkiem, lub wzruszyłaś odrobinę, to moje ego jest w pełni usatysfakcjonowane. A jak jest odwrotnie, to obiecuję, że następnym razem postaram się bardziej. Jeżeli nie uważasz czasu poświęconego na czytanie za stracony, to uznam, że pomysł napisania tej powieści był jednym z moich najlepszych pomysłów.

Jeszcze raz dziękuję za zainteresowanie. I do – mam nadzieję – kolejnego spotkania.

Drogi Czytelniku,

Jeśli czytasz te słowa z własnej woli i mówisz o sobie w rodzaju męskim, to doprawdy zazdroszczę Twojej partnerce! ;)

PS Wszystkich, którzy zaprzyjaźnili się z Mariolą i chcieliby dowiedzieć się „co w jej duszy gra", a także tych, którzy chcą ją poznać, aby przekonać się, czy warto sięgnąć po powieść, serdecznie zapraszam do odwiedzin na jej blogu: http://dysonanseiharmonie.blogspot.com.

REDAKCJA: Szymon Błaszkowski
KOREKTA: Barbara Kaszubowska
OKŁADKA: Wiola Pierzgalska
SKŁAD: Krzysztof Radziszewski
DRUK I OPRAWA: Elpil

© Joanna Kupniewska i Novae Res s.c. 2015

Wszelkie prawa zastrzeżone. Kopiowanie, reprodukcja lub odczyt jakiegokolwiek fragmentu tej książki w środkach masowego przekazu wymaga pisemnej zgody wydawnictwa Novae Res.

Wydanie pierwsze
ISBN 978-83-7942-737-6

NOVAE RES – WYDAWNICTWO INNOWACYJNE
al. Zwycięstwa 96/98, 81-451 Gdynia
tel.: 58 698 21 61, e-mail: sekretariat@novaeres.pl, http://novaeres.pl

Publikacja dostępna jest w księgarni internetowej zaczytani.pl.

Wydawnictwo Novae Res jest partnerem
Pomorskiego Parku Naukowo-Technologicznego w Gdyni.

PPNT Gdynia